JOSE MARIA CAPOTE BENOT

El surrealismo en la poesía de Luis Cernuda

Serie: FILOSOFIA Y LETRAS Núm. 35 - 1976
Anales de la Universidad Hispalense Publicaciones de la Universidad de Sevilla

EDITA: Publicaciones de la Universidad de Sevilla
IMPRIME: ECESA.-Conde de Barajas, 21.-Sevilla, 1976
CUBIERTA: José Cala Fontquernie, sobre un dibujo de Higinio Capote
Depósito Legal: SE - 203 - 1976
I.S.B.N. 84 - 7405 - 016 - 2

A Don Francisco López Estrada

PROLOGO

La Universidad de Sevilla dedica uno de los libros de su Secretariado de Publicaciones al estudio del poeta Luis Cernuda. El libro recoge el contenido fundamental de la tesis de doctorado de José María Capote, leída el 8 de noviembre de 1973 en la Facultad de Filosofía y Letras de la misma Universidad, y calificada con la nota de sobresaliente «cum laude»; el profesor Capote había publicado anteriormente su tesis de licenciatura en el libro El período sevillano de Luis Cernuda *(Madrid, Gredos, 1971). El trabajo se encuentra en la línea de estudios dedicados a la literatura andaluza (en concreto, sevillana en este caso) que el Departamento de Literatura Española viene desarrollando desde su fundación.*

No fue olvidado Cernuda en este propósito general y, como dije en el prólogo del primer libro de Capote, en este caso hubo un cierto número de condicionamientos favorables para que el estudio se llevase a buen término. Uno de ellos fue que el profesor Capote contaba con un epistolario cruzado entre su padre, Higinio Capote Porrúa, y Cernuda. Higinio Capote fue también profesor de nuestra Universidad, y con ocasión de su muerte, en 1954, publiqué dos noticias necrológicas con referencias de su vida y mención de su bibliografía (Memoria de Higinio Capote, *«Archivo Hispalense», núms. 64 y 65, 1954, págs. 215-216; y* Don Higinio Capote Porrúa, *«Anales de la Universidad Hispalense», XV, 1954, págs. 75-77). En los años de su vida sevillana, Cernuda fue gran amigo de Higinio; y después la amistad siguió asegurada por el carteo de los dos. La correspondencia en cuestión fue conocida y aprovechada en parte por mí en un artículo* (Estudios y Cartas de Cernuda, 1926-1929, *«Insula», núm. 207, 1964, págs. 13-17) y hoy se incorpora completa en los apéndices de este libro.*

José María Capote emprendió sus estudios cernudianos con

Perfil del aire *(1927), que es el motivo básico de su primer libro. Del presente lo son las tres obras siguientes:* Un río, un amor *(1929),* Los placeres prohibidos *(1931) y* Donde habite el olvido *(1932-1933), lentamente elaborados por su autor desde 1929 a 1933, y que desembocan por fin en el poemario* La realidad y el deseo, *de 1936, uno de los primeros libros de mi biblioteca poética y que aún conservo. Capote, en este caso, limita su estudio a un aspecto determinado de la obra de Cernuda: la presencia en ella del movimiento surrealista y el estudio y comentario minucioso de los poemas que lo testimonian. La complejidad propia de la obra del poeta aparece en este caso eludida en favor de la consideración de un aspecto determinado, que resulta el decisivo en este grupo de obras. El surrealismo de Cernuda se inserta en el surrealismo en la literatura española y en el diferente trato de su consideración por parte de los críticos.*

Con este propósito escribió el profesor Capote su estudio, que lo sitúa en un controvertido dominio de la literatura contemporánea: la peculiar condición del surrealismo español. Con sus análisis de la poesía de Cernuda y el examen del movimiento surrealista, apoyado en lo conveniente documentalmente en el epistolario del poeta a su amigo, contemporáneo del período aquí estudiado, este libro supone una aportación más en el estudio, hoy en expansión, de Cernuda. La reciente edición de la Poesía Completa *(ed. de D. Harris y L. Maristany, Barcelona, Barral, 1974) ha sido fundamental para dar a conocer el texto de su obra poética, hasta ahora difícil de leer en toda su extensión; el libro que aquí presento es otro trabajo que esta vez desde Sevilla, la patria del poeta, contribuye a su mejor conocimiento en uno de los aspectos más difíciles de su obra. Que no se diga que habita el olvido en la memoria que se guarde del poeta, y menos en su tierra.*

Francisco LÓPEZ ESTRADA

Universidad de Sevilla, 1975.

INTRODUCCION

Hacia el año 1922 surge en Francia un grupo de artistas que origina un nuevo movimiento al que llaman *surréalisme.* Este grupo, aunque reducido al principio, influirá considerablemente en el arte de nuestro siglo.

La mayoría de estos jóvenes eran poetas y se agruparon en torno a la revista de vanguardia «Littérature» (1924). Ya en este mismo año formaban un grupo numeroso y proclaman un órgano exclusivo de ese movimiento: «La Révolution Surréaliste». Con un amplio programa de agitación se proponían cambiar la condición humana, intención ésta que parece ir más allá del campo habitual del arte. Siendo la mayoría de ellos poetas y artistas, su programa rebasa estos límites, de ahí la paradoja, y añaden a su quehacer artístico, la agitación, la intervención política y lo filosófico.

La esencia del surrealismo, como la de otros movimientos contemporáneos a él, está en las corrientes de vanguardia que cambiaron las bases estéticas tradicionales en los comienzos del siglo XX: en Francia, los cubistas en las artes plásticas y el correspondiente movimiento en lo literario, encabezado por Apollinaire, Reverdy, Cendrars, etc.; en Alemania, el expresionismo, y en Italia, el futurismo. Como se ha dicho, el propósito de estos movimientos era romper con las normas estéticas pasadas, pero en el surrealismo esta intención fue la fundamental, dando además una nueva visión del mundo y del hombre.

El origen más próximo del surrealismo está en el movimiento dadaísta: «El surrealismo ha nacido de una costilla de Dadá»,

dice Ribemont-Dessaignes, y Tristán Tzara agrega: «El surrealismo nació de las cenizas de Dadá». El dadaísmo surgió como consecuencia de la profunda crisis espiritual que produjo la primera guerra mundial. Significó una ruptura total con el pasado, afirmando la caducidad esencial de cualquier forma de expresión artística. Pero al mismo tiempo los dadaístas crearon nuevas bases de principios creadores al servicio de una estética revolucionaria que sería continuada por los surrealistas. En estas nuevas aventuras estéticas se partía de cero; la libertad era la norma más importante. El arte no tenía una función en sí, sino que era un modo de expresión de lo vital en el hombre.

Sin embargo, el surrealismo no apareció como algo original, sino que se creyó un *ismo* más de los que en aquel entonces se sucedían con vertiginosa rapidez, y más aún cuando el dadaísmo, movimiento que le precede, había descubierto muchas de sus características. Por estas afinidades se tardó mucho en ver al surrealismo como una continuación del movimiento anterior, y más aún como una superación. El surrealismo es esencialmente revolucionario e intenta transformar la vida y la condición del hombre. Al resaltar los problemas humanos, los surrealistas se proclamaron fuera de la literatura y del arte, despreciando a todo aquel que por estos medios encontraba la razón de ser del hombre.

Pero los surrealistas no tuvieron más remedio que expresarse por medio de la literatura y las artes plásticas, descubriendo un mundo en ciertos aspectos nuevo: el de los sueños, y una nueva técnica: la escritura automática.

Después de un cuarto de siglo de su fundación, algunos mensajes del surrealismo no tienen ya su fuerza primera. La segunda guerra mundial influyó mucho en esta decadencia. La guerra, con sus crueldades, matanzas, bombardeos y terribles campos de concentración, fue más allá de lo que la imaginación surrealista podía haber creado. El malestar e incluso el terror que algunos pintores querían expresar, quedaron como gestos fuertes en comparación con la discordia, el caos y la destrucción de la guerra. Esta pérdida de fuerzas del surrealismo no se debió a la llegada de otro arte más audaz, sino a un estado de tensión y miedo que se hizo cotidiano. Sin embargo, aún queda mucho de interés en este movimiento; queda en pie el espíritu de búsqueda y aventura, el profundizar en el subconsciente humano, la exalta-

ción del amor y la rebelión, el afán por lo maravilloso, líneas estas tan profundas y vitales que todo arte, desde la aparición del surrealismo, tiene que usarlas, y más aún en un arte de postguerra en el que el hombre intenta casi obsesivamente buscarse en lo más hondo de su *yo*, y en donde las situaciones disparatadas de los sueños han alcanzado un plano de realidad diaria.

En cuanto a la teoría, hay que resaltar su espíritu de independencia, el no doblegarse a ningún otro propósito que no sea el arte puro y libre de toda atadura.

Es bien sabido que el surrealismo tiene muchos aspectos comunes con el romanticismo, y uno de ellos, el que quiero resaltar aquí, es que los dos movimientos tuvieron una difusión internacional de gran alcance. Pronto el surrealismo rebasó las fronteras francesas para infiltrarse en un considerable número de países. En la exposición del surrealismo en París de 1938, estaban representadas catorce naciones. Como he dicho en párrafos anteriores, el surrealismo sufrió una cierta decadencia con la última guerra mundial, pero en nuestros días está recobrando un gran interés, no sólo como materia de investigación, sino como movimiento vivo capaz de influir e interesar a un público actual.

En 1974 se celebró el primer cincuentenario del surrealismo, y esta circunstancia ha aumentado aún más su vigencia.

Con este trabajo intento hacer una aportación particularizada en Luis Cernuda, estudiando tan sólo su época surrealista como reflejo de un período de nuestra lírica contemporánea.

CAPÍTULO PRIMERO

EL SURREALISMO EN ESPAÑA

Una generación poética (1920-1936).

Entre 1920 y 1936 vivió en España una generación poética que se ha comparado en calidad a nuestro Siglo de Oro. Rara vez una armonía histórica tan madura se había dado en nuestro país, como en el decenio del veinte, entre los ideales y gustos de sus miembros, cuyo centro vital fue Madrid. Es difícil colocar o delimitar la idea de generación en el tiempo. Jorge Guillén resuelve así el problema: «Hacia 1925 se hallaban más o menos relacionados ciertos poetas españoles. Si una generación agrupa a hombres nacidos durante un período de quince años, esta generación tendría su fecha capital en 1898: entonces nacen Federico García Lorca, Dámaso Alonso y Vicente Aleixandre. Mayores eran Pedro Salinas, Jorge Guillén, Gerardo Diego: del 91, del 93, del 96. A este siglo pertenecen Luis Cernuda, de 1902; Rafael Alberti, del año 3, y el benjamín, Manuel Altolaguirre, del año 5. De Salinas a Altolaguirre se extienden los tres lustros de rigor —de rigor teórico—. Sería superfluo añadir más fechas. También cumplen con su deber cronológico Antonio Espina, Pedro Garfias, Adriano del Valle, Juan Larrea, Juan Chabás, Juan José Domenchina, José María Hinojosa, José María Quiroga, los de la revista «Meseta» de Valladolid, los de «Mediodía» de Sevilla, Miguel Pizarro, Miguel Valdivieso, Antonio Oliver... Esta enumeración es injustamente incompleta y sólo se citan ahora a los líricos en verso y no a quienes lo son en narraciones y ensayos. «Literatura» viene a significar entonces «lirismo». La mayoría de estos poetas es andaluza. Castilla y Andalucía han sido las principales fuentes de la poesía española» [1]. Con la cita de Guillén se esclarece esta dificultad, situando a la generación en el tiempo,

---

1. Jorge GUILLÉN, *Lenguaje y poesía.* Madrid, 1969, págs. 184-185.

recogiendo a la mayoría de sus componentes y se señalan las regiones fundamentales del país para el grupo: Andalucía y Castilla. Algunos la llaman generación del 25, como Guillén y Cernuda; otros la generación de la Dictadura. Sobre esta última forma de llamarla dice Cernuda: «No se ha aceptado una denominación común para este grupo de poetas; unos proponen que se le llame generación de la Dictadura, por la del general Primo de Rivera, que va de 1923 a 1929; pero exceptuando la coincidencia cronológica, nada hay de común entre dicha generación y el golpe de Estado que instaura el Directorio y hasta se diría ofensivo para ella establecer tal conexión»[2]. Jorge Guillén dice al respecto: «Algunos, torpes, han llamado «generación de la Dictadura» a la de Salinas y sus amigos, cuando ninguno de ellos participó de ningún modo en el régimen de Primo de Rivera, tan anticuadamente dictatorial que no obligó a concesiones en el comportamiento ni en los escritos de esa generación»[3]. Pero el descontento que, en la mayoría de los intelectuales españoles, produjo ese régimen político es muy importante para el estudio del surrealismo en España, situación de la que hablaré más adelante. Por mi parte, opino que es preferible denominarla generación del 27. En esta fecha, la mayoría de sus componentes habían publicado sus primeros libros, y también fue el año del centenario de Góngora, poeta de gran importancia para el grupo.

Sólo un aspecto determinado, el surrealista, interesa en el presente trabajo, pero antes es indispensable considerar, aunque sea brevemente, las etapas que le precedieron.

La característica primera del grupo es el cultivo especial de la metáfora. Todos los movimientos literarios que con nombres variados aparecen antes de 1920 en distintos países fueron una reacción contra el esteticismo de finales de siglo (en nuestro caso, el modernismo). Ofrecen dichos movimientos, como nota sobresaliente, el cultivo de la metáfora, convirtiendo al poema en una sucesión de este medio poético y con una disposición tipográfica influida por el *Coup de Dés* de Mallarmé, así como también la supresión de puntos, comas y demás signos ortográ-

---

2. Luis CERNUDA, *Estudios sobre poesía española contemporánea*, Madrid, 1957, págs. 181-182.
3. Jorge GUILLÉN, *Lenguaje y poesía*, obra citada, pág. 192.

ficos[4]. Ya al final de esta primera etapa algunos poetas comenzaron a ver en la metáfora no ya una trampa donde se atraiga al lector, sino cierto alejamiento de la lógica que desembocará más adelante en el surrealismo. El segundo período fue el clasicista, en el que la figura de Valéry tuvo un gran realce. Dicho período fue pasajero para la mayoría de los poetas de la generación, pero no para Salinas y Guillén, que se mantuvieron por más tiempo en esta postura. En 1927 se celebró el tercer centenario de la muerte de Góngora, el influjo del poeta cordobés fue de gran importancia. La influencia pronto se dejó ver en libros y poemas, como *Cal y Canto* de Alberti, el *Romancero Gitano* de Lorca, *Cántico* de Guillén, o ya en algunos poemas, como ocurre en ciertos sonetos del libro de Salinas, *Presagios,* en el poema *Fábula* de Altolaguirre, en algunos pasajes de *Ambito,* primer libro de Aleixandre, o en la *Fábula de Equis y Zeda* de Gerardo Diego. Terminada esta etapa, también se cierra la clasicista y disminuye algo el uso de la metáfora, dando paso al motivo central de este estudio, es decir, el surrealismo.

La vanguardia del surrealismo.

El surrealismo, venido también de Francia, ejerció notable influencia sobre algunos poetas de esta generación, no así en otros, como Salinas y Guillén, que se mantuvieron fuera de él. La primera pregunta que nos hacemos al tratar del surrealismo en España es la de que si en realidad se dio como tal movimiento literario, y en el supuesto de que haya existido, qué diferencias tiene con el francés. En torno al surrealismo español hay un gran silencio por parte de los críticos y los propios poetas del grupo. Los dos grandes críticos de los *ismos* contemporáneos, Guillermo de Torre y Ramón Gómez de la Serna[5], apenas se refieren a este período. La bibliografía también es muy escasa; tan sólo hay unos cuantos libros, artículos o referencias que puedan dar alguna luz sobre el tema. Entre los más notables están: *El superrealismo en la poesía española contemporá-*

---

4. Francisco López Estrada, *Métrica española del siglo XX.* Madrid, 1969, pág. 112.
5. Guillermo De Torre, *Historia de las literaturas de vanguardia,* Madrid, 1965. Ramón Gómez de la Serna, *Ismos,* Madrid, 1931.

nea[6], una antología de José Albi y Juan Fuster publicada en la revista alicantina «Verbo»[7]. Ultimamente han aparecido tres libros de gran interés: *I poeti surrealisti spagnoli*, de Vittorio Bodini; *The surrealist mode in spanish literature*, de Paul Ilie, y *Surrealism and Spain*, de C. B. Morris[8].

La palabra surrealismo: sus significaciones.

Una de las causas que quizás hayan contribuido a esta parquedad de noticias y a no ver claro el influjo del surrealismo francés en nuestro país, es no haber dado desde un principio una denominación fija a dicho movimiento, al que se le ha venido llamando superrealismo, infrarrealismo, hiperrealismo. Guillermo de Torre, haciendo la historia de la palabra, dice: «Hace años (en una página de mi libro *Guillaume Apollinaire. Su vida, las teorías del cubismo*, 1946), expliqué sintéticamente las razones que me movían a romancear así la voz francesa *surréalisme*. La casi unanimidad, en contrario (la insistencia, por pereza o ignorancia; inicialmente por contagio de los medios pictóricos, nada particularmente sensibles a la pureza y propiedad lingüísticas, al genio idiomático propio de cada país, ya que los artistas se expresan, cada vez más, con un vocabulario internacional) en decir y escribir *surrealismo* no es razón valedera para hacerme cambiar.

Suprarrealismo —según algunos escribieron hace años: así Fernando Vela en un lugar que debiera haber sentado jurisprudencia literaria como la «Revista de Occidente»— o *sobrerrealismo* habrían sido, alternando con *superrealismo*, las lecciones correctas. (*Suprarrealismo* figura en la decimoctava edición del Diccionario de la Academia Española). Un maestro de traductores —no sólo en estas minucias—, Enrique Díez-Canedo, reprueba abiertamente *surrealismo* («bastarda transcripción de un nombre aceptado sin discernimiento») en su antología *La poesía*

6. Manuel DURÁN GILI, *El superrealismo en la poesía española contemporánea*. México, 1950.
7. *Antología del surrealismo español*, en «Verbo», núms. 23-24-25, Alicante, 1954.
8. Vittorio BODINI, *I poeti surrealisti spagnoli*. Torino, 1963. Paul ILIE, *The surrealist mode in spanish literature*, Ann Arbor, The University of Michigan Press, 1968. C. B. MORRIS, *Surrealism and Spain*, Cambridge Press, 1972.

francesa moderna. Desde el romanticismo al superrealismo (1943). Jorge Luis Borges corrobora: La forma *surrealismo* es absurda; tanto valdría decir *surnatural* por sobrenatural, *surhombre* por superhombre, *survivir* por sobrevivir. Está demostrado, pues, que los prefijos *super* y *sobre* son los únicos que corresponden en español a la forma en litigio. Tratando de explicarse el prevalecimiento de *surrealismo,* José María Valverde (en el capítulo correspondiente a *Movimientos espirituales,* tomo I del *Diccionario Literario González Porto-Bompiani,* 1959), escribe que tal vez se deba a «un cruce de ideas con una posible forma *sub-realismo,* pues lo mismo valdría considerar la zona psíquica exteriorizada por este movimiento como algo que está «por debajo» o «por encima» de la zona de la psique donde se presenta la «realidad» que nos interesa con tal nombre». A mi vez, yo alego —y concluyo— que tal confusión o ambigüedad no es posible cuando se examina de cerca el sentido «creencia en una realidad superior...» dado al término por Breton en su *Manifiesto* y en todos los demás escritos; ese «cruce de ideas» sólo puede producirse por un torpe desliz analógico con las voces «sub-consciencia» y «sub-consciente», muy afines, por otra parte, a la raíz freudiana inspiradora del superrealismo, pero que no abarca su totalidad de intenciones» [9]. Dámaso Alonso dice por su parte: «El *surréalisme* tuvo probablemente su éxito más considerable en la elección de su nombre. Cuando se haga la historia de nuestro período creo que ha de resultar claro que la palabra superrealismo (surréalisme) conviene a muchas otras manifestaciones de la literatura actual. Para evitar la posible confusión llamo «hiperrealismo» a esta tendencia general contemporánea, dentro de la cual el «superrealismo» sería sólo un subgrupo» [10]. Guiándome por las últimas inclinaciones de la crítica, uso siempre en este estudio para denominar al movimiento literario del que me ocupo, la palabra surrealismo, que parece no sé si la más acertada, pero sí la más generalizada en la crítica actual.

Bodini opina que en el ambiente español había cierta atmósfera adversa a las modas del país vecino; París era sinónimo de frialdad académica y de inautenticidad. La opinión de Bodini se apoya en estas frases de Ortega y Gasset: «...mientras España

---

9. Guillermo De Torre, *Historia de las literaturas de vanguardia,* obra citada, págs. 363-364.

10. Dámaso Alonso, *Poetas españoles contemporáneos,* Madrid, 1969, pág. 271.

gime de angustia, casi todos estos poetas rondan ingenuamente en torno a los poetas de la decadencia francesa y con el simple mobiliario del verso castellano pretenden fingir fuentecillas versallescas, meriendas difuminadas a lo Wateau, pulcritudes eróticas y disipaciones nerviosas de la vida desencarnada, sonámbula y femenina de París»[11]. Puede que este ambiente adverso contra las modas francesas, como dice Bodini, existiera flotando en el sentir del pueblo, pero no en la opinión de la mayoría de los intelectuales. Hemos visto anteriormente cómo algunas etapas por las que pasó la generación fueron de inspiración francesa, e incluso dos movimientos que en España precedieron al surrealismo, tales como el ultraísmo y el creacionismo.

El surrealismo y su relación con el ultraísmo y el creacionismo.

Antes de seguir más adelante, hay que relacionar al surrealismo con los dos movimientos de vanguardia que, según dice Cernuda[12], lo mismo pudieron tener un origen francés que hispanoamericano: ultraísmo y creacionismo. En cuanto al origen de ellos me inclino más a su procedencia francesa, pues Huidobro, el máximo exponente de dichos *ismos*, aunque chileno de nacimiento, se formó en el vanguardismo francés de los años anteriores a la guerra del 14, que estaba representado por Apollinaire y Reverdy. Huidobro publica en Francia sus libros y halla en la lengua francesa su medio expresivo.

El ultraísmo fue teorizado por Guillermo de Torre en un manifiesto aparecido en 1911[13]. El manifiesto es una preceptiva poética que restringe a un campo puramente técnico lo que pudiera haber sido la visión del mundo y las relaciones entre poesía y sociedad. La obra de los ultraístas confirma la creencia ideológica del documento. Mientras que el ultraísmo se apoya en el manifiesto de Guillermo de Torre, el creacionismo adopta como emblema una metáfora de Vicente Huidobro: «Crear poesía como la naturaleza crea árboles». La diferencia entre ultraís-

---

11. Vittorio BODINI, *I poeti surrealisti spagnoli*, obra citada, págs. 9-10.
12. Luis CERNUDA, *Estudios sobre poesía española contemporánea*, obra citada, pág. 190.
13. Guillermo DE TORRE, *El movimiento ultraísta español*, en «Cosmópolis», núm. 21, 1920, págs. 21-27.

mo y creacionismo no es muy marcada; la carencia teórica de ambos hace difícil distinguir dónde comienza uno y dónde termina el otro, tanto que para Cernuda sólo hay creacionismo, no haciendo la menor distinción entre los dos movimientos[14]. Era común para ambos el uso primordial de la metáfora, la abolición de las frases intermedias, nexos y adjetivos inútiles. Sin embargo, no hay que olvidar el papel vitalizador que para la poesía española supusieron estos movimientos, ya que levantaron a nuestra lírica de un nivel anecdótico y sentimental.

El creacionismo es el movimiento que nos interesa más, puesto que a través de él van a llegar a nuestro país los primeros influjos surrealistas. El encuentro en París de Huidobro con el poeta español Juan Larrea que, también encuentra en el francés su medio expresivo, fue de vital importancia. A su lado se agrupan otros poetas de lengua española, entre ellos, el peruano César Vallejo, los cuales adoptan la moda creacionista y crean una revista, «Favorables París Poema» (1926), que recoge los trabajos en prosa y verso de los poetas del grupo. Desde España, Gerardo Diego sigue con admiración las evoluciones poética de Larrea: «Sin embargo (dice Luis Felipe Vivanco refiriéndose a Larrea), ha empezado a escribir como poeta ultraísta en castellano, sigue escribiendo en castellano como poeta creacionista, para terminar siendo poeta surrealista en francés»[15]. Diego traduce y publica los poemas de su compañero en su revista «Carmen», y de este modo lo hace conocer en España; aquí radica la gran importancia de Larrea para nuestro surrealismo, ya que es portavoz de la poesía más avanzada de Francia. El crítico literario italiano Bodini resalta el injusto lugar que hasta ahora se tenía a Larrea, concediéndole un puesto relevante en los orígenes de nuestro surrealismo[16].

Entre el creacionismo y el surrealismo hay grandes diferencias. El primero carece de la rebeldía así como del aspecto mágico del segundo. Si en algo se relacionan es en lo común a todos los movimientos literarios contemporáneos: abandono de las formas poéticas tradicionales, verso libre, ausencia de rima, etc. Sin embargo, tanto el creacionismo como surrealismo dejan el

14. Luis CERNUDA, *Estudios sobre poesía española contemporánea*, obra citada, pág. 190.
15. Juan LARREA, *Versión celeste*, Barcelona, 1971, pág. 15.
16. Vittorio BODINI, *I poeti surrealisti spagnoli*, obra citada, pág. 11.

«dinamismo» afectado del ultraísmo, concepción que le venía del futurismo italiano. La metáfora para creacionistas y surrealistas, aunque diferentes entre sí, es para ambos movimientos libre e ilógica. Con estas comparaciones quiero decir que al entrar en España el creacionismo por medio de los versos de Larrea, preparaba el campo en óptimas condiciones al surrealismo, que apareció inmediatamente después.

La personalidad de Ramón Gómez de la Serna.

La figura de Ramón Gómez de la Serna es fundamental para esta etapa de nuestra lírica; su obra representa una inquietud anticipadora de los movimientos de vanguardia europeos que influirá muy de cerca a la joven poesía de primeros de siglo y a la generación del 27. Su visión del mundo se centra en la realidad, y el ingenio se mantiene siempre dentro de esta actitud de larga tradición en nuestra literatura. La *greguería* es el receptáculo donde se condensa su complicada teoría de las cosas, la cual halla su expresión adecuada en la imagen y la metáfora, definiéndose ésta como una mezcla de humorismo más metáfora. Este humorismo, algunas veces con dejes de negrura, dejará un eco notable en las obras de nuestros poetas surrealistas. Aun siendo Gómez de la Serna un gran precursor y crítico de los movimientos de vanguardia, no se comprometió con ninguno de ellos. Pudiera ser que esta sólida base de realidad en la que construye la obra de Gómez de la Serna y que resulta ser también la de toda nuestra literatura, fuese un camino para ver claro las diferencias entre el surrealismo francés y español, tema del que me ocuparé más adelante.

Fuentes francesas del surrealismo español.

Las traducciones, artículos en revistas, conferencias y recitales que tuvieron lugar en Madrid, principalmente en el primer cuarto de siglo, dan a conocer a los poetas del grupo casi simultáneamente las nuevas posibilidades del surrealismo. Las tra-

ducciones de Lautréamont y Rimbaud[17] ejercen su influencia en nuestra poesía. Un poema de Guillén aparecido en 1920, «La amistad en los mares caóticos»[18] denota incluso en el título este influjo. El manifiesto de Tristán Tzara de 1918 en Zurich apareció traducido un año después en la revista «Cervantes». Huidobro hace conocer a Gerardo Diego la teoría de la imagen de Reverdy que, como él mismo define, es: «...una creación pura del espíritu, lo propio de la imagen fuerte es surgir de la aproximación espontánea de dos realidades muy distintas, cuyas relaciones sólo las ha captado el espíritu. Si los sentidos aprueban totalmente la imagen, la matan en el espíritu»[19]. Para los surrealistas la teoría es la misma, pero llevada a sus últimos extremos. El 17 de noviembre de 1922, André Breton da una conferencia sobre *Les pas perdus* en el Ateneo de Barcelona. El libro refleja un momento crucial, el paso del dadaísmo al surrealismo. El mismo poeta pronuncia conferencias en el Ateneo de Santa Cruz de Tenerife. Con este motivo nació el *Boletín Internacional del Surrealismo,* publicado por el Grupo de París y «Gaceta de Arte» de Tenerife, en 1935. También Paul Eluard y Benjamín Péret hicieron visitas a España; prueba de ello es el artículo de Guillermo de Torre *Con Paul Eluard en Madrid,* publicado en El Sol», el 22 de enero de 1935. En 1924 aparece en París el manifiesto surrealista de Breton, y en el mismo año Fernando Vela publica un artículo en la «Revista de Occidente»[20] sobre dicho manifiesto.

En 1925 el manifiesto de Breton se traduce y se publica en la «Revista de Occidente»[21]. Guillermo de Torre publica en ese mismo año su libro *Literaturas europeas de vanguardia,* en el que dedica largos capítulos al dadaísmo y surrealismo[22]. Un artículo de Pierre Picon, publicado en París en 1925, aparece en

---

17. La referencia procede de Vittorio BODINI, *I poeti surrealisti spagnoli,* obra citada, pág. 10. *Los cantos de Lautréamont,* traducción de Ricardo BAEZA en «Prometeo», II, núm. 9, 1909. *Poesías de Rimbaud,* traducción de DÍEZ CANEDO, en «Cosmópolis», 1919.

18. Poema aparecido en «La pluma», núm. 5, 1920, pág. 226.

19. Pierre REVERDY, *Le gant de crin,* Paris, 1926, págs. 32-34.

20. La referencia procede de Vittorio BODINI, *I poeti surrealisti spagnoli,* obra citada, pág. 19. Fernando VELA, *El superrealismo,* en «Revista de Occidente», núm. XIII, 1924.

21. Idem, pág. 19. En «Revista de Occidente», núm. VII, enero-marzo 1925.

22. *Literaturas europeas de vanguardia,* Madrid, 1925. Véase también *El suicidio y el superrealismo,* en «Revista de Occidente», núm. LXLX, 1935, páginas 117-128.

español en la revista «Alfar» con el título «*La revolución superrealista*»[23]. En el mismo año y en la misma revista aparece publicado un artículo de Arconada, *Hacia un superrealismo musical,* y otro de José Bergamín, *Nominalismo suprarrealista*[24].

En la Residencia de Estudiantes donde vivían Lorca, Dalí y Buñuel, fue invitado Aragon para dar una conferencia contra la ciencia, el trabajo y la civilización. La conferencia fue, en parte, publicada con el título *Fragments d'une conference* en la revista «Revolution surréaliste» (núm. 4, 15 de julio de 1925). Sobre los resultados de esta conferencia dice Angel del Río: «Aun cuando probablemente causó algún escándalo entre el muy reducido grupo de escritores de vanguardia de Madrid, parece haberse olvidado pronto. No hemos encontrado alusión alguna en la prensa española de la época. Pocos de los que han intervenido en la vida literaria la recuerdan y nuestra referencia procede de la *Histoire du surréalisme* (Paris, Éditions du Seuil, 1945), de Maurice Nadeau. A juzgar por los fragmentos publicados, era una inventiva contra banqueros, estudiantes y burócratas —contra el trabajo y la ciencia—: «Maldigo a la ciencia, esa hermana gemela del trabajo». Aragon condenaba la civilización en general y dijo, entre otras cosas, lo siguiente:

«Étes-vous jamais descendus au fond de ce puits noir? Qu'y avec-vous trouvé, quelles galeries vers le ciel?... Nous aurons raison de tout. Et d'abord nous ruinerons cette civilisation qui vous est chère, où vous êtes moulés comme des fossiles dans le schiste. L'ère de métamorphose est ouverte... Je ferai jaillir le sang blond des pavés... Monde occidental, tu es condamné à mort... Nous réveillerons partout les germes de la confusion et du malaise. Nous sommes les agitateurs de l'esprit. Toutes les barricades sont bonnes, toutes les entraves à vos bonheurs maudits. Juifs, sortez des ghettos. Qu'on affame le peuple, afin qu'il connaisse enfin le goût du pain de colère... Et que les trafiquants de drogues se jettent sur nos pays terrifiés. Que l'Amérique au loin croule de ses buildings blancs au milieu des prohibitions absurdes. Soulève-toi, monde! Voyez comme cette terre est sèche et bonne pour tous les incendies. On dirait de la paille.»

---

23. La referencia procede de Vittorio BODINI, *I poeti surrealisti spagnoli,* obra citada, pág. 20. Pierre PICON, *La revolución superrealista,* en «Alfar», núm. 52, 1925.

24. Idem, pág. 20. En «Alfar», núm. 50, febrero 1925.

Aunque sea más que probable, nadie puede asegurar que Lorca oyera esta conferencia. Lo evidente es que cinco años más tarde, encontramos un eco claro de las observaciones de Aragon en sus poemas. Las similitudes no sólo son de forma o de ideas, lo que son, incluso, de palabras: «La era de la metamorfosis», «la semilla de la confusión y de la angustia», «los pozos negros», «los traficantes de estupefacientes», «el paso de la ira», «el derrumbamiento de los edificios blancos», «la sangre subía del empedrado» [25].

José Luis Cano, en su artículo *Noticia retrospectiva del surrealismo español* [26], habla de cómo en la librería de la «Revista de Occidente», en Madrid, se hacía una gran propaganda de la «Revolution Surréaliste» y de las obras de Aragon, Breton y Eluard, que se extendió no sólo por Madrid, sino que llega hasta Prados y Altolaguirre, que eran los afiliados surrealistas desde Málaga. En 1926 aparece en «Alfar» *El desconfiado prodigioso* de Breton, traducido por Núñez de Arena, y en francés *Entre peau d'autres* de Eluard [27]. El suplemento de 6 de junio de 1926 de la revista murciana «La Verdad» anuncia la publicación del libro de Salvador Dalí y García Lorca *Los putrefactos*, el cual nunca llegó a ver la luz.

El 17 de marzo de 1927 se estrenó en Madrid una obra de Azorín *Brandy, mucho brandy*, de clara inclinación surrealista; en el preámbulo encontramos estas afirmaciones: «El teatro de hoy es surrealista, desdeña la copia minuciosa, auténtica, prolija de la realidad. Se desenvuelve en un ambiente de fantasía, de sueño, de irrealidad. La guerra con sus temibles dolores, con sus angustias, que se han extendido por todo el planeta; con su dolora meditación de la realidad, ha hecho que el espíritu, en odio a tal realidad, se separe del ambiente cotidiano en su aspecto auténtico y busca un poco de consuelo, de alegría, de comprensión, en el reflejo deformado de la vida» [28].

En el mes de abril del mismo año publica Azorín en «A B C» dos artículos: *El superrealismo es un hecho evidente* y *Una obra*

---

25. Ángel Del Río, *Estudios sobre literatura contemporánea española*, Madrid, 1966, págs. 285-286.
26. La referencia procede de Vittorio Bodini, *I poeti surrealisti spagnoli*, obra citada, pág. 21. En «Arbor», Madrid, junio 1950.
27. Idem, pág. 21. En «Alfar», núm. 58, junio 1926.
28. Azorín, *Obras Completas*, Vol. IV, Madrid, 1948, págs. 923-924.

superrealista[29]. Estos trabajos están concebidos para un gran público y publicados en un diario al alcance de todos. En esto vemos una intención divulgadora de las últimas corrientes literarias francesas. En 1928, Luis Montoya publica en la «Gaceta literaria»[30] un artículo sobre el surrealismo francés, y al año siguiente Luis Cernuda publica un trabajo sobre Paul Eluard. Pocos meses después aparece otro artículo sobre Jacques Vaché[31]. También aparecen dos capítulos de la novela de Azorín *Superrealismo* en la «Revista de Occidente»[32]. En la Residencia de Estudiantes Luis Buñuel y Dalí proyectan el primer film surrealista, *Un perro andaluz*. La belleza y la violencia de sus imágenes sacuden el denso ambiente político que desembocará en la lucha contra la dictadura de Primo de Rivera. A esta atmósfera de descontento se refiere Rafael Alberti en su libro de memorias *La arboleda perdida*[33]. Todos estos testimonios recogidos aquí demuestran la curiosidad que el surrealismo francés despertó en nuestro país. Artículos, conferencias y críticas indican que, al menos, una minoría se preocupó por lo que acontecía al otro lado de los Pirineos, y quedó algo de ello en la conciencia de algunos poetas, que moldearon a su manera las normas del surrealismo, elaborando así las diferencias entre uno y otro país.

Caracteres y técnica del surrealismo español.

El surrealismo español se extiende desde el año 1926 a 1936, y en este período de tiempo nos encontramos con que no existe ninguna declaración de teoría, idea o principios sobre el movimiento. Falta todo gesto o intención que revele una toma de posición consciente. Sólo sabemos del intento fallido de Emilio Prados, a su vuelta de París, donde estuvo en contacto con el

29. Los dos artículos aparecieron en «A B C», 7 y 14 de abril de 1927, respectivamente, recogidos en sus *Obras Completas*, Vol. IX, Madrid, 1954, págs. 101-105 y 159-162.

30. La referencia procede de Vittorio Bodini, *I poeti surrealisti spagnoli*, obra citada, pág. 21. En «Gaceta Literaria», 15 febrero 1928.

31. En «Litoral», núm. 9, 1929. En «Revista de Occidente», núm. LXXVI, octubre 1929.

32. En «Revista de Occidente», núm. XXVI, octubre-diciembre 1929, págs. 145-157.

33. Rafael Alberti, *La arboleda perdida*, Buenos Aires, 1959, pág. 283.

grupo surrealista francés, de elaborar, juntamente con Vicente Aleixandre y Luis Cernuda, un manifiesto del surrealismo español[34]. Sin embargo, hay muchas muestras del surrealismo realizado en poesía, que en calidad poco tiene que envidiar al francés. En esto hay una paradoja. De un lado, vemos la ausencia del comentario, teoría o algo que muestre un compromiso del grupo hacia el surrealismo; y por otro, vemos palpablemente la huella de dicho estilo en las obras de ciertos poetas de la generación. Esto, en un principio, nos extraña, pero es comprensible a medida que vemos la diferencia entre el surrealismo francés y el español. Bodini establece estos rasgos: «Naturalmente le ambizioni dei surrealisti spagnoli non vanno oltre la creazione d'un linguaggio poetico: non è una nouva psicologia, o una nuova morale, o un'arma d'insurrezione politica ciò che i poeti spagnoli chiedono alle tecniche del surreale e del sogno. Manca quel ponte gettato dal surrealismo fra vita e poesia, il tentativo di far servire congiuntamente la poesia e l'arco del consumo umano senza riscatto poetico a un fine che li integri, eliminandone il distacco e detronizzando la prima, la poesia, a un metodo fra i tanti per colpire il bersaglio dell'inconscio e abolire l'uomo tagliato in due. Sicuramente in Spagna non avrebbero mai sottoscritto una dichiarazione come quella del 27 gennaio 1925: «Non abbiamo niente a che vedere con la letteratura. Ma, se necessario, siamo capaci, come tutti, di servircene». Non manca ovviamente agli spagnoli, come non manca a nessuna vera poesia, la volontà di cambiare il mondo, ma non è né esplicita né cosciente: sarà un punto d'arrivo non cercato, non un dichiarato punto di partenza»[35]. Las palabras de Bodini tienen, en parte, razón, pero de ellas se desprende una sensación de superficialidad. En primer lugar, toda verdadera poesía establece ese puente al que él se refiere entre vida y poesía, pues ¿de qué fuentes se alimenta la poesía sino de la vida misma? Por otra parte, el surrealismo entre los poetas de la generación no fue solamente el motivo para crear un lenguaje poético nuevo, significó indiscutiblemente una renovación, porque lo que había que expresar así lo requería, y esta necesidad era por causa de una nueva psicología, una nueva moral y también producto de una

---

34. Juan CANO BALLESTA, *La poesía española entre pureza y revolución (1930-1936)*, Madrid, 1972, pág. 123.

35. Vittorio BODINI, *I poeti surrealisti spagnoli*, obra citada, pág. 28.

atmósfera política cada vez más densa y tirante. Cierto es que España no sufrió la tremenda sacudida de la primera guerra mundial, pero la dictadura de Primo de Rivera, permitida por la monarquía, produjo el descontento, la rebeldía y la sátira amarga; ingredientes todos ellos necesarios para un verdadero surrealismo. La auténtica poesía suele ser siempre revolucionaria, y no es necesario que se hagan manifiestos con estas propiedades para que se dé un verdadero surrealismo, y esta cualidad de la poesía no se puede considerar como un medio o un fin. El crítico italiano continúa diciendo: «Questa mancanza d'ogni altra preocupazione, lascerà la loro poesia intenta al puro ascolto della voce interiore: sarà meno giocata, meno cerebrale, piú prossima alle sorgenti dell'essere»[36]. ¿Puede acaso atribuírsele a esta poesía despreocupación por los anteriores móviles vitales arriba expuestos? En esto discrepo totalmente de Bodini. Por el contrario, veo acertada la teoría en que considera difícil de estudiar al surrealismo español por la falta de unidad. No se dio, como en Francia, una intención unitaria, un manifiesto o canon que los agrupara o un teórico que, tomando como base las corrientes francesas, las adaptara a la manera española. Por el contrario, cada poeta español expresó a su modo dichas teorías y ésta es la causa por lo que el surrealismo español da la impresión de un mosaico extremadamente complicado, cuyas piezas tienen fisonomía propia, pero que no componen un todo armónico. Todos los medios técnicos del surrealismo pasaron a España: sentido profético, importancia del sueño, humor negro, demonismo, ironía, objetos surrealistas, cadáver exquisito, y el más importante de ellos: la escritura automática.

Ante estos medios sería interesante ver la reacción de los poetas españoles. El mismo André Breton se dio cuenta de la imposibilidad de ser totalmente fiel al automatismo síquico puro. Es inevitable que la intervención de la razón se filtre: «No pretendemos dar un texto surrealista, cualquiera que sea éste, como ejemplo perfecto de automatismo verbal. Incluso en el mejor texto «no controlado» se descubren, es necesario decirlo, ciertas discrepancias... Un mínimo de control subsiste, en general, en el sentido del orden poético»[37]. Difícilmente se puede

36. Idem, pág. 28.

37. André BRETON, *Lettre a Roland de Renéville*, «Nouvelle Revue Française», 1 de mayo 1932.

dar una muestra de escritura automática en toda su pureza. Sin embargo, el surrealismo español se distingue del francés en que el primero presenta en su automatismo mayor grado de razón y de lógica. Las imágenes son menos arbitrarias, acercando en ellas objetos de la realidad no tan dispares como aquellos paraguas sobre las mesas de disección que aparecen en *Les chants de Maldoror* de Lautréamont, *aproximaciones insólitas* tan del gusto francés. A propósito de esta diferencia dice Leopoldo Rodríguez Alcalde: «Los poemas del surrealismo español presentan, en general, mayor coherencia que los textos surrealistas franceses. En los españoles se agudiza la concepción del surrealismo como reflejo del mundo en el poeta, como versión lírica de éste que, mediante la imagen, describe su personal universo»[38]. Los poetas surrealistas españoles construyen sus poemas con imágenes y metáforas que son comprensibles dentro del marco del contexto. Es cierto que el automatismo y el grado de arbitrariedad fue en algunos poetas más acusado que en otros, pero todos se mantienen en un tono equilibrado. Esta es, creo yo, la diferencia más importante entre nuestro surrealismo y el francés.

Casi todos los críticos españoles y extranjeros contemporáneos a la generación y aun los actuales niegan la existencia del surrealismo en España. Se basan principalmente en que nunca en nuestro país se dio la escritura automática tal como exigía Breton. Hoy, con la perspectiva de los años, vemos que el tal automatismo en su total pureza jamás se dio, y esto nos permite ser flexibles a la hora de juzgar una obra y encuadrarla en este movimiento. Los estudios críticos más recientes son partidarios en considerar la existencia del surrealismo en España e, incluso, ver en nuestra literatura ciertas constantes propicias. De estas circunstancias me ocuparé en su lugar oportuno.

Rafael Alberti en *La arboleda perdida*[39] describe su situa-

38. Leopoldo RODRÍGUEZ ALCALDE, *Vida y sentido de la poesía actual*, Madrid, 1956, pág. 203.

39. Rafael ALBERTI, *La arboleda perdida*, obra citada, págs. 268-270. Dice así el autor: Yo no podía dormir, me dolían las raíces del pelo y de las uñas, derramándose en bilis amarilla, mordiendo de punzantes dolores la almohada. ¡Cuántas cosas reales, el claroscuro, me habían ido empujando hasta caer, como un rayo crujiente, en aquel hondo precipicio! El amor imposible, el golpeado y tracionado en las mejores horas de entrega y confianza; los celos más rabiosos capaces de tramar en el desvelo de la noche el frío crimen calculado; la triste sombra del amigo suicida, como un badajo mudo de campana repicando

ción anímica y material que le llevó a escribir su libro *Sobre los ángeles*. De las palabras del poeta se desprende su adhesión al surrealismo. El texto quizás sea la confesión más reveladora en este sentido, y lo tomo como expresión o situación general de todos los poetas surrealistas españoles en mayor o menor grado.

Del comentario al texto de Alberti podríamos sacar numerosas conclusiones a favor y en contra de los críticos de este período. Los sentimientos de violencia, desesperación, remordimiento que sacudían el alma de Alberti en ese momento, y la expresión de este estado por medio de la escritura automática, atestiguan la existencia del surrealismo en España. «Yo no podía dormir, me dolían las raíces del pelo y de las uñas, derramándome en bilis amarilla, mordiendo de punzantes dolores la almohada». La poesía nace de la vida misma, y es tanto su poder que se filtra por el cuerpo en dolor, en desesperada angustia. Un

---

en mi frente; la envidia y el odio inconfesados, luchando por salir, por reventar como una bomba subterránea sin escape; los bolsillos vacíos, inservibles ni para calentar las manos; las caminatas infinitas, sin rumbo fijo, bajo el viento, bajo la lluvia y los calores; la familia, indiferente o silenciosa ante esta tremenda batalla, que asomaba a mi rostro, a todo mi ser, que se caía, sonámbulo, por los pasillos de la casa, por los bancos de los paseos; los miedos infantiles, invadiéndome en ráfagas que me traían aún remordimientos, dudas, temores del infierno, ecos umbríos de aquel colegio jesuita que amé y sufrí en mi bahía gaditana; el descontento de mi obra anterior, mi prisa, algo que me impedía incesantemente a no pararme en nada, a no darme un instante de respiro, todo esto y muchas cosas más, contradictorias, inexplicables, laberínticas. ¿Qué hacer, cómo hablar, cómo gritar, cómo dar forma a esa maraña en que me debatía, cómo erguirme de nuevo de aquella suma de catástrofe en que estaba sumido? Sumergiéndome, enterrándome cada vez más en mis propias ruinas, tapándome con mis escombros, con las entrañas rotas, astillados los huesos. Y se me revelaron entonces los ángeles, no como los cristianos, corpóreos de los bellos cuadros o estampas, sino como irresistibles fueras del espíritu, moldeables a los estados más turbios y secretos de mi naturaleza. Y los solté en bandadas por el mundo, ciegas reencarnaciones de todo lo cruento, lo desolado, lo agónico, lo terrible y, a veces, bueno que había en mí y me cercaba.

Yo había perdido un paraíso, tal vez el de mis años recientes, mi clara y primerísima juventud, alegre y sin problemas. Me encontraba de pronto como sin nada, sin azules detrás, quebrantada de nuevo la salud, estropeado, roto en mis centros más íntimos. Me empecé a aislar de todo: de amigos, de tertulias, de la Residencia, de la ciudad misma que habitaba. Huésped de las nieblas, llegué a escribir a tientas, sin encender la luz, a cualquier hora de la noche, con un automatismo no buscado, un empuje espontáneo, tembloroso febril, que hacía que los versos se toparan los unos a los otros, siéndome a veces imposible descifrarlos en el día. El idioma se me hizo tajante, peligroso, como punta de espada. Los ritmos se partieron en pedazos, remontándose en chispas cada ángel, en columnas de humo, trombas de cenizas, nubes de polvo. Pero mi canto no era oscuro, la nebulosa más confusa se concretaba, serpeante, como una víbora encendida. La realidad exterior que me circundaba, urdiéndose en la mía, sacudía mis antros con más fuerza, haciéndome arrojar en medio de las calles, enloquecida lava, cometa anunciador de futuras catástrofes».

mundo oscuro y sombrío de sueños y de remordimientos hacen del poeta un huésped de las tinieblas. ¿Acaso no crean estas palabras un amargo puente entre vida y poesía? Sin embargo, Bodini niega esta conexión de lo vital y poético en los surrealistas españoles. El abandono de la sociedad y, como consecuencia, la envidia y el odio inconfesados provocan esta situación extrema: «¿Qué hacer, cómo hablar, cómo gritar, cómo dar forma a esa maraña en que me debatía, cómo escurrirme de nuevo de aquella suma de catástrofe en que estaba sumido?» La rebeldía, el grito de protesta, ese salir a flote las oscuras profundidades del alma son todos claros síntomas o, mejor dicho, elementos indispensables del surrealismo. Y todo este estado del espíritu expresado con prisa, sin pararse o reparar en nada, escribiendo en la noche automáticamente, sin luz, verso a verso agolpándose uno contra otro en el tembloroso dictado del subconsciente; «...llegué a escribir a tientas, sin encender la luz, a cualquier hora de la noche, con un automatismo no buscado, un empuje espontáneo, tembloroso, febril, que hacía que los versos se taparan los unos a los otros, siéndome a veces imposible descifrarlos en el día». La lucha que dentro del espíritu se entabla saldrá como fuerte vendaval al exterior, convirtiéndose en poderosa arma política: «La realidad exterior que me circundaba, urdiéndose en la mía, sacudía mis antros con más fuerza, haciéndome arrojar en medio de las calles enloquecida lava, cometa anunciador de futuras catástrofes». En estas frases se anuncia la violencia política que pocos años después comenzaría en España, descontento y tirantez que también acusan otros compañeros de generación. Por el contrario, Bodini no ve la obra de los surrealistas españoles como un arma revolucionaria, postura que no puede aceptarse, pues bien sabemos la intención y reacción que estas obras produjeron. Sin embargo, el texto de Alberti, usado aquí en un sentido generalizador, nos da también la diferencia entre el surrealismo francés y el nuestro.

Antes habíamos dicho que la claridad de las imágenes y metáforas permitían la comprensión del poema, por no ser muy marcado el automatismo, y esta posibilidad de comprensión es la nota diferenciadora de uno y otro país. A este propósito se refiere Alberti cuando dice: «Pero mi canto no era oscuro, la nebulosa más confusa se concretaba, serpeante, como una víbora encendida». Manifiestos de este tipo se dan en otros poetas,

como Cernuda y Aleixandre, y en ellos se acusa la rebeldía, la protesta, preocupación por el subconsciente; las palabras de Cernuda lo demuestran: «La mención de Eluard es sintomática de dicho momento mío, porque el surrealismo, con sus propósitos y técnicas, había ganado mi simpatía. Leyendo aquellos libros primeros de Aragon, de Breton, de Eluard, de Crevel, percibía cómo eran míos también el malestar y osadía que en dichos libros hallaban voz»[40]. Vicente Aleixandre declara que su libro *Pasión de la tierra* fue escrito bajo la influencia de «un psicólogo de vasta repercusión literaria»[41]. Es fácil averiguar que tal sicólogo es Freud, cuyas teorías, como es sabido, tuvieron honda repercusión entre los surrealistas.

La influencia del surrealismo francés no sólo se manifestó en actitudes de tipo sicológico en nuestros poetas, sino que también en el plano de la expresión, cuya base primordial es la escritura automática (automatismo síquico, con las características españolas ya señaladas). Sabemos bien que todos los movimientos de vanguardia traen consigo la emancipación métrica, mas el surrealismo lleva al extremo esa liberación, hay una ruptura total entre la forma y el contenido. El verso largo rompe la forma medida y controlada, originando al principio dificultades incluso para los mismos poetas. Es en Lorca y Alberti donde el verso alcanza mayor número de sílabas. Así en «Paisaje de la multitud que orina» de *Poeta en Nueva York,* uno de los versos del poema citado tiene 25 sílabas: «Y para que se quemen estas gentes que pueden orinar alrededor de un gemido». En Alberti también encontramos versos como éste en su libro *Sobre los ángeles,* el verso pertenece al poema «Los ángeles feos»: «Y me matarías esta mala palabra que voy a pinchar sobre las tierras que se derriten». El verso largo fue adoptado por todos los poetas de tendencia surrealista; tan sólo Cernuda queda en un término medio, pues rara vez sus versos alcanzan un número superior a 18 sílabas, y dice sobre este cambio: «Antes había tenido cierta dificultad en usar del verso libre; con el impulso que entonces me animaba, la dificultad quedó vencida, llegando

---

40. Luis CERNUDA, *Poesía y Literatura I,* Barcelona, 1960, págs. 241-242.
41. Guillermo DE TORRE, *Historia de las literaturas de vanguardia,* obra citada, pág. 574.

a veces, tanto en *Un río, un amor* como en la colección siguiente, *Los placeres prohibidos,* a utilizar versos de extensión considerable, en realidad versículos»[42].

El influjo de Pablo Neruda.

La presencia en España de Neruda fue fundamental para los poetas surrealistas del grupo. El primer viaje del chileno a España aconteció en 1927, en tiempo poco propicio para su poesía. Su obra, influida ya por el futurismo y el surrealismo, no encontró resonancias entonces; no ocurrió igual en su segundo contacto con España en 1934, pues el panorama poético había cambiado mucho y entonces su poesía sí que alcanzó una plena acogida. Dirige una revista impresa por Altolaguirre, de la que sólo se publicaron cinco números con el título de «El caballo verde para la poesía». La guerra civil impidió que saliera el sexto ejemplar. La aportación de Neruda a la joven poesía española es muy notable[43]. Su verso largo, impregnado de melancolía cósmica, influyó en Aleixandre y parcialmente afectó a Lorca y Cernuda, pero su huella no quedó sólo en la métrica, sino que también la enumeración caótica fue muy aceptada y es de clara influencia nerudiana. Veamos un ejemplo en Lorca:

¡Que no baile el Papa!
¡No, que no baile el Papa!
Ni el Rey,
ni el millonario de dientes azules,
ni las bailarinas secas de las catedrales,
ni constructores, ni esmeraldas, ni locos, ni sodomitas.
Sólo este mascarón,
este mascarón de vieja escarlatina,
¡sólo este mascarón!

(Poeta en Nueva York, «Danza de la muerte.)

En la Residencia de Estudiantes comenzaron a surgir ensayos surrealistas, consistentes en cortos poemas llamados por to-

42. Luis Cernuda, *Poesía y Literatura I,* obra citada, pág. 246.
43. Véase Leo Spitzer, *Lingüística e historia literaria,* Madrid, 1968, pág. 247.

dos *anaglifos*. Eran poemas de cuatro versos compuestos de tres sustantivos, el primero de los cuales se repetía dos veces, mientras el segundo tenía que ser siempre *la gallina*. Se trataba de crear una unidad que sorprendiese por lo arbitrario e irracional. Así:

El buho,
el buho,
la gallina
y el Pancreator.

O también

La cuesta,
la cuesta,
la gallina
y la persona.

Hay anaglifos de Moreno Villa, José Bello, Lorca, y eran creados colectivamente en las reuniones allá en la Residencia, incluso Américo Castro hizo algunos de ellos[44]. *Los putrefactos* fue una creación de José Bello, que aprovechó Dalí: el putrefacto reunía todo lo caduco, todo lo muerto y anacrónico que representaban seres y cosas. Dalí dibujó a muchos putrefactos juntamente con *La bestia*, especie de perro que parece más bien un trozo de estopa. El rey Alfonso XIII, el Papa, algunos académicos, escritores como Ricardo León, Emilio Carrere, incluso Azorín eran clasificados como putrefactos, este último injustamente incluido entre ellos, siendo uno de los pocos del 98 que supieron seguir a la joven generación.

Toda esta renovación, tanto espiritual como técnica, en poesía tiene un fondo oscuro de protesta, de tensión y descontento político que lleva a muchos surrealistas a extremos violentos.

El ambiente político.

España, como país neutral durante la primera guerra europea, no intervino en el conflicto, y esta situación le valió al país un considerable incremento económico. Sin embargo, sí hubo

44. Rafael ALBERTI, *La arboleda perdida*, obra citada, págs. 218-219.

una fuerte crisis gubernamental que fue desde la monarquía, pasando por la dictadura de Primo de Rivera, hasta la República (aclamada ésta por los surrealistas franceses con un manifiesto titulado *Al fuego)*, y por fin tuvo su culminación explosiva en la guerra civil de 1936. El surrealismo español surge paralelamente a los movimientos políticos de la Europa de entonces. Vieron los jóvenes poetas la posibilidad de un cambio radical en las estructuras sociales del país. Luchaban, según se decía en la propaganda política, frente a frente la «España sempiterna, intolerante, que vive en la ignorancia y la superstición», y la España joven llena de ilusión y de voluntad de apertura, cuya oportunidad parecía llegada. De esta interpretación de la lucha y adversidad eran conscientes la mayoría de los intelectuales españoles. Cernuda expresa así este sentimiento: «Como consecuencia de tal descontento, ciertas voces de rebeldía, a veces matizadas de violencia, comenzaron a surgir, aquí o allá, entre los versos que iba escribiendo. La caída de la dictadura de Primo de Rivera y el resentimiento nacional contra el rey, que había permitido su existencia, si no la había traído él mismo, suscitaban un estado de inquietud y de trastorno» [45]. La mayoría de los poetas del grupo fue tomando una clara inclinación de signo social, al igual que muchos surrealistas franceses militaron en el comunismo. Entre nosotros, es evidente el caso de Alberti. La «Gaceta de Arte» [46] da la noticia de la incorporación al comunismo de Cernuda, pero, como sabemos, su filiación al partido fue breve. El *Boletín Internacional del Surrealismo* publicado por el Grupo de París y «Gaceta de Arte» de Tenerife, en edición bilingüe, número 2, 1935, formula un programa revolucionario no sólo en el plano estético, sino en la postura que todo artista debe tomar ante las circunstancias políticas y sociales. Por su parte, Lorca en un entrevista con Alardo Prats, publicada en «El Sol» en diciembre de 1934, hace las siguientes declaraciones significativas: «Estoy y estaré siempre con quienes no tienen nada y a quienes incluso se les niega la tranquilidad de esa nada. Nosotros —y aludo a los intelectuales educados en el ambiente

45. Luis CERNUDA, *Poesía y Literatura I*, obra citada, pág. 248.
46. En «Gaceta de Arte», núm. 21, noviembre 1933. En el mismo año y en la revista «Octubre», núms. 4-5, Cernuda publicó un breve texto titulado: *Los que se incorporan*, recogido por Maristany en: Luis CERNUDA, *Crítica, ensayos y evocaciones*, Barcelona, 1970, pág. 89.

medio de clases que podemos llamar acomadadas— hemos votado por el sacrificio. En el mundo no están en lucha simplemente fuerzas humanas, sino fuerzas telúricas. Si se colocan delante de mí, en un balance, los resultados de esta lucha: por una parte, está tu dolor y tu sacrificio; por otra, la justicia para todos, aun con la angustia que supone el paso a un futuro presentido, pero que no se conoce. Pues bien, agito el puño con todas mis fuerzas por esta última alternativa». Sin embargo, Dámaso Alonso, con cierta razón, dice lo siguiente refiriéndose al compromiso político del grupo: «Lo primero que hay que notar es que esa generación no se alza contra nada. No está motivada por una catástrofe nacional, como la que da origen al pensamiento del 98. No tiene tampoco un vínculo político. Ninguno de estos poetas se preocupaba entonces de cuáles fueran las ideas políticas de los otros; varios hasta parecían ignorar que hubiera semejante cosa en el mundo» [47].

Se intentaba, por otra parte, una integración con Europa en el plano intelectual, al mismo tiempo que se realizan numerosas campañas culturales dentro del país. Lorca en 1931 consigue la creación de *La Barraca,* compañía ambulante de teatro, que acercará al pueblo los clásicos del Siglo de Oro. Alberti viaja, a cargo del gobierno, para conocer las últimas tendencias teatrales de Europa.

Este era, en grandes trazos, el ambiente político y cultural de España en aquella época, en la que la generación del 27 desarrolló gran parte de su obra. La guerra civil pondrá fin trágicamente a los empeños y metas trazadas por estos hombres que supieron elevar la dignidad y los logros de la poesía española. Esta misma fecha de 1936 señala también el final del período surrealista, al menos, el que nos ocupa en este trabajo. No cabe duda que el influjo del surrealismo continuó notándose en nuestra lírica después de la fecha antes indicada.

España, país propicio al surrealismo.

La literatura española, tanto culta como popular, está abierta a lo mágico, irracional y sorprendente. Por estos motivos el

---

47. Dámaso ALONSO, *Poetas españoles contemporáneos,* obra citada, pág. 160.

surrealismo encontró fácil encuadre en las corrientes literarias tradicionales españolas. Un mundo de ensueños, de zonas sombrías, de locura y de humor negro, palpita en obras como: *El Conde Lucanor* del Infante Don Juan Manuel, *Don Quijote de la Mancha* y *El licenciado Vidriera* de Cervantes, en *Los Sueños* de Quevedo [48]. Incluso la lírica popular está llena de sorprendentes metáforas e irracionales imágenes. «El pueblo —dice Bousoño— ama el disparate salado y chispeante, aunque carezca de sentido, y por eso las situaciones que en su lírica presenta, suelen ser imprevistas o ya imposibles y verdaderamente visionarias» [49]. Canciones de esta naturaleza son corrientes en los más remotos pueblos españoles:

De las doce palabras retorneadas,
dime la una.
La una la Virgen pura,
las dos las de Moisés,
donde Cristo puso los pies,
para ir a la Casa Santa de Jerusalén.
Hombre varón.
Alumbra a quien te alumbra,
que a mí me alumbra el sol
y a usted la luna.

Lorca y Alberti aprovechan esta clara y misteriosa corriente de poesía vertiéndola en muchas de sus canciones, constituyendo el eje de las mismas o sólo en ciertos temas o ritmos. Así los versos de García Lorca del poema *Vals en las ramas:*

Por la luna nadaba un pez.
La monja
Cantaba dentro de la toronja...

O también éstos de Alberti, que expresan una extraña metamorfosis:

Mamaba el toro, mamaba
la leche de la serrana.
Al toro se le ponían
ojos de muchacha... [50].

---

48. Vittorio BODINI, *I poeti surrealisti spagnoli*, obra citada, pág. 42.
49. Carlos BOUSOÑO, *La poesía de Vicente Aleixandre*, Madrid, 1968, pág. 204.
50. Rafael ALBERTI, *Poesías Completas*, Buenos Aires, 1961, pág. 466.

Esta tradición, unas veces irracionlista y otras visionaria, hace de España un país con buena predisposición para recibir y asimilar al surrealismo. Sobre este punto dice Durán: «El surrealismo español no ha sentido la necesidad de romper lanzas contra la tradición porque ésta, en España, era de una riqueza y de una variedad tales que toda nueva escuela podía aspirar a continuarla»[51]. Es decir, el surrealismo se acomoda fácilmente en esta tradición que lo recibe y asimila. Con esto quiero aclarar, en contra de la opinión de muchos críticos e incluso de los propios poetas, que no se dio un surrealismo en España *avant la lettre*, sino que fue un estilo de procedencia francesa que encontró, eso sí, un campo abonado.

Cronología orientadora sobre la creación surrealista en España.

Como ya sabemos, no todos los componentes de la generación del 27 pertenecieron al surrealismo, de entre ellos sólo lo siguieron: Larrea, García Lorca, Gerardo Diego, Aleixandre, Cernuda, Alberti, Moreno Villa, Prados, Altolaguirre e Hinojosa. Como es natural, no toda la obra de estos poetas es surrealista, e incluso algunos libros que a continuación citaré, no en su totalidad, están concebidos bajo la influencia de este movimiento. Una cronología de la producción surrealista en España sería proximadamente ésta:

Años de edición	*Títulos*	*Autor*
1922	*Imagen*	Gerardo Diego[52]
1924	*Manual de Espuma*	» »
1928-29	*Pasión de la tierra*	Vicente Aleixandre
» »	*Romancero gitano*	García Lorca
1929	*Un río, un amor*	Luis Cernuda

51. Manuel DURÁN GILI, *El superrealismo en la poesía española contemporánea*, obra citada, pág. 129.

52, 53 y 54. Se puede considerar a Gerardo Diego como el anunciador e introductor de las nuevas tendencias que su amigo Larrea descubría en Francia. (53) El surrealismo fue en Aleixandre más perdurable que en otros compañeros de generación. En su último libro citado, encontramos ya rasgos surrealistas. (54) La obra poética de Larrea no ha sido bien conocida en España hasta ahora. La mayoría de su obra está escrita en francés y publicada, en parte, por Gerardo Diego en revistas.

Años de edición	*Títulos*	*Autor*
»	*Sobre los ángeles*	Rafael Alberti
»	*Yo era un tonto y lo que he visto me ha hecho dos tontos*	» »
»	*Jacinta la pelirroja*	Moreno Villa
1929-30	*Poeta en Nueva York*	García Lorca
1930	*El hombre deshabitado*	Rafael Alberti
»	*Lo invisible*	Manuel Altolaguirre
1931	*Así que pasen cinco años*	García Lorca
»	*Carambas*	Moreno Villa
»	*Amor. Un día*	Manuel Altolaguirre
»	*Los placeres prohibidos*	Luis Cernuda
1932	*Espadas como labios*	Vicente Aleixandre
1932-33	*Donde habita el olvido*	Luis Cernuda
1933	*El público*	García Lorca
»	*Puentes que no acaban*	Moreno Villa
1935	*La destrucción o el amor*	Vicente Aleixandre
1936	*Salón sin muros*	Moreno Villa
»	*Llanto subterráneo*	Emilio Prados
1950	*Mundo a solas*	Vicente Aleixandre [53]
1970	*Versión celeste*	Juan Larrea [54].

Opiniones sobre el surrealismo en España.

Una visión de los comentarios de los propios poetas de la generación, críticos contemporáneos a ella y actuales, nos dará un panorama a través del tiempo de las opiniones sobre la existencia del surrealismo en nuestra poesía contemporánea.

a) Pedro Salinas.

Salinas dice así al referirse a Rafael Alberti: «En estos poemas Alberti se separa ya de toda tradición temática o formalista, popular o culta. Un humorismo cruzado de pasajeras amarguras y expresado con la incoherencia de lenguaje, con los antojos en relación de imágenes que el tema de circo permite, hace

presentir una profunda novedad en la voz de Alberti»[55]. El libro a que se refiere el poeta es *Yo era un tonto y lo que he visto me ha hecho dos tontos* (1929). Salinas parece rehuir del surrealismo, lo roza y casi lo define sin nombrarlo, y toda esa poesía incoherente, con ciertos ramalazos de humor negro se la atribuye al mundo del circo. Por el contrario, Alberti hablando de este mismo libro comenta: «Una flor de ternura guardo aún en mi corazón para los grandes tontos adorables: Buster Keaton, Harry Langdon y los menores: Stan Laurel, Oliver Hardy, Luisa Fazenda, Larry Semon, Bebe Daniels, Charles Bower, etc., héroes todos de mi libro naciente, más o menos surrealístico con título extraído de una comedia de Calderón de la Barca»[56]. Alberti confiesa un vacilante nuevo estilo en su obra, *más o menos surrealístico.* Volviendo otra vez a Salinas, vemos cómo en los comentarios que hace al libro de Alberti *Sobre los ángeles* elude la palabra surrealismo, y ese mundo de sombras y de negros hondanares del espíritu que está rodeado el libro, lo resuelve como restos de esos frescos medievales que muestran una visión del infierno: «En muchos casos, sobre todo en lenguaje e imágeens, el libro de Alberti está al día, responde a los últimos módulos de la poesía de estos años: absoluta libertad en las relaciones metafóricas y en los calificativos, incoherencias lógicas. Pero en lo más hondo se percibe lo que llamaríamos un temblor medieval, una visión del mundo angustiosa y siniestra, donde la ceniza y el oro se combinan como en los ángeles de la pintura romántica»[57]. En Aleixandre, Salinas parece aceptar cierta influencia surrealista en *La destrucción o el amor:* «Las nuevas formas y apetencias líricas de tipo surrealista, hablando en general, que desde hace unos años, en tentativas, curiosas unas, francamente acertadas otras, venían intentando abrir un nuevo camino en nuestra lírica, han encontrado ya (sea esa tendencia todo lo discutible y sujeta a debate que se quiera) su perfección en el libro de Aleixandre»[58]. Salinas apunta una orientación interesante; la de considerar a los *ismos* que se desarrollaron en Europa después de la primera guerra mundial de movimientos *neorrománticos;* observa que la nota romántica es cada vez más

55. Pedro SALINAS, *Literatura española siglo XX*, Madrid, 1970, pág. 189.
56. Rafael ALBERTI, *La arboleda perdida*, obra citada, pág. 284.
57, 58, 59 y 60. Pedro SALINAS, *Literatura española siglo XX*, obra citada, págs. 189, 190, 204, 210, 211 y 212.

profunda en la poesía moderna y ve al surrealismo como un romanticismo llevado al extremo. En el surrealismo hay mucho de romántico. Los surrealistas vieron en Novalis, Hölderlin y Blake verdaderos precursores, y esa rebeldía, interés por los más recónditos pliegues de la conciencia, anhelo de libertad, etc., son notas comunes a uno y otro movimiento. Claro está que llevadas al extremo por el surrealismo como dice Salinas: «Así como la razón era la enemiga de los románticos, la gran heroína clásica con que luchaban, la lógica es la bestia negra del superrealismo...» y opina que los poemas del libro «Jamás se podrían calificar ni aproximadamente como poemas superrealistas sin incurrir en superficial ligereza»[59]. Después de esta apreciación, pasa a analizar la diferencia entre el lenguaje figurado de nuestra literatura clásica y la moderna. En el lenguaje de la primera una inteligencia fina y alerta puede encontrar las relaciones lógicas de las metáforas e imágenes, mas en el de la segunda no. Y para probar esto, confronta un poema de Góngora y otro de Aleixandre:

Quejándose venían sobre el guante
los raudos torbellinos de Noruega,

(*Soledad Segunda,* versos 972-973.)

Los pechos por tierra tienen forma de arpa,
pero cuán mudamente ocultan su beso
ese arpegio de agua que hace unos labios
cuando se acercan a la corriente mientras cantan las liras.

(«Noche sinfónica» de *La destrucción o el amor.)*

Hemos dicho anteriormente, que una de las causas que diferencian al surrealismo francés del español es la de que en el último hay una mayor intervención de la lógica. Sin embargo, en los versos de Aleixandre escogidos por Salinas no se dan, y él mismo lo confiesa, nexos lógicos. Continuando el análisis de dichos versos, Salinas dice: «Pero ¿cómo se va a negar que sobre todas esas positivas incoherencias y desatinos lógicos reina un tipo poético, misteriosamente logrado, y que las palabras *arpa, arpegio, cantan, lira,* en una serie, y *pechos, beso, labios, acercan,* en otra, dan a la sensibilidad apoyos suficientes, por tenues que sean, para captar una bellísima impresión poética, que, al

fin y al cabo no está muy lejos de la que traen ciertos paisajes de Garcilaso?»[60]. De nuevo Salinas da un gran rodeo para no acercarse a esa palabra, surrealismo, que parece casi tabú en los críticos españoles. El influjo o el recuerdo de Garcilaso no es un obstáculo para que también se dé el del surrealismo.

b) Jorge Guillén.

Guillén, hablando de las nuevas tendencias, dice: «*Ismos* no hubo más que dos, después del ultraísmo preliminar: El creacionismo, cuyo Alá era Vicente Huidobro, eminente poeta de Chile, y cuyos Mahomas eran Juan Larrea y Gerardo Diego, y el superrealismo, que no llegó a cuajar en capilla y que fue más bien una invitación a la libertad de las imaginaciones»[61]. Ciertamente, el surrealismo, entre otras cosas, fue y es una invitación a liberar la fantasía, pero opino que en España jugó un papel más importante que de simple excitador de la imaginación.

c) Dámaso Alonso.

Por su parte, Dámaso Alonso, hablando del desarrollo de la generación, dice al comentar los acontecimientos a partir del homenaje a Góngora: «Pero de 1927 en adelante ocurren cosas muy graves. Por fuera bulle el *surréalisme* (cuyo manifiesto, por André Breton, es de fines de 1924). Suelen los historiadores de la literatura comparada sudar y trasudar a la busca de influjos. Olvidan, sin embargo, algo muy importante: el hecho, existente todos los días, por muy misterioso que sea, de las emanaciones difusas, de eso que está en el aire. Es evidente que los elementos críticos son los que dan trasmundo y misterio a la poesía de Federico desde sus primeras canciones, mucho antes de todo superrealismo. Cuando Vicente Aleixandre, entre 1928 y 1929, escribe su *Pasión de la tierra,* del surréalisme francés lo ignora todo. Con este libro y con *Sobre los ángeles,* de Alberti, ha comenzado una nueva era poética»[62].

Dámaso Alonso también está en la línea crítica de los que opinan que en nuestra literatura hay un filón de misterio, de elementos oníricos e irracionalismo, que hace innecesaria la inter-

---

61. Jorge GUILLÉN, *Lenguaje y poesía,* obra citada, págs. 189-190.
62. Dámaso ALONSO, *Poetas españoles contemporáneos,* obra citada, pág. 173.

vención del movimiento francés. Antes hemos dicho que esta propiedad o cualidad de nuestra literatura es una ventaja y hace de España un país de fácil asimilación del surrealismo. Pero en lo que no estoy de acuerdo es en creer que los poetas del 27 desconocían todo referente a la nueva tendencia francesa. Repito nuevamente que en España, a partir de 1924, se fue conociendo por traducciones, conferencias, artículos, etc., todas estas corrientes de vanguardia. Siguiendo las opiniones de Dámaco Alonso sobre el surrealismo como algo que flotaba en el ambiente del momento, leemos: «Es una necesidad de la época, repito, y esto explica el hecho de que Vicente Aleixandre pudiera escribir un libro superrealista de poemas en prosa (publicado en 1935), sin intención ninguna de «hacer superrealismo» y sin conocer directamente la escuela francesa» [63]. Esta *necesidad de época* —se refiere al surrealismo— que señala Dámaso Alonso, no se implanta de una manera infusa, sino por el conocimiento del movimiento en cuestión. Sin embargo, aceptando este «ambiente de época», el citado crítico admite cierto influjo surrealista en Aleixandre: «Porque esta poesía de Vicente Aleixandre, como toda la poesía superrealista, con la que más o menos está emparentada, forma parte de un vasto movimiento literario y científico que no sé si calificar de hiperrealista o hiporrealista» [64].

Como a Salinas, también a Dámaso Alonso se le presenta la palabra *surrealismo* como un tabú o como forma extranjerizante de nombrar un movimiento que ya existía en nuestro país: «Me fastidia tener que emplear la palabra *superrealismo:* ya no hay más remedio que hacerlo. Vamos interpretando la historia de España y de su literatura siempre a la zaga de algo que venga de fuera. Cuando lo nuestro no se conforma bien con el nombre extraño, lo metemos de un empujón en el molde que nos llega... Así se echó mano del *surréalisme* francés y se tradujo la palabra, para que fuera marbete de cosas españolas» [65].

No comprendo ese temor por los movimientos extranjeros, muchos de ellos, véase si no nuestra historia de la literatura, renovaron y vivificaron normas y estilos que estaban ya pasados de moda o anquilosados. Seguramente, la poesía de la generación del 27 hubiera sido no sé si mejor o peor, pero sí distinta sin el influjo del surrealismo.

---

63. Idem, pág. 273.
64. Idem, pág. 271.
65. Idem, pág. 308.

Es difícil, por tanto, con este panorama de negaciones y contradicciones, teorizar sobre el surrealismo en España. Casi todos los críticos tienen una opinión adversa hacia su existencia. Sin embargo, en ocasiones dejan vislumbrar como una concesión, ciertas influencias del *ismo* francés en nuestro país, pero siempre con reservas. La mayoría de estos críticos, e incluso miembros de la generación, consideran que no hubo tal movimiento porque más o menos estaba ya implícito en nuestra literatura; otros opinan que no se dio por total desconocimiento del mismo o, porque fue una nota pasajera. A este último punto hay que responder que todos los movimientos de vanguardia son pasajeros; una vez cumplida la labor renovadora de éstos, dejan paso a otras nuevas corrientes, pues de no ser así, quedarían fosilizados y no se produciría la evolución literaria. Pero hay ocasiones en que algún movimiento destaca por sus importantes aportaciones, y entonces éste quedará, como es natural, relevado por otro, pero nunca en olvido; de tal manera que ya siempre su influjo será activo. Algo de esto ha ocurrido con el surrealismo, del que aún hoy queda mucho vivo. No cabe duda de que ha perdido su vigor primero, pero la preocupación por la vida, las más hondas capas de la conciencia, el sexo, la exaltación de la libertad y la rebelión permanecen todavía en pie, y precisamente ese ansia de búsqueda y aventura, su afán por lo maravilloso e inusiado es lo que hace del surrealismo un movimiento casi imperecedero. Pensemos en su influjo sobre la estética actual; sin él algunas manifestaciones de las artes plásticas y la literatura no se hubieran dado.

Opino que lo peor que puede hacer un movimiento de vanguardia es definirse; así se limita por medio de un manifiesto. De esta forma, la crítica de su momento y más aún la posterior puede juzgar y detectar si en la práctica los cánones del manifiesto se han observado estrictamente. Las normas deben deducirse por las obras, y no éstas en reflejo de aquéllas. En el caso del surrealismo la programación de un manifiesto, y por añadidura tan rígido, fue fatal. Sabido es por todos que la base del surrealismo es la escritura automática, imposible de llevar a la práctica, y tanto es así que Breton tuvo que corregir su primer manifiesto de 1924, al darse cuenta que la razón intervenía inevitablemente en el automatismo síquico, y que éste así no podía ser tan puro como era su intención. Al no cumplirse las normas de Breton en los escritos fue motivo de una crítica adversa en

su tiempo e incluso hoy. Recientemente Vicente Aleixandre ha dicho en una antología de su poesía surrealista: «Alguna vez he escrito que yo no soy, ni he sido, un poeta estrictamente superrealista, porque no he creído nunca en la base dogmática de ese movimiento: la escritura automática y la consiguiente abolición de la conciencia artística. ¿Pero hubo, en este sentido, alguna vez, en algún sitio, un verdadero poeta superrealista?»[66]. Mas lo importante en el surrealismo es este intento de pureza síquica y también las aportaciones y metas que, como he dicho antes, lo mantienen con actualidad. En España muchos críticos niegan la existencia del surrealismo, precisamente porque no hay automatismo síquico puro, pero ya hemos visto que tampoco se dio así en Francia, aunque hay que reconocer que en nuestro país el elemento lógico interviene más intensamente.

Después de estas consideraciones aclaratorias, volvamos al panorama de la crítica sobre nuestro surrealismo.

d) Ángel del Río.

Recoge este crítico una serie de opiniones sobre el libro de García Lorca *Poeta en Nueva York*. El impacto que produjeron estos poemas en el público de entonces fue en general negativo: «Fue opinión corriente la de que el autor andaba extraviado, al abandonar las fuentes habituales de la inspiración»[67]. Esta desorientación es natural, porque el mal de Lorca comenzó desde un principio, es decir, encasillar al autor en el ámbito de lo folklórico popular. Continúa comentando Angel del Río: «Se habló también de artificialidad y casi nadie ponía en duda el que aquello fuese producto de una desviación momentánea, debida principalmente a dos cosas: el deseo de superar, entregándose a lo extravagante, la fama de poeta puramente «popular», o el afán de competir con otros poetas de su generación, y en particular con Rafael Alberti, lanzado entonces hacia la aventura surrealista»[68]. El libro de García Lorca surgió por dos razones de tipo sicológico: la impresión que le causó la gran urbe moderna desarrollándose bajo un sistema capitalista que agobia a

---

66. Vicente ALEIXANDRE, *Poesías superrealistas* (Antología), Barcelona, 1970, pág. 7.
67. Angel DEL RÍO, *Estudios sobre literatura contemporánea española*, obra citada, pág. 251.
68. Idem, pág. 251.

las clases proletarias, y una crisis interna de carácter sentimental, todo ello expresado con las fórmulas muy adecuadas a estos sentimientos que ofrecía el surrealismo: «Cualesquiera que fueran los motivos inmediatos de la estancia del poeta en Nueva York, sólo se encontrará coherencia y sentido a estos poemas si se tiene en cuenta que fueron el resultado de una triple crisis: crisis sentimental en la vida del poeta, a la que aludía constantemente por esa época, sin revelar nunca con claridad su naturaleza; crisis en su propia evolución literaria y que es, en parte, consecuencia de la crisis de la poesía moderna al surgir el surrealismo y otros «ismos» y, por último, una crisis —profunda— en el escenario americano que iba a servirle de tema»[69]. Es común este ambiente de protesta tanto política como íntima en algunos poetas de la generación. El surrealismo era la forma de expresión más idónea para exteriorizar estos sentimientos oprimidos y contrariados.

A medida que pasa el tiempo, nuestros críticos se van convenciendo cada vez más del influjo surrealista, aunque aún se nota cierta inseguridad. Continuando con las opiniones de Angel del Río vemos cómo ya, abiertamente, denota tal influencia en Lorca: «Más importante es para la comprensión de la obra (se refiere a *Poeta en Nueva York)* la necesidad de aclarar su relación con el arte surrealista, y se puede decir que es la suya la primera obra importante que produce el movimiento en España»[70]. Pienso que es un poco exagerada la opinión de Angel del Río de considerar al libro de Lorca como el más interesante de los escritos entre nosotros bajo esta tendencia. Uno de los inconvenientes o mejor dicho, uno de los argumentos negativos a nuestro surrealismo era el desconocimiento que los mismos autores tenían del propio movimiento. A los poetas surrealistas de la generación se le atribuía el conocimiento del nuevo «ismo», más que al contacto directo con las propias obras francesas, a la intuición. No cabe duda de que ésta es importante en toda labor creativa, pero sólo la intuición no basta para realizar las obras ya citadas.

Bien sabemos que estos poetas conocían las obras de sus compañeros franceses por traducciones, conferencias, etc., y el

---

69. Idem, pág. 257.
70. Idem, pág. 284.

mismo García Lorca, al que se le atribuye el poder de la intuición, conocía muy bien la obra de Blake y Lautréamont e, incluso con Dalí, intentó ilustrar la obra de éstos [71].

e) Rafael Alberti.

Escogí antes un texto de *La arboleda perdida* que me sirvió como modelo para destacar los síntomas del surrealismo en Alberti y añadía que, más o menos intensamente, esa situación se había dado en los demás. Alberti se da cuenta de la influencia del surrealismo y sabe muy bien en qué consiste dicho movimiento, y esto hace incomprensibles sus palabras: «Algún tiempo después volvió a caer sobre unos cuantos poetas otro nuevo mote: el de *surrealistas,* aludiendo al movimiento francés capitaneado por André Breton y Louis Aragon. Nuevas confusiones. Los poetas acusados de este delito sabíamos que en España —si entendemos por surrealismo la exaltación de lo ilógico, lo subconsciente, lo monstruoso sexual, el sueño, el absurdo—, existía ya desde mucho antes que los franceses trataran de definirlo y exponerlo en sus manifiestos. El surrealismo español se encontraba precisamente en lo popular, en una serie de maravillosas retahilas, coplas, rimas extrañas, en las que, sobre todo yo, ensayé apoyarme para correr la aventura de lo para mí hasta entonces desconocido» [72]. Por las palabras de Alberti se desprende que ya en algunas canciones populares estaba la esencia del surrealismo, y que nada debemos al movimiento francés. No se comprende esta postura cuando él siguió muy de cerca las conferencias, traducciones y películas que con esta tendencia se pu blicaban en Madrid. A pesar de lo que dice el autor, Eric Proll opina que «podemos trazar el desarrollo del elemento surrealista desde sus primeros poemas» [73].

f) Max Aub.

Para Max Aub lo francés es incompatible con el carácter español. ¿Reminiscencia de Ortega? Así lo expone en su libro *Poesía española contemporánea,* en un apartado que le dedica al su-

---

71. Idem, pág. 287.
72. Rafael ALBERTI, *Prosas encontradas, 1924-1942,* Madrid, 1970, pags. 97-98.
73. Eric PROLL, *The surrealist element in Rafael Alberti,* en «Bulletin of Spanish Studies», XXI-april, 1944, pág. 91.

rrealismo: «Las escuelas francesas —por razones que no vienen ahora al caso ni voy a examinar— nunca han producido grandes obras en España. Lo francés, en España, nunca ha sido popular; y nada que no haya tenido —de cerca o de lejos— raíz popular fue nunca expresión del género español. (¿O es que lo barroco no es popular en España? Y conste que cuando digo popular, no excluyo lo culto. La relación de pueblo y aristocracia, como es bien sabido, en lo personal y en lo artístico, es una característica de lo español, por falta de clase media.) Con el surrealismo va a pasar tres cuartas partes de lo mismo. Poetas surrealistas puros no los hay que valga la pena dejando aparte a Juan Larrea —quede aquí también el nombre de José María Hinojosa. La escuela tocará, de refilón, a Alberti y a García Lorca, así sea, yo diría que desgraciadamente, base de la poesía de Vicente Aleixandre, que vendrá a más»[74]. No se da cuenta Max Aub que precisamente España es un país que por su tradición literaria, en que el elemento popular tiene gran importancia, está predispuesto para el surrealismo. En la lírica popular española, como he dicho antes en este capítulo, hay mucho de misterio e irracionalidad, y esta circunstancia la hace estar preparada para un movimiento de la naturaleza del surrealismo. Dice Max Aub en el párrafo antes citado, que en la literatura española lo popular y lo aristocrático están íntimamente ligados. Pues bien; si, como hemos visto, el elemento popular está predispuesto a ese gusto por lo irracional y misterioso, el factor culto o aristocrático, en este caso el surrealismo, vendría a encajar perfectamente, y más aún si el nuevo movimiento literario tiene inclinaciones muy afines con la esencia de nuestra lírica.

Otra de las causas por las que Max Aub considera que no hubo un surrealismo en España es porque nunca tuvimos contactos con la poesía romántica alemana. Y dice al respecto: «Alemania ha ganado todas las guerras que hizo —desde que se hizo—, lo mismo con la victoria que con la derrota. Lo debe por igual a sus filósofos y a sus poetas. Hegel, Marx, Nietzsche, han marcado el mundo como nadie en nuestro último siglo, y si se echa uno a la cara cualquier libro de versos o de poética francés, inglés, italiano, norteamericano, no hablan, no juran los poetas o sus teorizantes más que por Novalis, Hölderlin u Hoffmanstal». Más adelante continúa: «Pero España queda aparte

74. Max Aub, *Poesía española contemporánea*, México, 1969, pág. 106.

de esta corriente. No que sea inmune a tanta cita y lectura de los poetas alemanes menores (actualmente, Goethe no cuenta), pero sí ha sabido sacar de su propio jugo —y bajo todos los yugos— no sólo una poesía propia, sino un acento original. García Lorca, y con él Alberti, no representan, tal vez, sino un movimiento de defensa —inconsciente y español— en contra de la hegemonía germana»[75]. No es la intención de este estudio el saber si es indispensable o no el tener en cuenta una tradición con los poetas románticos alemanes para que en un país se dé el surrealismo. Ni que decir tiene que este movimiento le debe mucho al romanticismo alemán, pero estimo que el surrealismo como estilo definido en su tiempo puede influir por sí mismo. Pensemos en Bécquer, poeta con gran influjo alemán y que tan importante fue para los poetas de la generación del 27. Sin embargo dice Max Aub: «El poeta de más éxito del siglo XIX español, en el XX, fue Bécquer, porque además de sus altas condiciones poéticas personales, escribió bajo influjo germánico. La hegemonía alemana sucedió a la inglesa —que impuso su romanticismo—; como ésta había continuado la francesa y ella —a su vez— domina la española»[76]. En este punto veo una contradicción, pues si Bécquer escribió bajo el influjo germánico y fue uno de los poetas más estimados para nuestra lírica del XX, quiere decir que tampoco España, aunque sea indirectamente, quedó fuera de la impronta alemana.

g) Luis Felipe Vivanco.

En *Introducción a la poesía española contemporánea,* Luis Felipe Vivanco, al estudiar algunos de los poetas surrealistas de la generación del 27, va a darnos su opinión sobre el surrealismo en España. Según él es desigual el influjo del movimiento francés; en algunos poetas es más intenso que en otros. Pero de la forma que sea esta influencia, Vivanco da un panorama positivo, aunque sin comprometerse, de la existencia del surrealismo en nuestra lírica contemporánea. Así pues, al estudiar la poesía de Alberti, comenta: «Hoy día sabemos que Bécquer, junto con Poe y Baudelaire, forma la trilogía de grandes poetas postrománticos, superlúcidos y superconscientes. En este sentido,

75. Idem, págs. 104-105.
76. Idem, pág. 105.

debemos situarlos en el extremo opuesto de todo surrealismo, con sus imágenes, no sólo autónomas, como las creacionistas, sino automáticas. Y también Alberti, a pesar de sus posibles conatos de contagio. Por eso he dicho antes que llegaba a utilizar imágenes aparentemente resueltas, sin el control de la conciencia. Pero aparentemente, nada más. Por otra parte, la culpa del peculiar surrealismo de Alberti, no la tiene ni Bécquer ni Baudelaire, sino el profeta Isaías. La influencia de la lectura en castellano de Isaías es la que va a prevalecer en los versículos de los últimos poemas, pero sobre todo, a través de una palabra mucho más retórica, en los de *Sermones y moradas*. Isaías le enseña que las imágenes en las que intervienen, por así decirlo, los objetos más vulgares y hasta repugnantes, son las que tienen o pueden tener más pujanza de espíritu»[77]. Aquí Vivanco atribuye el surrealismo de Alberti a Isaías. Pudiera ser que fuese así, pero con sólo esta lectura no se puede escribir *Sobre los ángeles*, ni tampoco ciertas actitudes del poeta gaditano ya conocidas. Para con Cernuda, nuestro crítico es más contundente: «En los poemas de *Un río, un amor*, la espontaneidad expresiva de la palabra sigue siendo posible gracias al grado de perfección abierta alcanzado en las primeras poesías. Pero se trata ya de una expresividad en la que han hecho su aparición dos dimensiones nuevas: en primer lugar, la influencia surrealista; y en segundo y más importante, la situación de una pasividad corporal expectante y tal vez desengañada de antemano, por la actividad de su peculiar pasión amorosa»[78]. Acepta la influencia del surrealismo, pero por encima de ésta hay, según Vivanco, un estado anímico especial. Es cierto que Cernuda escribió *Un río, un amor* bajo este tipo de sentimiento amoroso, pero esta situación no debe considerarse como una y la *más importante* de las «dimensiones nuevas» que indujeron a Cernuda a escribir su libro. El surrealismo fue entonces el único camino por el que el poeta podía verter ese estado de ánimo que, al mismo tiempo, le dañaba. ¿Qué sino hay en los versos de ese libro, sino rebeldía, protesta contra la sociedad y contra sí, como consecuencia de ese amor que le hiere desde muy hondo? Así pues, creo que la única vía o dimensión es el nuevo estilo, es decir,

77. Lus Felipe VIVANCO, *Introducción a la poesía española contemporánea I*, Madrid, 1971, págs. 57-58-62.
78. Idem pág. 267.

la forma nueva de expresar ese sentimiento amoroso que de hecho puede ser de cualquier otra naturaleza.

Siguiendo con Vivanco y estudiando el trabajo que le dedica a Vicente Aleixandre, encontramos el siguiente comentario a las posibilidades del surrealismo: «A través de Dadá y el psicoanálisis, el surrealismo es versión culta europea del único proceso pendiente: el de recuperación del origen o restitución de los valores espirituales por los más inmediatamente vitales. Por debajo de todos sus mecanismos imaginistas, con los que pretende suplir la deficiencia de un mundo y una existencia reales, no sólo están las palabras en libertad, sino la nueva libertad fundada por ellas, es decir, una vida humana liberada de sus condiciones racionales de existencia, o como una vida humana enriquecida por las aportaciones del subconsciente, individual y colectivo. Por eso —y a través, ahora de Rimbaud— las posibilidades más hondas del surrealismo hay que buscarlas en una auténtica poesía de la vida, y no sólo de la conciencia, y aunque su planteamiento estético haya pasado a la historia, su nuevo aliento vital permanece en la obra de los más grandes poetas contemporáneas. Entre otras, en las de Aleixandre»[79]. Al menos en Vivanco, como en Cernuda, hay una concepción positiva e interés sobre el surrealismo y, lo que es más importante, ambos aceptan el influjo del movimiento surrealista en España. Así se puede comprobar en el último párrafo citado refiriéndose a Vicente Aleixandre. Afirmaciones sobre este particular las hallamos al hablar de Lorca: «Con este *Diálogo* —se refiere al *Diálogo del Amargo*—, Federico ha fundado las dos direcciones principales de su teatro trágico: la dirección surrealista de *Así que pasen cinco años* y los dos fragmentos de *El público*, y la otra, más arraigada existencialmente en la realidad, con la que se incorpora a la dramática universal: *Bodas de sangre*, *Yerma*, *La Casa de Bernalda Alba*. Su teatro surrealista es otra manera de permanecer en el origen». Y más adelante agrega: «A partir del 44, *Poeta en Nueva York*, publicado en su integridad, empieza a competir con el *Romancero* y vuelve a salir por los fueros de una palabra poética surrealista ya abandonada en España»[80]. En esta última cita la palabra *abandonar* es fundamental. Si por el año 44, como es cierto, el surrealismo en España ya no

79. Idem, pág. 315.
80. Luis Felipe VIVANCO, *Introducción a la poesía española contemporánea II*, Madrid, 1971, págs. 57-58-62.

tiene vigencia, quiere decir que éste existió, y este paso o huella del movimiento de Breton por nuestra lírica contemporánea es la que me interesa probar.

h) Carlos Bousoño.

Bousoño cree que el surrealismo es imposible de llevarlo a la práctica, siguiendo totalmente los puntos del manifiesto de Breton: «En la práctica, el superrealismo puro no existió nunca (y en España desde luego, ningún poeta en sus versos parece haber pretendido aquella extremosidad)» [81]. En este punto coincido con Bousono, es decir, la imposibilidad de llevar a la práctica fielmente su poética, fidelidad que no preocupó mucho entre nosotros. Pero al centrarse en España en particular dice: «La escuela superrealista española, de alguna manera hemos de llamarla para entendernos, nació con independencia de la escuela francesa de análoga tendencia y, sólo después, en marcha ya el movimiento hispano, puede hablarse de contactos entre una y otra» [82]. Bousoño considera que al principio de escribirse en España obras poéticas en las que se notaba el influjo del nacionalismo en las metáforas e imágenes, así como también la preocupación por el subconsciente y lo onírico, no se debía al conocimiento directo de las obras francesas sino que, aquí se refiere a Aleixandre, procedían de dos caminos: uno, el estudio de las obras de Freud, y el otro, de la tradición visionaria española, sobre todo la popular a la que antes me he referido. Sin embargo, admite que el nacionalismo visible en las obras correspondientes a esta época de Aleixandre procede de la lectura de Rimbaud y Joyce, a los que ve como los grandes maestros del nacionalismo literario que imperaba en aquel momento. Si Bousoño estima importante en Aleixandre estas lecturas de Rimbaud y Joyce, ¿por qué no admitir también la de los surrealistas franceses, con los que seguramente estuvo en contacto por sus libros, manifiestos y conferencias que, como hemos visto antes, se difundieron por Madrid?

---

81. Carlos Bousoño, *La poesía de Vicente Aleixandre*, obra citada, pág. 207
82. Idem, pág. 207.

i) Solita Salinas de Marichal.

Al estudiar el surrealismo en *Sobre los ángeles* de Alberti, ve clara influencia del movimiento francés[83]. Sin embargo, dice que una de las notas constitutivas del grupo es la reacción revolucionaria como consecuencia de la primera guerra, y que España, como país neutral, se había mantenido al margen e incluso se benefició económicamente. Esto es verdadero. Dámaso Alonso[84] en su libro *Poetas españoles contemporáneos* señala este ambiente de despreocupación política. Mas esta indiferencia sólo duró los siete u ocho años de la década del 20. De todos es sabido cómo muchos de los poetas de la generación se comprometieron luego en los momentos más turbios por los que atravesó el país, momentos estos de agitación política que coincidieron con una madurez en los conocimientos del surrealismo.

Solita Salinas habla de la necesidad de romper en Francia con la tradición para implantar las nuevas corrientes literarias y que, por el contrario, aquí no había más que continuar o fomentar esa línea irracional que se da en nuestra literatura, sobre todo en la popular, tendencia esta que, como hemos dicho antes, enriquece y predispone pero que, por sí sola, no basta. Por otra parte, continúa diciendo la autora, el surrealismo, según Maurice Nadeau[85], fue concebido como un medio de conocimiento, mientras que en España, en la opinión de Manuel Durán[86], es un movimiento literario más. Creo que todo nuevo movimiento literario es un medio de conocimiento, de indagación en el espíritu y en los problemas materiales del hombre; y en cuanto a ser un movimiento más, es completamente normal que sea así, ya que éstos, al jugar su papel en el terreno histórico, son sustituidos por otros, quedando algo si en verdad hizo importantes aportaciones.

Al final del estudio sobre el surrealismo en el libro de Alberti, Solita Salinas reconoce el influjo del movimiento francés por medio del ambiente de la Residencia y la amistad de Dalí,

---

83. Solita SALINAS DE MARICHAL, *El mundo poético de Rafael Alberti*, Madrid, 1968, págs. 251-256.
84. Dámaso ALONSO, *Poetas españoles contemporáneos*, obra citada, págs. 160-161.
85. Maurice NADEAU, *Histoire du surréalisme*, Paris, 1954, pág. 11.
86. Manuel DURÁN GILI, *El superrealismo en la poesía española contemporánea*, obra citada, pág. 39.

Buñuel y Neruda. Esta última afirmación positiva contrasta con la inseguridad de las anteriores, quedando como es característico, la existencia en España del surrealismo en un nivel problemático y vago, adjetivos estos que ya son tradicionales en España, al menos, en ciertos períodos como el Renacimiento y Romanticismo, en torno a los cuales queda la duda de su existencia. Sin embargo, ante este panorama de negaciones y de incertidumbres se nos presenta una extraña paradoja. Salvador Dalí se alza como una de las figuras más representativas, no sólo del surrealismo pictórico, sino también del literario, y Luis Buñuel que, en colaboración con el anterior, es el máximo exponente del movimiento en el terreno del cine.

j) Paul Ilie. Anna Balakian.

Aún hoy la situación continúa y la incógnita no se ha aclarado. Uno de los últimos libros publicados sobre el tema, el del profesor Paul Ilie, sigue manteniendo la vaguedad propia de este período de nuestra literatura. En su estudio Ilie prefiere el término más generalizado de *tendencia surrealista,* que movimiento surrealista o surrealismo [87]. De este modo, el ámbito es más elástico y tienen cabida dentro de él no sólo los habituales (Lorca, Alberti, Aleixandre), sino también aquellos que el autor considera que de algún modo usaron la deformación de la realidad, como Antonio Machado y Valle-Inclán con el esperpento. Enfocar así el problema, es decir, incluir dentro del movimiento surrealista a escritores no pertenecientes a él, puede ser peligroso en extremo, ya que de este modo se desemboca en la idea de que en España existió el surrealismo antes de los manifiestos de Breton, teoría defendida, como hemos visto antes, por muchos críticos, cuando en realidad sólo hay un ambiente predispuesto como ya he señalado.

En el último capítulo del libro titulado *French and spanish surrealist modes,* Ilie analiza algunas diferencias entre Francia y España en cuanto al surrealismo se refiere. En primer lugar dice: «No estaban interesados (los poetas españoles surrealistas) en repudiar lo valores sociales de la burguesía o en promover la revolución marxista. Tampoco publicaron manifiestos

---

87. Paul Ilie, *The surrealist mode in spanish Literature,* obra citada, pág. 1.

y declaraciones. No había una cohesión externa que se pueda comparar con la solidaridad que existía en Francia en aquel tiempo»[88]. Estas ideas son en parte rebatibles. No cabe duda que todos los poetas de la generación fueron antiburgueses, lo demostraron y aún lo demuestran por su actitud personal y sus obras, e incluso algunos pertenecieron al partido comunista. En cuanto a que no publicaron manifiestos es lógico, ya que el creador André Breton, los había publicado, y los poetas de cualquier país no tenían más que seguirlos en mayor o menor grado. Por el contrario, sí estoy de acuerdo en la falta de unidad de grupo íntimamente ligado que hubiera perfilado más los límites y canalizado los impulsos de estos autores. Otro matiz de distinción que expone el profesor americano es que los surrealistas españoles rompieron con el romanticismo, mientras los franceses dieron gran importancia a ciertos poetas de este período, especialmente a Hölderlin, Novalis, Gérard de Nerval, Blake, etc. Esta afirmación es completamente incierta, véanse si no las apasionadas opiniones de Cernuda sobre Gérard de Nerval y Hölderlin e incluso el importante influjo de este último, y el decisivo de Bécquer en *Donde habite el Olvido;* el homenaje de Alberti a Bécquer en el poema «Tres recuerdos del cielo» de *Sobre los ángeles,* en cuyo libro se repite por tres veces el título becqueriano de «Huésped de las tinieblas». También Aleixandre pone como lema de su libro *Espadas como labios* una cita de Byron, y Juan Ramón Jiménez aconseja a los jóvenes poetas españoles el releer a los románticos. ¿Puede hablarse, una vez visto esto, de olvido del romanticismo entre los poetas surrealistas españoles? Precisamente este interés por lo romántico es esencial en el surrealismo, de tal modo que ningún poeta que siga esta corriente puede evitar su influjo y de ninguna manera olvidarlo. Otra de las diferencias entre el surrealismo francés y español es la ausencia del sentido místico en el último. Teoría ésta de Anna Balakian[89] y recogida por Ilie en su libro. Según la teoría de Balakian los surrealistas franceses tienen que ser entendidos en sus raíces místicas. Por el contrario: «Los españoles, por otra parte, no revelan nada de este misticismo. Estaban, sin duda, profundamente interesados por la naturaleza de la realidad. Pero la surrealidad que resultó de su investigación no fue, como en

88. Idem, pág. 193.
89. Anna Balakian, *Surrealism: the Road to the Absolute,* Nueva York, 1959.

el caso francés, el producto de una búsqueda directa o deseo. No se pusieron deliberadamente a buscar una nueva realidad que fusionara todos los niveles de experiencia: externa e interna, real e imaginaria, consciente e inconsciente, natural y sobrenatural. Por el contrario, los españoles produjeron una surrealidad en su arte como resultado de específicas relaciones a su medio ambiente cultural»[90]. España tiene una profunda tradición mística al mismo tiempo que realista, y esta coincidencia es favorable a la asimilación del nuevo movimiento literario. Opino, en contra de la tesis de Balakian, que los poetas surrealistas españoles no sólo quedaron en la realidad más externa, sino que profundizaron en ella hasta su esencia misma, e incluso intentaron buscar una realidad distinta a la cotidiana. Hemos visto antes que la mayoría de los adeptos al surrealismo entran en él como consecuencia de una profunda crisis de descontento con ellos mismos y con la realidad circundante. Situaciones como la que antes hemos visto en Cernuda y Alberti coinciden con los primeros libros inspirados bajo esta corriente. Luchan contra la realidad, contra normas y leyes de una sociedad que aprisiona las más altas manifestaciones humanas: el amor, la libertad. Otras veces, con fervor místico, sondean esta misma realidad en sus más íntimas y hondas capas para encontrarle un sentido o vislumbrar una más auténtica y esencial. Casi siempre se trata de un paraíso perdido en los años de niñez, donde todo es primario o recreado. Es el caso de Cernuda y Aleixandre. Creo que con estas consideraciones, la teoría de Balakian no tiene razón de ser y así queda aclarado este punto como positivo para el escabroso tema de la existencia de un surrealismo español. Hemos ido recorriendo y comentando la mayoría de las opiniones de los críticos, y en ellas podemos ver desde la negación rotunda hasta la duda, pero nunca una afirmación positiva. Incluso uno de los últimos artículos aparecidos sobre el tema, *Inquisición del surrealismo español* de Alberto Adell[91], deja el problema sin resolver, pero se da cuenta de que es necesaria la seguridad en este período de nuestra lírica contemporánea. Casi al final del citado trabajo dice el autor: «Seguiremos con

---

90. Paul ILIE, *The surrealist mode in spanisch Literature*, obra citada, páginas 196-197.

91. Alberto ADELL, *Inquisición del surrealismo español*, en «Insula», núms. 284-285, Julio-Agosto 1970, págs. 20-21.

nuestra creencia de que el surrealismo, en España, fue, ante todo (ante todo, sí, pero no solo), «eso que está en el aire», en palabras de Dámaso Alonso. Compárese con lo que el término significa para Guillén: «una invitación a la libertad de la imaginación», o con las indolentes palabras de Ramón Gómez de la Serna en *Ismos:* «No es necesario saber lo que es surrealismo». Quizás, mezclando estas opiniones, se pueda sacar algo, siempre aproximativo, de lo que fue nuestra etapa surrealista. A estas ideas habría que añadir la negación de la existencia de este período por parte de Guillermo de Torre, quien deja un resquicio de posibilidad centrado en Canarias: «Pero la única epigonía española verdadera del superrealismo es —insistiré— la que se manifestó en la revista «Gaceta de Arte» (1932-1936) de Canarias, dirigida por Eduardo Westerdhal» [92].

k) C. B. Morris.

Este ambiente de negación y de dudas sobre nuestro surrealismo, parece aclararse con el libro de C. B. Morris antes citado. El profesor Morris, lector de Español en la Universidad de Hull, ha ido siguiendo las huellas del surealismo en España desde 1920 a 1936. El período de tiempo, a mi parecer, es extenso, ya que comienza su estudio a partir de un año en que aún Breton no había publicado el primer manifiesto del surrealismo, y esto tiene el riesgo, como en el caso del libro de Paul Ilie ya comentado, de ver en España un surrealismo *avant la lettre,* pero por otro lado tiene la ventaja de ir rastreando rasgos que lo anuncian, así como también el ver a nuestro país como predispuesto a incorporarlo sin que ello signifique un desvío de nuestra tradición literaria tanto culta como popular. C. B. Morris ve a Pío Baroja, Sánchez Mejías, Andrés Alvarez y Azorín como anunciadores del surrealismo por la importancia que el subconsciente tiene en algunas de sus obras.

Después, en pleno período surrealista, estudia las diferencias entre Francia y España, haciendo ver la importancia de Cataluña como región vanguardista. El análisis de textos de García Lorca, Aleixandre, Alberti, Hinojosa, Foix y Cernuda, da pie a Morris

92. Guillermo De Torre, *Historia de las literaturas de vanguardia,* obra citada, pág. 576.

para afirmar la existencia de un surrealismo español que no sólo se manifestó en literatura, sino también en la pintura con Picasso, Joan Miró, Dalí y García Lorca, y en el cine con Luis Buñuel, considerando sus dos primeros films: *Un perro andaluz* y *La edad de oro.*

Quizás sea éste el libro que dé una visión de época más completa y contribuya a esclarecer ese tan problemático período de nuestra literatura contemporánea.

Conclusiones.

Una vez analizadas la mayoría de las opiniones de los críticos e incluso de los mismos poetas de la generación, así como también las circunstancias que inspiraron sus obras dentro de este período, hemos sacado una serie de conclusiones. De ellas se deduce un ambiente de paradojas y contradicciones, pero que en el fondo nos indican que verdaderamente hubo en España un surrealismo que produjo no ya una atmósfera, sino que también ésta se tradujo en obras literarias y artísticas, y que algunas de ellas alcanzaron un nivel superior a los compañeros franceses creadores de este movimiento.

Lo primero que observamos al estudiar esta etapa de nuestra literatura contemporánea es la falta de unidad. El surrealismo español, como dice Bodini, da la sensación de un gran mosaico sin orden. Las huellas de este estilo hay que buscarlas individualmente en cada poeta; en sus obras, en brevísimas declaraciones autobiográficas e incluso en sus estados de ánimo. No existen aclaraciones o declaraciones de orden general o manifiestos que implanten oficialmente el surrealismo; por eso su búsqueda y su investigación resultan en extremo difíciles. Pero de todo ello podemos sacar una afirmación clara: y es su existencia. En páginas anteriores hemos estudiado los movimientos de vanguardia que fueron como un prólogo y preparación al surrealismo, el ambiente favorable de lecturas, publicaciones y conferencias que hicieron conocer rápidamente la nueva tendencia francesa, a lo que hay que añadir las propias obras de los poetas como resultado de todo ello. Enmarcado este panorama por una literatura propicia, inclinada desde antiguo a lo irracional y fantástico. Mas este estado de incoherencia e inge-

nuidad se mantiene aún por falta de estudios que hayan ordenado y considerado este período con profundidad y rigor. Cada día está tomando más interés el problema; muestra de ello es la reciente bibliografía citada a lo largo de este trabajo que, a su vez, intenta aportar alguna luz sobre el tema, aunque no es el central de este estudio, sino sólo una introducción para el surrealismo en Cernuda en particular.

CAPITULO SEGUNDO

LA CONCEPCIÓN DEL SURREALISMO EN LA CRÍTICA DE CERNUDA

En el presente capítulo expondré la concepción del surrealismo en la obra crítica de Luis Cernuda por orden de aparición de sus estudios literarios. Tomo como base su autobriografía *Historial de un libro*[1] y las cartas que conservo a Higinio Capote[2].

Época de transición: El surrealismo y sus fuentes en la crítica de Cernuda.

Después de componer *Perfil del Aire* y de la crisis que para el autor supuso su publicación, y más que nada la opinión de la crítica[3], Cernuda escribió una serie de poemas: *Égloga, Elegía y Oda*, que fueron aún menos «nuevos» y más tradicionales si cabe que su primer libro. Indudablemente estas composiciones, además de aportar unas ideas estéticas muy propias de Cernuda, le sirvieron también de ejercicio sobre temas y formas estróficas clásicas. Pero sin embargo, se daba cuenta el autor de que una crisis profunda estaba naciendo dentro de él, y que tenía la necesidad de encontrar pronto una manera adecuada para exteriorizar su estado. Dice Cernuda sobre esto: «Unas palabras de Paul Eluard, «y sin embargo nunca he encontrado lo que escribo en lo que amo», aunque al revés, «y sin embargo nunca he encontrado lo que amo en lo que escribo», cifraban mi decepción frente a aquellas tres composiciones»[4]. Estudiaremos más

---

1. Luis CERNUDA, *Poesía y Literatura I*, obra citada, págs. 233-280.
2. Véase el *Epistolario de Luis Cernuda a Higinio Capote (1928-1932)*, que publico en los Apéndices de este trabajo..
3. José María CAPOTE, *El período sevillano de Luis Cernuda*, Madrid, 1971, págs. 131-138.
4. Luis CERNUDA, *Poesía y Literatura I*, obra citada, pág. 241.

adelante la situación personal de Cernuda, pero es fácil adivinar que la técnica propicia para verter en poesía esas vivencias es el surrealismo, y él mismo así lo afirma: «La mención de Eluard es sintomática de dicho momento mío, porque el surrealismo, con sus propósitos y técnica, había ganado mi simpatía. Leyendo aquellos libros primeros de Aragon, de Breton, de Eluard, de Crevel, percibía cómo eran míos también el malestar y osadía que en dichos libros hallaban voz». Ya tenemos una serie de autores claves del surrealismo francés y el efecto que sobre Cernuda producen; fijémonos en dos palabras fundamentales: *malestar* y *osadía*, que es lo mismo que protesta, rebelión contra las instituciones de una sociedad burguesa, y esta forma de actuar se refleja en una causa más íntima: «Otro motivo de desacuerdo aún más hondo, existía en mí; pero ahí prefiero no entrar ahora»[5].

Estancia en Toulouse. Comienzo de *Un Río, un Amor*.

El 10 de noviembre de 1928, Cernuda sale desde Madrid a Toulouse para desempeñar el puesto de lector de español conseguido por Salinas. Este viaje será fundamental para el poeta, ya que podrá tomar contacto más directo con las obras del grupo surrealista. Las lecturas fueron numerosas, así como también su labor de creación. El momento queda reflejado por los comentarios que el propio Cernuda hace de un viaje esporádico a París: «Al pasar por el boulevard Saint-Michel, las librerías, con mesas desbordando libros en mitad de la acera, me detenían largo rato». Y más adelante agrega: «De regreso a Toulouse, un día, al escribir el poema «Remordimiento en traje de noche», encontré de pronto camino y forma para expresar en poesía cierta parte de aquello que no había dicho hasta entonces. Inactivo poeticamente desde el año anterior, uno tras otro, surgieron los tres poemas primeros de la serie que luego llamaría *Un río, un amor*, dictado por un impulso similar al que animaba a los superrealistas. Ya he aludido a mi disgusto ante los manerismos de la moda literaria y acaso deba aclarar que el superrealismo no fue sólo, según creo, una moda literaria, sino algo muy dis-

---

5. Idem, págs. 241-242.

tinto: una corriente espiritual en la juventud de una época, ante la cual yo no pude, ni quise, permanecer indiferente»[6].

Quizás sea ésta la afirmación más rotunda y clara de la existencia y el influjo del surrealismo en España. Cernuda es el único poeta de la generación del 27 al que se le puede seguir una segura trayectoria dentro de su época surrealista, sin desviaciones ni enmascaramientos. No sólo este camino se ve seguro por sus lecturas, sino que también, y es lo más importante, el sentirse poeta de su tiempo, es decir, el participar en una corriente en ese momento actual y en extremo significativa a la que no podía quedar relegado. ¿Pero encontramos esta misma franqueza en los demás poetas surrealistas españoles que, aun perteneciendo temporalmente a dicho movimiento, no se consideran como tales o lo dejan entender veladamente?

De la estancia en Toulouse conservo dos cartas del mencionado *Epistolario*[7]; en ellas hay trozos que revelan tanto su estado de ánimo alucinado y excitante, como también una época de gran labor creativa. Pertenece el primer párrafo a una carta fechada el 19 de enero de 1929: «¡El cine siempre! Y cok-tail además. No me gusta el alcohol; mas si el cok-tail es fuerte o se bebe en cantidad ¡qué maravilloso mundo fantasmagórico!... Estás entre las ruedas de un auto o delante de un escaparate es igual. Todo lo que se desea sin conseguirlo, se olvida o se posee no sé, entonces». En el siguiente trozo, que pertenece a otra carta que data del 7 de mayo del mismo año, hay datos interesantes; por una parte, la ya dicha actividad poética, y el primer nombre que pensó para su libro, el que después llevaría el título de *Un río, un amor:* «Escribo, vuelvo a escribir hace unas semanas; nunca he sentido tantos deseos de escribir como ahora; que peno un libro de poesías, *Cielo sin dueño,* del cual te envío una cosa». El título originario de *Un río, un amor,* es decir, *Cielo sin dueño,* se mantuvo en la intención de Cernuda hasta muy poco antes de su publicación, como veremos más adelante.

---

6. Idem, pág. 245.
7. Véase el mencionado *Epistolario,* Cartas X y XII.

La vuelta a Madrid: Su visión de España.

En el verano de 1929, Cernuda vuelve a Madrid desde Toulouse. Los primeros poemas de *Un río, un amor* aún conservaban un orden clásico en cuanto a la métrica, y el mismo autor nos confiesa sus contrariedades para vencer este molde: «Antes había tenido cierta dificultad en usar del verso libre; con el impulso que entonces me animaba, la dificultad quedó vencida, llegando a veces, tanto en *Un río, un amor* como en la colección siguiente, *Los Placeres Prohibidos,* a utilizar versos de extensión considerable, en realidad versículos»[8]. Ya en Madrid, y con la experiencia adquirida en Toulouse, asiste a casi todos los actos de la Residencia, centro que por aquel entonces era muy importante para la difusión del nuevo *ismo:* «Ahora me tienes gran parte del día en la Residencia...», dice a Higinio Capote en la carta XIV del *Epistolario.* Continúa atraído por el surrealismo y la situación española le atormenta: «Seguí leyendo las revistas y los libros del grupo superrealista; la protesta del mismo, su rebeldía contra la sociedad y contra las bases sobre las cuales se hallaba sustentada, hallaban mi asentimiento. España me aparecía como país decrépito y en descomposición; todo en él me mortificaba e irritaba». Más adelante agrega: «Como consecuencia de tal descontento ciertas voces de rebeldía, a veces matizadas de violencia, comenzaron a surgir, aquí o allá, entre los versos que iba escribiendo. La caída de la dictadura de Primo de Rivera y el resentimiento nacional contra el rey, que había permitido su existencia, si no lo había traído él mismo, suscitaban un estado de inquietud y de trastorno»[9]. Como podemos ver, la dictadura de Primo de Rivera fue ocasión o más bien creó la situación de rebeldía y protesta propia del surrealismo. Caso similar al de Cernuda lo vemos en Alberti, al cual me referí en el capítulo dedicado al estudio del surrealismo en España. La misma atmósfera se respira en su *Poética* para *Poesía Española. Antología (1915-1931)* de Gerardo Diego. El texto dice así: «No valía la pena de ir poco a poco olvidando la realidad para que ahora fuese a recordarla y ante qué gentes. La detesto, como detesto todo lo que a ella pertenece: mis amigos, mi familia, mi país.

---

8. Luis CERNUDA, *Poesía y Literatura I,* obra citada, pág. 246.
9. Idem, págs. 247-248.

No sé nada, no quiero nada, no espero nada. Y si aún pudiera esperar algo, sólo sería morir donde no hubiese penetrado aún esta grotesca civilización que envanece a los hombres»[10]. Luis Maristany, recopilador de los ensayos y artículos de Cernuda que componen el libro *Crítica, Ensayos y Evocaciones*, dice en una nota aclaratoria a dicha *Poética* que en el número correspondiente a abril de 1934 de la revista «Octubre», el poeta publicó una composición titulada *Vientres sentados* de tono igual a sus declaraciones de la *Antología* de Diego. Dicho trabajo no fue incluido en ninguno de los volúmenes publicados por el autor. Este ambiente de rebeldía, agresividad y descontento obedece no sólo al choque contra la sociedad, sino que en su caso hiere de más hondo. Su especial inclinación amorosa le duele íntimamente y más aún cuando la sociedad repudia esta naturaleza de amor. ¿Acaso no es el surrealismo un medio adecuado para exteriorizar estas capas oscuras del alma? Hay que tener muy en cuenta el sentimiento amoroso de Cernuda porque quizás sea esta causa la que decidió más directamente su adhesión a dicho movimiento.

Mientras tanto, su libro *Un río, un amor* sigue creciendo: «Mi libro de versos casi acabado, sólo le faltan las poesías que pueda escribir aún, hasta fines de septiembre, fecha en la cual me ocuparé de su publicación». Y en otra carta dice: «La publicación de *Cielo sin dueño* está ya concertada con la C.I.A.P. (¿sabes qué es eso?): aparecerá en la colección de «nueva literatura», inmediatamente después del libro próximo de Bergamín. Llevará un prólogo de Salinas, prólogo que Pedro Sanz Rodríguez pidió como necesario»[11].

El surrealismo en la obra crítica de Cernuda.

Como he dicho al principio de este capítulo, expondré la concepción del surrealismo en Cernuda por orden cronológico. Disposición ésta que hará que se repitan ciertos aspectos, como su visión de España, opiniones sobre la obra de algunos compa-

---

10. Gerardo DIEGO, *Poesía española*-Antología-1915-1931, Madrid, 1933, pág. 423. Esta misma *Poética* ha sido recogida en Luis CERNUDA, *Críticas, ensayos y evocaciones*, Barcelona, 1970, pág. 94.

11. Véase el *Epistolario*, Cartas XII, XVII y XIX.

ñeros de generación, así el caso de Vicente Aleixandre. Sin embargo, esta ordenación nos mostrará la idea que del surrealismo tuvo nuestro poeta a través del tiempo.

a) Paul Eluard.

La labor de Cernuda no sólo se centraba en esta época en la poesía, artículos de crítica literaria comienzan a publicarse en revistas del movimiento. Así el dedicado a Paul Eluard, con motivo de unas traducciones del libro de este último *L'Amour, la poésie.* Esta introducción y los poemas del poeta francés aparecieron por primera vez en la revista malagueña «Litoral», núm. 9, junio de 1929, y recogida ahora esta introducción por Luis Maristany en *Crítica, Ensayos y Evocaciones.* El interés del trabajo radica en la traducción de los poemas de Eluard y en la difusión del surrealismo francés entre nosotros.

b) Jacques Vaché y el dandysmo.

Pocos meses después, en la «Revista de Occidente», núm. LXXVI, octubre de 1929, aparece otro artículo titulado *Jacques Vaché*[12]. Vaché formaba parte del primitivo grupo surrealista; si algo sabemos de él es por la semblanza que le dedicó André Breton en *La Confession dédaigneuse,* recogida en *Les pas perdus.* Indudablemente Cernuda leyó este ensayo de Breton, que le ayudó a componer su artículo. El espíritu rebelde y autodestructivo de Vaché atrajo la atención de Cernuda. Como sabemos, la vida del poeta francés estuvo llena de excentricidades, su humor inconoclasta le condujo finalmente al suicidio. ¿Qué representa para nuestro poeta la figura de su colega francés? En primer lugar, una exaltación del surrealismo: «El suprarrealismo, único movimiento literario de la época actual, por ser el único que sin detenerse en lo externo penetró hasta el espíritu con una inteligencia y sensibilidad propias y diferentes, fue, en parte, desencadenado por Jacques Vaché, sin olvidar antecedentes indispensables a Lautreamont, y olvidando, recordando vagamente a Rimbaud». En segundo lugar, una gran atrac-

---

12. Recogido también en, Luis CERNUDA, *Crítica, ensayos y evocaciones,* obra citada, págs. 45-47.

ción por la personalidad de los tres poetas antes citados: «...Una fuerza diabólica, corrosiva, tan admirable en su trágica violencia, les animaba. Caídos, sí, mas no de cielo extranjero alguno, sino de su misma divina juventud». Y más adelante añade: «Temperamentos de tal calidad quizá no puedan darse en Francia. Sí, esa Francia republicana, tan amante de la jerarquía, de la gradación oficial, de la clasificación burocrática, es también la Francia de la rebelión, del «no» lanzado desesperadamente en pleno furor de orgullo destructor».

Por último, Cernuda se vería atraído por el dandysmo de algunos poetas surrealistas franceses, como el mismo Vaché y Rigaut. Guillermo de Torre dice refiriéndose a este aspecto: «Es notable —escribió un amigo del último (se refiere a Rigaut), Victor Crastre— que desde Baudelaire, o más bien, desde Saint-Just, los mejores espíritus, los no conformistas, los más estrictos, hayan usado del dandysmo como de una máscara. Vaché y Rigaut desdeñaban pasar por escritores —y realmente no lo son, son tipos de *esprit;* el dandysmo les proporciona una coartada. Una coartada es también un instrumento de provocación; el individuo vulgar detesta al dandy; le odia mortalmente por *no ser como todo el mundo.* El dandysmo, forma de subversión» [13].

Esta actitud del dandy que provoca y se esconde tras su fría elegancia es también la de Cernuda. He aquí la imagen que nos ofrece Salinas cuando lo conoció en la Universidad de Sevilla: «Porque allí le conocí... algo más. Difícil de conocer. Delicado, pudorosísimo, guardándose su intimidad para él solo, y para las abejas de su poesía que van y vienen trajinando allí dentro —sin querer más jardín— haciendo su miel. La afición suya, el aliño de su persona, el traje de buen corte, el pelo bien planchado, esos nudos de corbata perfectos, no es más que el deseo de ocultarse, muralla del tímido, burladero del toro malo de la atención pública» [14]. Su afición al dandysmo fue una constante en su vida. Frases como éstas pueden leerse en la carta IV del *Epistolario* citado: «Yo me siento platónicamente mundano. El exterior procuro que no desentone con esta inclinación espiritual: trinchera, sombrero, guantes, traje —la mayoría de procedencia inglesa—. Sobre todo unas exquisitas camisas que me han costado ¡ay!

13. Guillermo DE TORRE, *El suicidio y el superrrealismo,* en «Revista de Occidente», núm. CXLV, 1935, pág. 117.

14. Pedro SALINAS, *Ensayos de literatura hispánica,* Madrid, 1958, pág. 373.

una suma verdaderamente fabulosa... Pero ¡qué delicia! Cines —Callao, Palacio de la Música, a veces, cines distantes como Goya o Royalty—. Salones de té, bares —Bakanik o Sakuska— me ven a menudo». Cernuda presenta un aspecto muy similar. Veamos la descripción que Guillermo de Torre hace de Vaché: «Se trataba de un muchacho excéntrico que estallaba de continuo en salidas desconcertantes. Una vez dado de alta en el hospital, Vaché se contrató como descargador de carbón en los muelles del Loira. Pero llegada la noche, volvía a ser un joven elegante, de aire británico, recorriendo cines y dancings de la ciudad. El secreto de su espíritu residía en un cierto sentido del humor llevado a sus últimas consecuencias» [15]. Es indudable el parecido de ambos poetas, sobre todo en el humor amargo y elegante frialdad. A Cernuda le atrajo Vaché porque vio en él un reflejo de su personalidad.

Lecturas. El surrealismo entra en crisis.

Por la carta XXI del *Epistolario* sabemos las lecturas de Cernuda en aquella época: «Los libros que quisiera son *Les pas perdus,* de André Breton. *Les Aventures de Télémaque, Le Libertinage* y *Le Paysan de Paris,* de Louis Aragon». Como puede verse todos son libros de poetas surrealistas franceses, y su influjo ayudó a Cernuda a escribir no sólo *Un río, un amor,* que no fue publicado hasta incluirlo en la primera edición de *La Realidad y el Deseo* [16], sino también *Los Placeres Prohibidos,* colección de poemas escritos inmediatamente después de la anterior bajo la misma influencia. Terminado este libro hay un período de descanso en el que tiene lugar otra experiencia amorosa que motivó la colección de poemas titulada *Donde habite el Olvido.* El mismo Cernuda dice acerca de este momento: «El período de descanso entre *Los Placeres Prohibidos* y *Donde habite el Olvido,* aunque apenas marcado por un lapso de tiempo, aparte de la experiencia amorosa que dio ocasión a muchas composiciones de la segunda colección citada, representó también el abandono de mi adhesión al surrealismo. Este había deparado ya su beneficio, sacando a luz pública lo que yacía en mi sub-

---

15. Guillermo DE TORRE, *El suicidio y el superrealismo,* obra citada, pág. 117.
16. Luis CERNUDA, *La realidad y el deseo,* Madrid, 1936.

conciencia, lo que hasta su advenimiento permaneció dentro de mí en ceguedad y silencio. Ya no tenía necesidad del superrealismo y comenzaba a ver, por otra parte, la trivialidad, el artificio en que degeneraba al convertirse en fórmula poética». El abandono del surrealismo por Cernuda no fue en absoluto por desengaño; el poeta lo utilizó en su momento justo, es decir, cuando lo que sentía no podía exteriorizarse de otro modo más que con la técnica surrealista, y porque siendo consciente de su tiempo y de su arte, no pudo quedar indiferente. Y continúa el autor: «La lectura de Bécquer o, mejor, la relectura del mismo (el título de la colección es un verso de la rima LXVI) me orientó hacia una nueva visión y expresión poéticas, aunque todavía apareciesen en ellas, aquí o allá, algunos relámpagos o vislumbres de la manera superrealista»[17]. En la carta XXV del Epistolario dice: «No te extrañe esa indicación de los libros de José María Hinojosa; se trata de un amigo con el cual estoy unido en lo posible. Hasta hace unos días hemos tramado una revista surrealista con títulos de este tono: «Poesía y Destrucción», «El Agua en la Boca», «El Libertinaje». Pero estoy aburrido por una parte del mismo artificio literario...» Cernuda ha expresado todo lo que tenía que decir a la manera surrealista. El descubrimiento de Hölderlin hace cambiar su rumbo poético, pero éste es un tema del que no me ocuparé en el presente estudio.

Opiniones sobre Vicente Aleixandre.

Hasta 1950 no encontramos en Cernuda más juicios críticos sobre el surrealismo o compañeros de generación que al menos, temporalmente, pertenecieron a ese movimiento. En la fecha antes indicada, Cernuda publicó un ensayo titulado: *Vicente Aleixandre,* poeta al que le unía una gran amistad. Dice refiriéndose al período surrealista de ambos: «Supusimos que podíamos hallar ésta a través del superrealismo, entonces en su boga inicial; y en este punto no sé si mencionar, además, aunque sólo con respecto a Aleixandre, el nombre de Freud, cuyas obras recuerdo que estaban en su biblioteca»[18]. De esta forma, Cernuda en-

17. Luis CERNUDA, *Poesía y Literatura I,* obra citada, págs. 250-251.
18. Luis CERNUDA, *Crítica, ensayos y evocaciones,* «Vicente Aleixandre» (1950), pág. 217. Este artículo se publicó en la revista «Orígenes» de La Habana, núm. 26, VII, 1950.

marca a Aleixandre dentro del nuevo *ismo*, e inmediatamente después añade lo que supuso para ambos esta experiencia literaria: «Pero el superrealismo acaso no representó para nosotros más de lo que el trampolín representa para el atleta; y lo importante, ya se sabe, es el atleta, no el trampolín»[19]. Estas palabras de Cernuda refuerzan lo que antes expresé en cuanto a lo que significan para un poeta las corrientes literarias. En otro artículo, dedicado también al poeta amigo[20], habla del ambiente social del país, que fue una de las causas que determinaron la adhesión al surrealismo, precisamente por su rebeldía y protesta: «Todas esas palabras sugieren tácitamente que el poeta es un descontento, un inadaptado, aunque ese descontento no parezca consecuencia de injusticia humana o social, sufrida por él o vista por él sufrir a otros; en general aparece como consecuencia de un sentimiento inefable que caracterizaba la actitud romántica (tómese el término «romántico» en su sentido histórico-literario), y que un poeta romántico, precisamente, expresó con aquellas palabras: «El poeta es un dios caído que se acuerda de los cielos». En este punto de considerar al surrealismo como un romanticismo coincide con Salinas. Dice éste: «En cierto modo, el superrealismo, o las escuelas afines que desde hace veinte años bullen en las letras, podrían tomarse como una consecuencia extrema, desmesurada, de lo romántico»[21]. Este fondo romántico, rebelde del surrealismo sirvió como instrumento de protesta a no pocos intelectuales españoles: «No discutamos si la actitud es o no original, si está o no en consecuencia con los tiempos que vivimos, ya que lo importante ahí es la inadaptación al mundo que indirectamente nos revelan, el desacuerdo (sea cual sea la causa) con la sociedad, que mencionamos como sufrido por algunos poetas de la generación de 1925 y que llevó a los mismos a simpatizar con el movimiento superrealista»[22].

Una vez analizado el ambiente literario de su época y lo que buscaban en el surrealismo, Cernuda estudia las caracte-

19. Idem, pág. 217.
20. Luis CERNUDA, Idem, pág. 226, «Vicente Aleixandre». Este artículo, con el mismo título que el anterior, lo completa. Apareció publicado en «México en la cultura» (editado por el diario «Novedades»), el 30 de octubre de 1955.
21. Pedro SALINAS, *Literatura española siglo XX*, obra citada, pág. 210.
22. Luis CERNUDA, *Crítica, ensayos y evocaciones*, obra citada, pág. 226.

rísticas de la poesía de Aleixandre: «Aleixandre halla su rumbo al encontrarse hacia 1929 con el superrealismo, aunque me parezca que también debe algo a la lectura de los poemas de Larrea que Diego publicó en «Carmen»; sé que era lector de las publicaciones del grupo superrealista francés». El mismo Cernuda, como ya veremos, da una gran importancia a Larrea, considerándolo como uno de los introductores más importantes del surrealismo en España. Veamos ahora cómo clasifica la obra de Aleixandre, juzgando al período surrealista como tal, sin adulterarlo con otros ingredientes :«...el libro inicial *Ambito* está en cierto modo desligado de los siguientes, y en éstos podemos trazar también una línea que separa a *Espadas como Labios, Pasión de la Tierra* y *La Destrucción o el Amor*, de *Sombra del Paraíso* y las colecciones ulteriores. *Ambito* correspondería en lo posible a la etapa clasicista y gongorina de la generación de 1925; los tres volúmenes siguientes a la superrealista; los últimos, a una evolución interna del poeta sin apenas sugerencias exteriores, excepto probablemente la de la lectura de Hölderlin»[23]. Es muy posible que el poeta alemán fuera descubierto por Cernuda y Aleixandre en la misma fecha, y que coincide con el cansancio de la moda surrealista en ambos. Aleixandre leería a Hölderlin en una traducción que de éste hizo Cernuda y publicó en la revista «Cruz y Raya», 1935. Continuando la crítica de la obra de Aleixandre dice: «...Aleixandre, que tal vez hallaba estrecha e insignificante la expresión poética de su libro primero, el superrealismo fue el medio de hallarse a sí mismo, a su ser más recóndito e insospechado. Demasiadas cosas pesaban sobre la vida y la conciencia del poeta: el medio social, la familia, su propio instinto de las conveniencias, bastante fuerte en él; de ahí que el superrealismo le atrajese de una parte, como técnica para expresar todo aquello que yacía en la subconsciencia, y de otra parte, porque su misteriosa manera de decir le permitía al mismo tiempo eludir la comprensión ajena de las verdades íntimas». Como se puede ver la unión al surrealismo de la mayoría de nuestros poetas es por causa de una crisis de tipo social, y la más importante: la amorosa. Véase si no los motivos de Alberti, Cernuda e incluso en el propio Aleixandre. Como ya sabemos, el amor es sentimiento de importancia primordial para los surrealistas

23. Idem, pág. 229.

y comentando el papel de éste en la poesía de Aleixandre, dice: «La lectura de Freud y la de Proust, de cuyos volúmenes podemos entresacar una teoría del amor, fueron, según creo, importantes para la formación teórica del sentimiento amoroso en Aleixande, aparte, claro es, de sus experiencias personales en dicho aspecto. También para los superrealistas era el amor sentimiento avasallador y exclusivo, como lo muestra la encuesta que sobre el amor realizó «La Revolución Surrealista» entre los adherentes al grupo, cuyas respuestas publicó en uno de sus números. Todo eso no fue sino ocasión y acicate para que Aleixandre se decidiera a expresar su propio sentimiento del amor en su libro siguiente: *La Destrucción o el Amor* (1935), título que recuerda el de *La Liberté ou l'Amour*, de Robert Desnos, quien fue uno de los superrealistas primeros»[24].

Estudios sobre poesía española contemporánea (1957). José Moreno Villa.

En 1957 Cernuda publicó un libro de crítica literaria titulado *Estudios sobre poesía española contemporánea*. Los ensayos abarcan desde el romanticismo hasta la generación de postguerra. Al hablar de los poetas del 27 vuelve el autor a dar opiniones sobre el surrealismo y lo que significó éste en nuestro país. Refiriéndose a Moreno Villa, al que considera poeta de transición, dice: «En algunos pasajes de *Jacinta la Pelirroja* hay ya versos cuya aparente falta de lógica anuncia el contacto con el superrealismo, que en las *Carambas* (tres series, publicadas todas ellas en 1931), *Puentes que no acaban* (1933) y *Salón sin muros* (1936), sus libros siguientes, ha de aparecer, continuar y desvanecerse». Casi nunca faltan en los comentarios de Cernuda una referencia al momento de turbación y desconcierto por el que pasó España en aquella época: «Las *Carambas*, escritas por los años en que la historia y la sociedad españolas iban dando tumbos de esperpento, como si se hubiese vuelto real lo que era fantasía en *El Ruedo Ibérico* de Valle-Inclán, son poemillas de actualidad, a veces cínicos, a veces sombríos, donde

---

24. Idem, págs. 230-231.

la visión superrealista se codea en ocasiones con la España negra del 98»[25].

Ramón Gómez de la Serna.

Como ya sabemos, Gómez de la Serna tiene un puesto preeminente como precursor de los movimientos literarios que, a partir de la guerra del 14, se desarrollaron en Europa, sin embargo, la obra de dicho autor queda fuera de los cánones de los *ismos* mencionados: «Conviene aclarar un punto: aunque en la obra de Gómez de la Serna hallemos un propósito equivalente al de dichos movimientos literarios europeos, desde los inmediatamente anteriores a la guerra del 14 hasta los posteriores a ésta, quedan, sin embargo, fuera de su alcance el dadaísmo y el superrealismo; es decir, los aspectos rebelde y mágico que animan respectivamente a dichos dos movimientos, los más cercanos a nosotros en el tiempo y los más importantes»[26]. Pero en una de las definiciones que Gómez de la Serna da de la *Greguería*, Cernuda ve una cierta aproximación al surrealismo y dice: «Por último las define así: «Lo que gritan confusamente los seres desde su inconsciencia» (ahí pudiera hallarse, sin embargo, algún asomo de afinidad con el superrealismo), lo que gritan las cosas»[27].

Así pues, queda Ramón Gómez de la Serna en medio de «lo moderno» propio de la generación anterior y «lo nuevo» específico de la del 27, influyendo más sobre esta última, ya que en el gran crisol de su obra hay muchos elementos que anuncian las literaturas de vanguardia de las cuales se nutre nuestra lírica actual.

La generación del 27 y el surrealismo.

Al estudiar Cernuda su generación, a la que él llama del 25, considera como revistas más importantes «Carmen» y «Litoral»,

25. Luis Cernuda, *Estudio sobre poesía española contemporánea*, obra citada, págs. 160-161.
26. Idem, pág. 169.
27. Idem, pág. 173.

esta última con dos etapas, la segunda, dirigida por José María Hinojosa, de clara inclinación surrealista, y agrega: «José María Hinojosa, su editor entonces (como dijimos), fue según creo, el primer superrealista español» [28]. Esta opinión también la comparte Bodini: «...andò a Parigi nel 1926 e si mise in contatto con gli ambienti surrealisti. Fece ritorno in patria con una cifra de un automatismo querulo e raggelato che non trovò estimatori. Il ruolo di Colombo del surrealismo poetico spagnolo che gli assegnò Durán Gili non gli spetta, poiché con piú responsabilità e piú destino lo aveva preceduto Larrea di due anni» [29].

Continúa Cernuda estudiando las etapas por las que pasó su propia generación, afirmando que la característica primera es el uso de la metáfora, y dice refiriéndose a este punto: «Pero dos de esos movimientos poéticos, el creacionismo y el superrealismo, aunque conserven a la metáfora el papel capital que tenía en otros movimientos anteriores, la utilizan, sin embargo, no tanto en función de la poesía como al servicio de la poesía, adquiriendo en ellos la metáfora cierto alcance misterioso, sobre todo con el superrealismo» [30]. Y continúa diciendo: «Pasada la etapa gongorina, tercera en su crisis de desarrollo, entra dicha generación, o al menos parte de ella, en su cuarta y última etapa; etapa determinada por una influencia nueva, también de origen francés: la superrealista». Por las frases que ahora citaré de Cernuda se desprende la gran importancia que para él tuvo el surealismo en España, papel que nunca sus compañeros le quisieron dar: «Sería error grave estimarle como otro movimiento literario más entre los que anteriormente habían aparecido, porque de todos ellos el superrealismo fue el único que tuvo razón histórica de existir y contenido intelectual» [31].

Ahora Cernuda comenta el origen y difusión del surrealismo, así como también las circunstancias históricas: «Aunque francés de origen, el superrealismo llega a convertirse en movimiento internacional, y eso, más que a influencia literaria, se debió quizá a que respondía a una rebeldía de la juventud, a un estado de ánimo general entre la mocedad por aquellos años».

---

28. Idem, pág. 184.

29. Vittorio BODINI, *I poeti surrealisti spagnoli,* obra citada, pág. 97. La obra de Durán GILI a la que se refiere el autor es: *El superrealismo en la poesía española contemporánea*, citada ya en este trabajo.

30. Luis CERNUDA, *Estudios sobre poesía española contemporánea,* obra citada, pág. 185.

31. Idem, pág. 189.

Y más adelante agrega: «España, como país neutral durante la
primera guerra mundial, no sólo no tuvo que sufrir con ella,
sino que económicamente se benefició de ella; así que en apariencia las circunstancias históricas pudieron ser allí menos favorables al descontento y disconformidad de la juventud que
despierta y encuentra que ha de vivir en medio de una sociedad
en ruina bajo un injusto régimen político y económico. Pero
España es desde hace siglo y medio un país en descomposición,
en el que los jóvenes deben experimentar, aún más agudamente
quizá que los mayores, el desagrado del ambiente y el empuje
hacia la rebeldía» [32].

Continúa luego el autor comentando un peculiar aspecto de
nuestro período surrealista: «Lo curioso es que el superrealismo
sólo hallará en España expresión en el verso, pero no en la prosa». Y añade seguidamente: «Y además, que no todos los poetas
del grupo cuyos comienzos estudiamos experimentaron dicha influencia superrealista. En realidad, entre los que la experimentan, y los que no la experimentan, ese hecho abre una separación; así quedan de un lado poetas como Salinas y Guillén..., y
de otro Lorca, Prados, Aleixandre, Alberti y Altolaguirre» [33]. Esta
separación es evidente. Sabemos que ni Salinas ni Guillén acep-
taron en ningún momento al surrealismo, pero considero injusto por parte de Cernuda calificarlos de burgueses: «...(El mundo está bien / Hecho», escribe Guillén; e instintivamente, al leer
tales palabras, nos brota el grito contrario: «NO. El mundo no
está bien hecho; pero pudiera estarlo mejor, si no lo impidiera
siempre, precisamente, ese conformismo burgués»)» [34]. ¿Pueden
tacharse a Salinas y a Guillén como burgueses? Creo que Guillén
al escribir los versos citados, tuvo una intención muy distinta
de la que creyó Cernuda. Por otra parte, el hecho de que no
pertenecieran los dos poetas mencionados al surrealismo, no
quiere decir que volvieron la espalda a las inquietudes de su
época. Hay muchas formas de exteriorizar la rebeldía, y desde
luego, el movimiento de Breton no es el único modo.

Opina también Cernuda que no todos sus compañeros de
generación conocían la poesía surrealista: «De los cinco poetas
mencionados sólo Prados y Aleixandre conocían las publicacio-

32. Idem, pág. 192.
33. Idem, págs. 192-193.
34. Idem, pág. 193.

nes de los superrealistas franceses, mientras que los otros sospecho que no las leyeron nunca. Es verdad que Lorca, con su intuición excepcional, no tendría dificultad para sentir algo que estaba en el ambiente, y puesto en contacto hacia 1929 con una ciudad como Nueva York y el tipo monstruoso que representa, el grito de rebeldía le salió afuera de modo espontáneo» [35]. Cuando un movimiento literario se impone, y el momento es propicio, indiscutiblemente se crea una atmósfera favorable, es decir, eso que flota en el ambiente que es a lo que se refiere Cernuda. Pero este ambiente es el efecto de una causa. En el capítulo anterior he querido demostrar cómo el surrealismo penetró en España no por intuición, sino por lecturas, conferencias, etc., es decir, las vías normales por las que se impone un estilo literario. Y agrega Cernuda: «Si es cierto como supuse que ni Lorca ni Alberti leyeron obras surrealistas (me parece que en general los dos tuvieron lecturas escasas), ¿cómo adquirieron parte del acento y técnica superrealista?» [36]. El autor da gran importancia al papel que Larrea tuvo en el conocimiento del surrealismo para los poetas españoles. Como es sabido, Larrea desde pronto marchó a Francia poniéndose en contacto con el grupo. Gerardo Diego tradujo varios poemas de éste, publicándolos en su revista «Carmen». Así cree Cernuda que la mayoría de los poetas de su generación conocieron el nuevo *ismo*. Refiriéndose a este punto dice: «¿Me equivoco al atribuirle esa importancia? Es posible que a los poetas hoy jóvenes no les interesen los poemas de Larrea; pero su relectura me confirma las dotes considerables de poeta que en él había. Al menos no creo equivocarme al pensar que a él le debieron Lorca y Alberti (y hasta Aleixandre) no sólo la noticia de una técnica literaria nueva para ellos, sino también un rumbo poético que sin la lectura de Larrea dudo que hubiesen hallado» [37]. La importancia de Larrea es indudable, así también lo confirma Bodini [38]. Pero creo que Cernuda exageró considerándolo como casi el único introductor. Insisto en decir que hubo una serie de publicaciones simultáneas en Francia y España: conferencias, obras pictóricas y films que configuraron nuestro surrealismo. Vuelvo

35. Idem, pág. 193.
36. Idem, pág. 194.
37. Idem, pág. 194.
38. Vittorio Bodini, *I poeti surrealisti spagnoli*, obra citada, págs. 10-1.

Cernuda a mencionar los momentos de violencia y turbación por los que pasó el país: «En cuanto a la rebeldía, que caracterizaba el superrealismo y falta en el creacionismo, tanto Lorca como Alberti (aunque en el libro de éste apenas exista) pudieron hallarla en el ambiente de la época»[39]. No es materia de este estudio el comprobar si en *Sobre los ángeles* de Alberti existe o no esa rebeldía tan característica de los surrealistas, pero creo, en contra de la opinión de Cernuda, que sí. Cito este párrafo para demostrar que los intelectuales españoles no quedaron indiferentes a la situación política y social por la que atravesó el país en esa época, como opina también Bodini[40].

Al hablar de nuevo Cernuda de la poesía de Aleixandre hace una curiosa comparación entre el surrealismo francés y el español: «El superrealismo francés obtiene con Aleixandre en España lo que no obtuvo en su tierra de origen: un gran poeta. Tres por lo menos de los libros de Aleixandre: *Espadas como Labios, Pasión de la Tierra* y *La Destrucción o el Amor,* son enteramente fieles al superrealismo»[41]. Con estas frases Cernuda afirma la superioridad de nuestro surrealismo sobre el francés, de lo que se desprende también, y es gratuito decirlo, un reconocimiento indudable de la existencia del mencionado estilo en España. No está en mi intención el averiguar si el surrealismo francés tuvo o no un gran y verdadero representante poético, sólo me limito aquí a recoger lo más objetivamente posible las consideraciones de Cernuda como crítico literario.

Conclusiones.

Este capítulo es en cierto modo una continuación del anterior, o mejor, un complemento. Se trata de comprobar si verdaderamente existió un surrealismo español, así como también ver la idea que de tal movimiento tenía Cernuda, poeta del que nos ocupamos. Por el material recogido no sólo en las cartas, sino también en sus libros de crítica se desprende una afirma-

---

39. Luis CERNUDA, *Estudios sobre poesía española contemporánea,* obra citada, págs. 194-195.
40. Vittorio BODINI, *I poeti surrealisti spagnoli,* obra citada, pág. 42.
41. Luis CERNUDA, *Estudios sobre poesía española contemporánea,* obra citada, pág. 195.

ción. El modo de penetración entre nosotros según él fue el gran influjo que los poemas de Larrea, publicados en la revista «Carmen», tuvieron para algunos de los poetas de la generación del 27. Pero, como he dicho antes, creo que la publicación de los poemas de Larrea no fue el único modo de penetración del surrealismo, siendo éste, sin duda, uno de los más importantes.

No sólo afirma Cernuda la existencia del surrealismo entre nosotros, sino que estima que fue el único movimiento que tuvo razón de ser y con verdadero contenido intelectual. Hasta él ningún crítico en España había expresado con tanta claridad la existencia de un período surrealista en nuestra literatura.

Ni que decir tiene que para Cernuda el surrealismo fue un modo de expresión temporal; él mismo lo confirma en los libros de crítica ya citados y en una carta a Bodini, del 16 de septiembre de 1959, vuelve a decirlo: «Me complace enviarle la autorización que me pide para incluir algunos poemas míos en esa antología que prepara. Puesto que conoce mis versos, no necesito recordarle que mi simpatía con el superrealismo sólo afecta a los poemas escritos entre 1929 y 1931»[42].

Pero lo importante es preguntarse no por lo que significó el surrealismo para Cernuda como crítico literario, sino lo que fue para él como hombre y poeta. Sabido es que la guerra del 14 le proporcionó ese matiz de rebelión y agresividad propio del surrealismo. Cernuda cree que al ser nuestro país neutral, la dictadura de Primo de Rivera ocasionó la turbación y el pesimismo de gran parte de los intelectuales españoles. Esta situación de descontento pudo ser una causa, pero externa, de la adhesión de Cernuda al surrealismo. Sin embargo, otros motivos más internos e íntimos había dentro de él que lo impulsaban a sentir y a expresarse de una manera que sólo era posible a través de la técnica y el espíritu surrealistas. Su modo peculiar de sentir el amor, y el rechazo que la sociedad da a esta clase de inclinaciones fue el motivo más profundo y turbulento por el cual Cernuda simpatizó con dicho estilo, y aún más si consideramos su edad inmadura en la que todavía no le era posible reconciliarse o aceptar sus impulsos.

---

42. Vittorio Bodini, *I poeti surrealisti spagnoli*, obra citada, pág. 105.

Cernuda como crítico literario ha sido el único que afirma la existencia de un período surrealista en nuestra lírica contemporánea, afirmación clara sin las complicaciones y titubeos de otros críticos. Considerando siempre al poeta por encima de las corrientes o modas literarias.

CAPÍTULO TERCERO

ESTUDIO CRÍTICO DE *UN RÍO, UN AMOR*

«REMORDIMIENTO EN TRAJE DE NOCHE»[1]

A) Significación del poema.

El hombre gris o el autor toma tres configuraciones en el poema: cuerpo vacío, el pasado y el remordimiento. El hombre gris vaga en la noche como una sombra sin que el mundo acuse su paso.

B) Métrica[2].

El poema está compuesto de tres divisiones de cuatro líneas, que son versos alejandrinos. La cesura es normal, y las líneas acusan grupos de 7 + 7 sílabas. Dos encabalgamientos colocados acertadamente en la segunda y última división dan continuidad musical al poema (líneas 5-6 y 9-10).

C) Notas estilísticas.

La primera línea del poema nos introduce casi de golpe en el asunto:

1 Un hombre gris avanza por la calle de niebla.

Un hombre gris, casi una pincelada imperceptible, camina por un mundo de sombras. El marco exterior responde a la situación anímica del autor. El verbo *avanzar* en lugar de *andar*

---

1. Los textos utilizados en este estudio proceden de la edición: Luis CERNUDA, *La realidad y el deseo* (1924-1962), 4.ª edición aumentada, México, Tezontle (Fondo de Cultura Económica), 1964. Posteriormente ha salido la edición a cargo de D. HARRIS y L. MARISTANY: *Poesía Completa*, Barcelona, Barral Editores, 1974.

2. Para el estudio del aspecto métrico de los tres libros, sigo la terminología de Francisco LÓPEZ ESTRADA, *Métrica española del siglo XX*, obra citada.

es el adecuado para dar esta sensación de inmaterialidad. La segunda línea intensifica aún más esta idea: «No lo sospecha nadie». Es decir, es invisible a los demás, o mejor, indiferente. Y continúan las líneas de la primera división insistiendo sobre lo mismo en tono ascendente:

> 2 No lo sospecha nadie. Es un cuerpo vacío;
> 3 Vacío como pampa, como mar, como viento,
> 4 Desiertos tan amargos bajo un cielo implacable.

La angustia convierte al poeta en una sombra sin sentido. Se compara con elementos de la naturaleza: pampa, mar, viento. En esta comparación hay un rasgo de clara tradición romántica. La función de que el cuerpo está vacío con la repetición retórica del mismo término *vacío* al final de la línea 2 y comienzo de la 3; el término se enfatiza mediante una comparación reiterativa con la repetición del *como* en un juego de distribución de acento:

> 3 Vacío como pampa, como mar, como viento,
> o ó o o o ó o o o ó o o ó o

Dando lugar con esto a un heptasílabo trocaico, seguido de un dactílico en los que los *como* realzan los términos pampa-mar-viento.

La segunda división prosigue el sentido de la primera, identificando el «cuerpo vacío»; la rotundidad de un *es*, repetido en posición anafórica, verifica esta identificación, que se extiende en forma armónica:

> *es... el tiempo pasado—*
> *es... el remordimiento—*

Esta división segunda es fundamental para la inteligencia del poema. Interviene aquí un nuevo factor: el recuerdo del tiempo pasado, en el cual hemos de suponer que en él sí existía el amor, y sus alas encuentran en la situación del poeta un cuerpo estéril. Y este hombre gris de la primera línea o sombra en remordimiento de las 7 y 8 camina en la noche sin rumbo fijo.

El autor emplea en la última división la segunda persona que representa la presencia de un vosotros a los futuros lectores que le acompañan en la creación. Hasta entonces se había expresado en forma de relato impersonal. Así las líneas 9-12:

> 9 No estrechéis esa mano. La yedra altivamente

10 Ascenderá cubriendo los troncos del invierno.
11 Invisible en la calma el hombre gris camina.
12 ¿No sentís a los muertos? Mas la tierra está sorda.

La línea 11 es una reiteración sinónima del primero, con los elementos en otro orden:

1 Un hombre gris avanza por la calle de niebla
S V Compl

11 Invisible en la calma el hombre gris camina
Compl S V

Los elementos se complementan en una identificación relativa, que vuelve a situar la representación fundamental en un primer término; el objeto es que la imagen del principio no se confunda o pierda intensidad.

La mano que aparece en la línea 9 es característica de la estética surrealista. Acordémonos de aquella mano cortada que aparece en *El ángel exterminador* de Luis Buñuel. La mano que no se debe estrechar representa un oscuro temor, que cierra el poema más aún hacia la desolación.

La última línea del poema es una pregunta y una afirmación. Los muertos son los que carecen de vida totalmente o de amor. Obsérvese que vuelve la segunda persona dirigiéndose al *vosotros,* y que en ello hay una experiencia en participación. Poco antes hubo una nota contraria a esta muerte: la yedra que sigue viviendo en invierno y que es como una «altiva» esperanza. Pero el poema acaba en forma negativa: la tierra está sorda. La expresión de esta desolación se realiza mediante el uso de adjetivos adecuados: hombre *gris,* cuerpo *vacío,* desiertos *amargos,* cielo *implacable, pálida* fuerza, *invisible,* tierra *sorda.*

El poema guarda un perfecto equilibrio, y este se consigue al mantener la imagen fundamental, es decir, la del hombre errante al principio y al final del poema (líneas 1-11), y por las distintas modulaciones que toma esta imagen central (líneas 2-5-7). Las imágenes son comprensibles ya que guardan casi siempre cierta coherencia.

Finalmente el título del poema es sugestivo: «Remordimiento en traje de noche». El sintagma común no poético —*Traje de noche*— por su condición de pertenecer a un mundo burgués, obtiene una valoración poética en virtud del curso sintagmático. También pudiera ser que el título estuviera inspirado en

la letra de alguna canción o título de algún film, como sucede en otros poemas del libro. Tal es el caso de «Quisiera estar solo en el sur», «Sombras blancas» y «Nevada».

«QUISIERA ESTAR SOLO EN EL SUR»

A) Significación del poema.

El poema expresa la honda nostalgia que el autor siente por el sur. El sur es el paraíso perdido donde el poeta se encontraba plenamente identificado con el mundo y lo que le rodea.

B) Métrica.

Como el poema anterior, está compuesto de tres divisiones de cuatro líneas que son versos alejandrinos. La cesura es normal y las líneas son de grupos de 7 + 7 sílabas.

C) Notas estilísticas.

Podemos dividir el poema en dos partes: 1) La nostalgia por el presentimiento de perder para siempre el sur paradisíaco, el deseo de estar en ese edén; 2) La descripción de los elementos que hacen del sur una región casi mítica. La primera parte está contenida en las líneas 1 y 9, es decir, en las dos primeras líneas de la primera y última división. Esta disposición proporciona un perfecto equilibrio al poema:

1 Quizá mis lentos ojos no verán más el sur
... ...
9 En el sur tan distante quiero estar confundido.

El resto está dedicado a la descripción antes indicada.

La línea 1 deja ver, al mismo tiempo que una incertidumbre expresado por el *Quizá,* una profunda melancolía por el presentimiento de esta pérdida. La línea 9 manifiesta el deseo de estar íntimamente unido, *confundido,* con ese edén meridional.

Analizados estos elementos conviene saber qué significa para Cernuda el sur, o mejor aún, cómo es esa región que nos describe. La indolencia es el distintivo de este lugar paradisíaco:

2 De ligeros paisajes dormidos en el aire,
3 Con cuerpos a la sombra de ramas como flores

Pero en la última línea de la primera división la indolencia parece reforzarse con una nota de vigor:

4 O huyendo en un galope de caballos furiosos.

Esta indolencia del sur se debe al equilibrio entre el dolor y la alegría. El sur llora y canta a la vez. La amargura se disuelve imperceptiblemente en el mar, y el eco débil de su llanto y canción perdura como una supervivencia en la nada, sin extinguirse, más allá de la muerte. (Así en las líneas 5-8).

Salvo esta melancolía sensual, en el sur no hay elementos negativos que se opongan a este sereno equilibrio. La noche y el día son igualmente bellos. La niebla y la lluvia, que en otras regiones pueden dar tonalidades oscuras, en el sur se convierten en sonrisa por el viento y rosa entreabierta.

Pasemos ahora a la disposición de los mismos. En la primera división encontramos el presentimiento de pérdida del paraíso (línea 1). El resto lo dedica a describirlo (líneas 2-4). Pero esta descripción se fundamenta en lo material: paisajes y elemento humano. En la segunda división, el autor continúa describiéndonos el sur, pero desde un punto de vista espiritual. En la última, sigue la descripción del sur con elementos materiales, menos el primer verso que expresa el deseo de pertenecer al paraíso indicado.

Ahora bien, ¿dónde está situada esta región ideal? Cernuda se ha ocupado de aclararnos este punto; en *Historial de un libro* dice así: «Dado mi gusto por los aires de jazz, recorría catálogos de discos y, a veces, un título me sugería posibilidades poéticas, como éste de *I want to be alone in the South,* del cual salió el poemita segundo de la colección susodicha (se refiere a *Un río, un amor,)* y que algunos erróneamente, interpretaron como expresión nostálgica de Andalucía»[3].

En una carta desde Madrid, fechada el 3 de agosto de 1929, dice a Higinio Capote: «Advertencia importante. Las poesías que di en «Litoral» son muy diferentes de las cosas mías recientes. Respecto al título de la primera, es el título de un fox-trot. Nada tiene que ver pues ese sur con Andalucía; es el sur americano, es decir, de E. U. A.» Como puede observarse, Cernuda insiste en que no se confunda el sur del poema con su tierra nativa, sino que se identifique con el sur americano. Ya en 1929

3. Luis Cernuda, *Poesía y Literatura I,* obra citada, pág. 245.

hacía esta advertencia, pero en 1936, al publicar su estudio *Divagación sobre la Andalucía romántica,* parece contradecirse: «Y cuando en la juventud se avanza hacia la vida con un ejemplo como ese ante nuestra voluntad, son varias las veces que quedamos derribados en tierra con un extraño amargor en los labios. Se vuelven entonces los ojos hacia no sabemos qué paraísos terrestres; aunque ya entonces comprenda nuestro desengaño que tal anhelo no es más que un atávico sueño. Todos somos libres, sin embargo, para acariciar ese sueño y para situarlo más acá o más allá del mundo. Confesaré que sólo encuentro apetecible un edén donde mis ojos vean el mar transparente y la luz radiante de este mundo donde los cuerpos sean jóvenes, oscuros y ligeros; donde el tiempo se deslice insensiblemente entre las hojas de las palmas y el lánguido aroma de las flores meridionales. Un edén, en suma, que para mí bien pudiera estar situado en Andalucía»[4]. Si comparamos este último texto con el poema vemos que tienen los dos el mismo contenido, casi se podría decir que es el desarrollo en prosa de *Quisiera estar solo en el sur.* Por la fecha en que Cernuda compuso el poema, Norteamérica y lo que este país supone por su civilización moderna, deportiva e inconoclasta, era la atracción de gran parte de la juventud europea de entonces, y en este sentido es por lo que podríamos dejarnos convencer por Cernuda. Sin embargo, el texto antes citado de su estudio sobre Andalucía nos hace dudar. No es éste el lugar para situar con exactitud topográfica el edén cernudiano. Respetemos la ambigüedad del autor.

«SOMBRAS BLANCAS»

A) Significación del poema.

El poeta sorprende en la noche unas sombras blancas, ajenas a la vida. Estas sombras estáticas que se oponen a todo lo vital parecen simbolizar un amor pasado.

B) Métrica.

El poema está compuesto por tres divisiones de cuatro líneas,

4. Luis CERNUDA, *Crítica, ensayos y evocaciones,* obra citada, pág. 124.

que son versos alejandrinos, con una cesura que las divide en grupos de 7 + 7 sílabas.

C) Notas estilísticas.

Las sombras blancas, que pudieran proceder de una experiencia ya pasada, ignoran la vida y desprecian sus múltiples posibilidades, es decir, el azar. Por esta razón, parecen estar sumidas en un letargo sobre un lecho de arena o sin consistencia:

1 Sombras frágiles, blancas, dormidas en la playa,
2 Dormidas en su amor, en su flor de universo,
3 El ardiente color de la vida ignorando
4 Sobre un lecho de arena y de azar abolido.

Creo que la línea 3 es fundamental para la comprensión del poema, ya que de ella parte la diferencia entre el mundo opaco de las sombras y la vida llena de luz y color.

La manifestación amorosa de estas sombras es también negativa. Los besos caen al mar como perlas inútiles, o suben al cielo como estrellas sin luz. La inmensidad cósmica recibe estos dones empobrecidos, donde parecen disolverse:

5 Libremente los besos desde sus labios caen
6 En el mar indomable como perlas inútiles;
7 Perlas grises o acaso cenicientas estrellas
8 Ascendiendo hacia el cielo con luz desvanecida.

La noche cae y el mundo queda sumido en el sueño, Sólo esas sombras con su blancor obsesionante (ver línea 11 ...blancas, oh blancas, sí, tan blancas) parecen quedar en la soledad de la noche. La última línea del poema intensifica más aún la idea expresada en la línea 3. La luz natural con sus sombras azuladas se oponen a las otras que parecen tener una blancura opaca:

9 Bajo la noche el mundo silencioso naufraga;
10 Bajo la noche rostros fijos, muertos, se pierden.
11 Sólo esas sombras blancas, oh blancas, sí, tan blancas.
12 La luz también da sombras, pero sombras azules.

La idea del poema se desarrolla en imágenes oníricas animadas con un movimiento lento y perezoso: *caen, se pierden, ascendiendo, dormidas.*

Como hemos dicho antes, en el poema parece haber dos polos opuestos; por un lado las sombras blancas que representan la falta de impulso vital o experiencia amorosa pasada; y la vida misma llena de luz (líneas 3-12).

A lo largo del poema hay una intención de coherencia que agrupa a las imágenes en un conjunto lógico, aun siendo todas ellas de carácter onírico. Las reiteraciones retóricas: *acaso, oh blancas, sí, tan blancas,* y la anáfora de las líneas 9 y 10 confirman esta intención.

El título del poema está inspirado en el conocido film de Robert Flaherty *Sombras blancas en los mares del sur.* Cernuda dice al respecto: «En París había visto la primera película sonora, cuyo título, «Sombras blancas en los mares del sur», también me dio ocasión para el tercer poema de la colección. Aún recuerdo, cuando subía al piso segundo del cine, que creo era uno próximo a los Campos Elíseos, si no estaba en los mismos, cómo llegó hasta mí el rumor del mar, fondo de aquella película» [5]. Hay que destacar que, aunque el poema se inspiró en relación con una sensación auditiva, la del rumor del mar, y considerando lo nuevo de esta experiencia, ya que era la primera película sonora que veía el autor, sin embargo todas las imágenes son visuales, no hay una sola imagen de sonido.

El mar aparece por primera vez en este poema como símbolo de un poder incontrolable, representa el cambio, el hacerse y deshacerse como fuerza cósmica elemental.

«CUERPO EN PENA»

A) Significación del poema.

El ahogado en el mar, símbolo del amor estéril, está perpetuamente condenado a la incomunicación (cuerpo en pena). Tan sólo el recuerdo traza un débil puente sobre la vida, pero incluso este medio es negativo, ya que no es actual, sino que pertenece al pasado.

---

5. Luis CERNUDA, *Poesía y Literatura I,* obra citada, págs. 245-246.

B) Métrica.

El poema consta de diez divisiones de cuatro líneas que son versos alejandrinos. La cesura es normal y las líneas están divididas en grupos 7 + 7 sílabas. En el poema se observa un mayor uso del encabalgamiento que en los anteriores. Así las líneas: 1-2, 3-4, 13-14-15, 18-19, 27-28, 35-36-37, 38-39.

C) Notas estilísticas.

La primera división describe el ámbito donde vive el ahogado, símbolo del amor estéril. Es un mundo silencioso, sin apenas movimiento, donde todo es incoloro y sin vida. En la segunda división aparece el único recurso del que dispone el ahogado: el recuerdo, factor negativo también por no pertenecer a la vida presente:

1 Lentamente el ahogado recorre sus dominios
2 Donde el silencio quita su apariencia a la vida.
3 Transparentes llanuras inmóviles le ofrecen
4 Árboles sin colores y pájaros callados.
5 Las sombras indecisas alargándose tiemblan,
6 Mas el viento no mueve sus alas irisadas;
7 Si el ahogado sacude sus lívidos recuerdos,
8 Halla un golpe de luz, la memoria del aire.

Las divisiones 3-4-8-9 y 10 completan la descripción de los dominios del ahogado o cuerpo en pena. Un vidrio denso lo separa de la vida en donde, como un reflejo, se adivina el olvido. En este mundo cerrado impera la muerte, no hay amor, ni luz, ni aire (ver las líneas 11-12). También el tiempo parece haberse detenido, no existe ni el día ni la noche. Sólo el silencio se extiende sobre este mar disecado donde las olas dejan ver el ahogado de vez en vez:

29 Su insomnio maquinal el ahogado pasea.
30 El silencio impasible sonríe en sus oídos.
31 Inestable vacío sin alba ni crepúsculo,
32 Monótona tristeza, emoción en ruinas.

Como arrastrado por una corriente, el cuerpo yerto desaparece hacia la nada:

37 Pálido entre las ondas cada vez más opacas

38 El ahogado ligero se pierde ciegamente
39 En el fondo nocturno como un astro apagado.
40 Hacia lo lejos, sí, hacia el aire sin nombre.

En la segunda división (líneas 7-8) aparece el recuerdo como un espejismo de la vida. Tema que se desarrolla en las divisiones 5-6 y 7. El espejismo de una auténtica vida se concreta aún más en la división 7:

25 Desdobla sus espejos la prisión delicada;
26 Claridad sinuosa, errantes perspectivas.
27 Perspectivas que rompe con su dolor ya muerto
28 Ese pálido rostro que solemne aparece.

Ante esta visión difusa de la vida a través del recuerdo el mar parece aquietarse, y lejanos destellos del mundo se insinúan ante el ahogado:

17 Flores de luz tranquila despiertan a lo lejos,
18 Flores de luz quizá, o miradas tan bellas
19 Como pudo el ahogado soñarlas una noche,
20 Sin amor ni dolor, en su tumba infinita.
21 A su fulgor el agua seducida se aquieta.
22 Azulada sonrisa asomando en sus ondas.
23 Sonrisas, oh miradas alegres de los labios;
24 Miradas, oh sonrisas de la luz triunfante.

El poema tiene dos temas fundamentales: la descripción del ahogado y su mundo, y la visión de la vida pasada a través del recuerdo, y éste es como una débil tabla de salvación momentánea para ese cuerpo en pena sumergido en el caos. Da la impresión de que el mar estéril, donde el ahogado naufraga, está encerrado en un gigantesco fanal de cristal, a través del cual se vislumbran tenueamente retazos de vida.

Aun tratándose de un poema que está dentro de la estética surrealista, sus imágenes guardan coherencia. El ritmo es pausado, sereno. El uso moderado del encabalgamiento contribuye en la fluidez de los versos (ver líneas 1-2, 3-4, 13-14-15, 18-19, 27-28, 35-36, 37-38-39). Finalmente la anáfora de las líneas 17-18, así como tambien el paralelismo de las líneas 23-24.

Como hipótesis podría decirse que el poema expresa el vacío que el hombre siente en su interior y en el mundo que le rodea cuando no siente el amor. Sólo el recuerdo puede traerle una vida aparente por pertenecer al pasado.

«DESTIERRO»

A) Significación del poema.

Como en el poema «Remordimiento en traje de noche», vuel-
'e a aparecer ese personaje errante y solitario desterrado de la
'ida. El símbolo tal vez pueda representar al autor; esta situa-
ión parece responder a una experiencia amorosa pasada.

B) Métrica.

El poema está compuesto por tres divisiones de dos, cuatro
seis líneas, y éstas ocilan entre las de 7 sílabas y las de 14. La
ltima división, separada de las otras, sintetiza o confirma el
entido del poema.

C) Notas estilísticas.

En las primeras seis líneas el poema expresa la soledad
e un hombre ante su destino. Tal vez esa canción antigua
e la línea 2 que, se desliza por un río de olvido, simbolice un
mor pretérito:

1 Ante las puertas bien cerradas,
2 Sobre un río de olvido, va la canción antigua.
3 Una luz lejos piensa
4 Como a través de un cielo.
5 Todos acaso duermen,
6 Mientras él lleva su destino a solas.

Las puertas cerradas (línea 1) y el sueño indiferente del
undo ante su tragedia (línea 5) intensifican la soledad del per-
onaje. El título mismo del poema y algunas imágenes ya comen-
adas, como: canción antigua, puertas cerradas o el destino so-
tario del desterrado, hacen pensar que el autor se valió de
figura del Cid para expresar su sensación de desterrado del
nor.

Las líneas siguientes nos dan una sensación más concreta
la situación anímica del personaje. No desea ni vivir ni mo-
r. Sin embargo, la vida no le asiste y el frío letal se extenderá
or el exterior. La línea 7 parece expresar una situación neutra
la que sólo hay tedio y desolación:

7 Fatiga de estar vivo, de estar muerto,
8 Con frío en vez de sangre,
9 Con frío que sonríe insinuando
10 Por las aceras apagadas.
11 Le abandona la noche y la aurora lo encuentra,
12 Tras sus huellas la sombra tenazmente.

La línea 11 introduce el factor temporal, es un tiempo definido, de sucesión ordenada de día y noche. La última línea condensa el significado del poema. El símbolo de la sombra que persigue al personaje puede significar el destino, el olvido del amor pasado y la soledad.

Como hemos dicho al principio, el tema es similar al de «Remordimiento en traje de noche». En ambos aparece ese personaje que quizás se identifique con el propio autor que arrastra por un mundo solitario su vida sin sentido.

La anáfora de las líneas 8-9 tiene la función de intensificar la atmósfera de hastío y frialdad en la que está envuelto el personaje.

«*NEVADA*»

A) Significación del poema.

Quizás sea este poema el primero del libro donde más claro se reconozca el procedimiento de la escritura automática. El estado de Nevada, tan distante al poeta, sirve aquí como lugar casi indeterminado. Una serie de imágenes, casi todas ellas evocadoras de la noche y el invierno, consiguen esa sensación de imprecisa lejanía.

B) Métrica.

El poema está compuesto de cinco divisiones de dos y cuatro líneas, y éstas oscilan entre las de 7 y 14 sílabas. Como en otras composiciones, la última división sintentiza el sentido del poema. Hay un uso abundante del encabalgamiento, si consideramos la breve extensión del poema. Así las líneas: 1-2, 3-4, 5-6-7-8, 15-16, 17-18.

C) **Notas estilísticas.**

El poema nos sitúa en un lugar determinado: el estado de Nevada. Pero a medida que se avanza en la lectura nos damos cuenta que la región es imaginaria, dando impresión de lugar lejano y evocado. Las imágenes se refieren al invierno y la noche, así como también hay un equilibrio entre la alegría y el dolor:

El Invierno:

3 Son de nieve los campos
4 Y de nieve las horas.
... ...
17 Siempre hay nieve dormida
18 Sobre otra nieve, allá en Nevada.

La Noche:

5 Las noches transparentes
6 Abren luces soñadas
7 Sobre las aguas o tejados puros
8 Constelados de fiesta.

En las imágenes invernales no hay una descripción concreta del estado de Nevada. El autor quiere resaltar la presencia de la nieve, por eso nos dirá que los campos son de nieve, que las horas, es decir, un tiempo indefinido, es también de nieve y que ésta cae sin cesar en nevadas sucesivas. Esta última imagen la expresa con el adverbio *siempre* y el adjetivo indefinido *otra* (líneas 17-18). Al adjetivo *dormida,* refiriéndose a la nieve, le da a ésta un carácter de perpetuidad.

La noche aquí no tiene el valor negativo de los otros poemas. Su transparencia, proyectándose en luz sobre las aguas y tejados, contribuye a esta sensación de festividad y ensueño.

La tristeza y la alegría están repartidas equitativamente:

1 En el Estado de Nevada
2 Los caminos de hierro tienen nombre de pájaros.
... ...
9 Las lágrimas sonríen,
10 La tristeza es de alas,
11 Y las alas, sabemos,
12 Dan amor inconstante.
13 Los árboles abrazan árboles,
14 Una canción besa otra canción;

15 Por los caminos de hierro
16 Pasa el dolor y la alegría.

Las lágrimas llevan dentro la sonrisa. La tristeza es más bien melancolía. El dolor y la alegría fluyen por igual por los caminos. En la línea 2 hay cierta nota de desolación y dureza, pero que inmediatamente se diluye con esos nombres de pájaros con que se denominan los caminos de Nevada.

En este poema encontramos el amor simbolizado por las alas, igual que en el titulado «Remordimiento en traje de noche». Las alas representan todo lo que hay en el amor de dramático, pasional, de inconstancia, recuerdo y olvido.

Las reiteraciones como las de las líneas 3-4, 10-11, 13-14 y 17-18 y los encabalgamientos en las líneas 1-2, 3-4, 5-6, 7-8, 15-16 y 17-18, mantienen un ritmo ondulado y continuo.

Como en otros poemas ya comentados en que una canción o un título de un film sugieren versos o títulos, esta composición está inspirada en los rótulos de un film que el autor vio en Toulouse durante su lectorado de español. El mismo autor nos dice que la frase la puso como «collage» en el poema, técnica la del «collage» muy usada por los surrealistas. Refiriéndose a esto dice Cernuda: «Uno de los letreros de cierta película muda que vi en Toulouse, me deparó esta frase para mí curiosa: «en (no recuerdo el nombre de lugar que se mencionaba) los caminos de hierro tienen nombres de pájaros, y la usé, como en un *collage,* dentro del poemilla *Nevada*»[6].

Este poema, al igual que «Qusiera estar solo en el sur», se aparta de la temática de los hasta ahora comentados. El hecho puede ser interesante a la hora de hacer un estudio global del libro.

«*COMO EL VIENTO*»

A) Significación del poema.

De nuevo vuelve a aparecer ese personaje errante de los anteriores poemas que, penando de amor y solitario, va sin rumbo fijo como el viento. En el último verso parece haber un des-

---

6. Idem, pág. 246.

tello luminoso del pasado que se extingue rápidamente como una esperanza frustrada.

B) Métrica.

El poema está compuesto por cuatro divisiones de tres y cuatro líneas, oscilando éstas entre las de 7 sílabas y las de 11.

C) Notas estilísticas.

Como indica el título, el autor se compara con el viento. Al igual que en otros poemas ya comentados, la noche es el momento elegido y el amanecer sorprende al poeta en su deambular por las calles solitarias. Tal es el caso también del poema titulado «Destierro».

1 Como el viento a lo largo de la noche,
... ...
9 Sí, como el viento al que un alba le revela
10 Su tristeza errabunda por la tierra,
11 Su tristeza sin llanto,
12 Su fuga sin objeto;

En la línea 2 hay un deseo de comunicación o más bien de ayuda y consuelo, pero en la línea siguiente vemos lo inútil de esta intención:

3 Toca en vano a los vidrios,
4 Sollozando abandona las esquinas;

En la última división el poeta quiere huir a un lugar que no precisa. Las tres últimas líneas del poema «Cuerpo en pena», expresan la misma idea:

38 El ahogado ligero se pierde ciegamente
39 En el fondo nocturno como un astro apagado.
40 Hacia lo lejos, sí, hacia el aire sin nombre.

Este fuerte deseo de huir después del penoso caminar en la noche es casi característico de los poemas hasta ahora estudiados. Sin embargo, en «Como el viento» vemos como un recuerdo del pasado feliz y dichoso que contrasta con el presente. Es una línea breve que pone fin al poema bruscamente:

15 Y sin embargo vine como luz.

Es también la primera vez que el poeta nos habla en primera persona.

Las tres últimas líneas son como una especie de resumen que confirman lo expresado en el poema:

13 Como el mismo extranjero,
14 Como el viento huyó lejos.
15 Y sin embargo vine como luz.

Estos finales matizadores empiezan a aparecer a partir del poema «Destierro». Como ya dije al principio, el poema se basa en la comparación del poeta con el viento, y esto se mantiene desde el principio hasta el fin. Prueba de ello son las numerosas anáforas con el adverbio *como* (ver las líneas 1, 5, 9, 13 y 14). El amanecer muestra al viento, que es como el poeta, su inútil deambular por el mundo; y esto da ocasión también a una serie de anáforas que, juntamente con las anteriores, dan al poema un ritmo obsesionante (ver las líneas 10, 11, 12). El ritmo se une a las imágenes, la mayoría de carácter onírico. Ese cuerpo vacío, casi como un autómata, se confunde con el viento que marcha huracanado y que ruge con angustia de insomnio. Esta es la imagen central del poema, que bien puede pertenecer al mundo de los sueños.

«DECIDME ANOCHE»

A) Significación del poema.

La noche, el deambular sin objeto de un hombre por un mundo solitario y muerto, es el tema de «Decidme Anoche». Esta imagen del hombre errante por las calles sordas a su dolor, parece una obsesión del autor, al menos en los primeros poemas del libro.

B) Métrica.

El poema se compone de diez divisiones de cuatro líneas que son versos alejandrinos. La cesura es normal y las líneas están divididas en grupos de 7 + 7 sílabas. Como puede observarse este poema es similar, bajo el punto de vista métrico, a los primeros del libro.

Observamos las siguientes líneas con encabalgamientos: 1-2, 3-4, 5-6, 10-11, 19-20, 23-24, 31-32, 33-34 y 37-38.

C) **Notas estilísticas.**

Se podría decir que «Decidme Anoche» es el tema de «Remordimiento en traje de noche», pero con un desarrollo más amplio. Los dos poemas no sólo coinciden en el asunto, sino que también en las imágenes e incluso en el léxico. Tan sólo un nuevo factor se incorpora en éste: el miedo:

1 La presencia del frío junto al miedo invisible
2 Hiela a gotas oscuras la sangre entre la niebla,
3 Entre la niebla viva, hacia la niebla vaga
4 Por un espacio ciego de rígidas espinas.

Ante la angustia y el miedo del transeúnte se abre extensa la soledad, pero ésta tiene dos categorías: una externa, la del mundo exterior y otra íntima, interna, la del propio personaje:

Soledad exterior:

5 Con la vida misteriosa quizá los hombres duermen
6 Mientras desiertos blancos representan el mundo;
7 Son espacios pequeños como tímida mano,
8 Cilenciosos, vacíos bajo una luz sin vida.
9 Sí, la tierra está sola, bien sola con sus muertos,
10 Al acecho quizá de inerte transeúnte
11 Que sin gestos arrostre su látigo nocturno;
12 Mas ningún cuerpo viene ciegamente soñando.

Esta soledad exterior emana de la soliedad del personaje y una y otra se identifican.

El vacío íntimo se vierte despiadadamente al igual que en el mundo y las cosas con imágenes de una crudeza extrema:

29 ¿Dónde palpita el hielo? Dentro, aquí, entre la vida,
30 En un centro perdido de apagados recuerdos,
31 De huesos ateridos en donde silba el aire
32 Con un rumor de hojas que se van una a una.

Como en otros poemas de la misma naturaleza, la soledad del poeta se debe posiblemente al amor que pasa. Ese mundo decrépito y silencioso que se insinúa con una luz sin vida (líneas 5-6-7-8) responde al estado del transeúnte, parece que es lo que queda cuando el amor pasa aniquilándolo todo. Posiblemente las líneas que cito a continuación expresen este sentimiento:

17 Fantasma que desfila prisionero de nadie,
18 Falto de voz, de manos, apariencia sin vida,
19 Como llanto impotente por las ramas ahogado
20 O repentina fuga estrellada en un muro.

Este fantasma o transeúnte solitario está libre sin las ataduras del amor (línea 17). De esta forma la vida ya no tiene objeto, es como «un centro perdido de apagados recuerdos».

Las sombras blancas que en el poema del mismo título representan la experiencia amorosa pasada, encuentran en «Decidme Anoche» un eco en la representación de la tierra como «desiertos blancos».

En el poema no hay reiteraciones, la atmósfera asfixiante se consigue con las mismas imágenes. La última línea del poema parece precipitar al transeúnte nocturno en un caos total:

40 En la noche sin luz, en el cielo sin nadie.

El ritmo del poema se mantiene por los versos alejandrinos que le dan una musicalidad cerrada. Tan sólo encontramos una anáfora, recurso tan usado en los poemas anteriores (líneas 38-39). Hay un uso eficaz del encabalgamiento que da fluidez a la composición (ver el apartado B). Por último encontramos dos ejemplos de *O* disyuntiva (líneas 20 y 23).

«OSCURIDAD COMPLETA»

A) Significación del poema.

Aunque la vida se ilumine de nuevo y las sombras se disipen, los hombres no se dan cuenta de ello y el poeta continúa con su tristeza, con su mundo interior de total penumbra.

B) Métrica.

El poema está compuesto por tres divisiones de dos y cuatro líneas, y oscilan entre las de 7 sílabas y 14, éstas son versos alejandrinos divididos en grupos de 7 + 7 sílabas. La última división hace la función ya señalada en otros poemas.

C) Notas estilísticas.

En este poema, aunque la idea fundamental es como los anteriores comentados, cambia sin embargo el ambiente exterior;

éste ya no corresponde al estado de ánimo del autor, sino que es al contrario. Hay un fuerte contraste entre el mundo luminoso y las sombras internas del poeta. Contraste éste como el opuesto, muy característico del romanticismo. Las primeras cuatro líneas describen la plenitud de la tierra y la indiferencia de los hombres:

1 No sé por qué, si la luz entra,
2 Los hombres andan bien dormidos,
3 Recogiendo la vida su apariencia
4 Joven de nuevo, bella entre sonrisas.

Las restantes líneas del poema expresan la inutilidad del canto del poeta ante el contraste a que nos hemos referido antes:

5 No sé por qué he de cantar
6 O verter de mis labios vagamente palabras;
7 Palabras de mis ojos,
8 Palabras de mis sueños perdidos en la nieve.
9 De mis sueños copiando los colores de nubes,
10 De mis sueños copiando nubes sobre la pampa.

Esta inutilidad se condensa en las interrogaciones de las líneas 1-5, el *si* condicional de la línea 1, y el uso de la perifrástica (línea 5). Las anáforas de las líneas 1-5, 7-8, 9-10 están en función de la inutilidad a la que me he referido. Ante su amargura, el autor escoge el silencio y la oscuridad. Esta idea está vivamente plasmada por medio del trueque de la función de los sentidos (línea 7).

«HABITACIÓN DE AL LADO»

A) Significación del poema.

Es una interpretación del sueño y los fantasmas que levanta; la imagen onírica de la muerte aparece amable entre la confusión de sensaciones. La línea final: «Sin vida está viviendo solo profundamente», da la clave de la otra vida inmediata (la del sueño, la de la habitación de al lado).

B) Métrica.

Son cuatro divisiones de tres, cinco y seis líneas, y éstas os-

cilan entre las de 10 sílabas y las de 21. La última línea separada de las divisiones sintentiza el sentido del poema. Hay encabalgamiento en las líneas: 1-2, 8-9, 11-12, 16-17, 18-19.

C) Notas estilísticas.

La primera línea alude a la noche en que el poeta vive constantemente, aunque fuera luzca la luz del día. En este estado de ánimo van a desarrollarse las visiones, todas ellas oníricas, del poema:

1 A través de una noche en pleno día
2 Vagamente he conocido a la muerte.
3 No la acompaña ningún lebrel;
4 Vive entre los estanques disecados,
5 Fantasmas grises de piedra nebulosa.

Vagamente indica la forma casi inconsciente de ver a la muerte. En las primeras cinco líneas, aún no se define la situación del poeta claramente, pero a partir de la línea 6 se especifica que la visión es durante el sueño. Ahora bien, hay que tener en cuenta que la noche es durante el día, es una noche subjetiva y esto nos hace pensar que el sueño, e incluso las visiones, representen quizás el estado anímico del autor. Más aún cuando en la línea 8 aparecen las sombras blancas, que en el poema del mismo nombre, ya comentado, representaban una experiencia amorosa pasada. En las líneas siguientes se suceden imágenes que indican la esterilidad de la vida:

6 ¿Por qué soñando, al deslizarse con miedo,
7 Ese miedo imprevisto estremece al durmiente?
8 Mirad vencido olvido y miedo a tantas sombras blancas
9 Por las pálidas dunas de la vida,
10 No redonda ni azul, sino lunática,
11 Con sus blancas lagunas, con sus bosques
12 En donde el cazador si quiere da caza al terciopelo.

Estas sombras y su blancor parecen representar este mundo paralizado y muerto por donde va errante el poeta: *sombras blancas, pálidas dunas, lunática, blancas lagunas.* Por el contrario, la vida se representa por el color azul (ver líneas 9-10). Esto nos hace recordar la última línea del poema «Sombras Blancas», donde el color azul también representa el impulso vital:

La luz tambien da sombras, pero sombras azules.

En este mundo disecado y silencioso se encuentra la muerte:

13 Pero ningún lebrel acompaña a la muerte.
14 Ella con mucho amor sólo ama los pájaros,
15 Pájaros siempre mudos, como lo es el secreto,
16 Con sus grandes colores formando un torbellino
17 En torno a la mirada fijamente metálica.

Esta noche continua no sólo afecta al autor, sino que también parece extenderse a todos los hombres:

18 Y los durmientes desfilan como nubes
19 Por un cielo engañoso donde chocan las manos,
20 Las manos aburridas que cazan terciopelos o nubes [descuidadas.

La sensación de sueño o muerte se expresa con ese desfilar de los durmientes. Todo es engaño y apariencia, no hay comprensión. Las manos no se estrechan con firmeza o amor, son manos abúlicas que chocan en acciones torpes y sonámbulas (líneas 19-20). La última línea, separada de las demás, condensa el tema:

21 Sin vida está viviendo solo profundamente.

Esta técnica de separar conscientemente una o dos líneas de las demás se ha repetido ya en poemas anteriores.

Como se ha podido observar, ningún elemento nuevo añade. Tan sólo la figura de la muerte que por primera vez aparece concretamente en el poema, pero creo que ésta no representa la extinción de la vida, sino que se confunde con las circunstancias particulares del poeta.

Los recursos retóricos más usados, que lo son también en otros poemas anteriores, son la anástrofe (líneas 6-7 y 14-15), y un uso moderado del encabalgamiento (ver apartado B), el preciso para mantener la fluidez del ritmo. Tan sólo hay un caso de *O* disyuntiva en el línea 20.

El título de la composición quizás pueda aludir al sitio desde donde el poeta siente el poema, ya que éste se desarrolla en su subconsciente y no aparece el típico deambular por las calles.

«ESTOY CANSADO»

A) Significación del poema.

El tema es el cansancio. El autor siente tedio del mundo, de la vida y de la misma muerte.

B) Métrica.

El poema está compuesto de tres divisiones: 1.ª, cuatro líneas; 2.ª, cuatro líneas; 3.ª, seis líneas, de las siguientes medidas:

1.ª División.

1) 9 (eneasílabo trocaico)
2) 11 (endecasílabo melódico)
3) 11 (endecasílabo enfático)
4) 10 (decasílabo dactílico)

2.ª División.

5) 9 (eneasílabo trocaico)
6) 11 (endecasílabo enfático)
7) 9 (eneasílabo trocaico)
8) 14 (7 (heptasílabo trocaico) + 7 (heptasílabo dactílico)

3.ª División.

9) 9 (eneasílabo trocaico)
10) 13 (6 (hexasílabo trocaico) + 7 (heptasílabo trocaico)
11) 11 (endecasílabo sáfico)
12) 11 (endecasílabo melódico)
13) 14 (7 (heptasílabo mixto) + 7 (heptasílabo mixto)
14) 12 (5 (pentasílabo trocaico) + 7 (heptasílabo trocaico)

Haciendo un recuento general vemos que en el poema hay

2 versos alejandrinos
1 » dodecasílabo
5 » endecasílabos
1 » decasílabo
4 » eneasílabos

1 línea de 13 sílabas que, como hemos visto, está compuesta por un hexasílabo y un heptasílabo. De este recuento se desprende que hay una superioridad del verso sobre la línea, es decir, que aun tratándose de poemas que están escritos con un

concepto de métrica nueva, el autor tiene una voluntad de expresión según las posibilidades de la métrica histórica, lo que demuestra que la línea poética posee un curso libre que, sin embargo, no es caprichoso.

C) Notas estilísticas.

El cansancio es un tema característico de Cernuda desde sus primeras poesías [7]. Ya desde *Perfil del Aire,* la atmósfera de cansancio e indolencia está representada por objetos que evocan una dejadez placentera: *sábanas, almohadas, plumas, alas,* etc. En el presente poema, el cansancio y el aburrimiento se encarnan en las plumas de un pájaro tan indolente y monótono como es el loro:

1 Estar cansado tiene plumas,
2 Tiene plumas graciosas como un loro,
3 Plumas que desde luego nunca vuelan,
4 Mas balbucean igual que loro.

Las líneas siguientes expresan el cansancio por el mundo, sus cosas y la muerte misma:

5 Estoy cansado de las casas,
6 Prontamente en ruinas sin un gesto;
7 Estoy cansado de las cosas,
8 Con un latir de seda vueltas luego de espaldas.
9 Estoy cansado de estar vivo,
10 Aunque más cansado sería el estar muerto;
11 Estoy cansado de estar cansado
12 Entre plumas ligeras sagazmente,
13 Plumas del loro aquel tan familiar o triste,
14 El loro aquel del siempre estar cansado.

La repetición anafórica de *estoy cansado* produce un ritmo machacón y monótono que infunde al lector una sensación similar a la del poeta. La indolencia alcanza su mayor expresión en la línea 11. Esta se siente como algo íntimo y familiar. Así las líneas: 13-14. El recurso retórico más usado es la reiteración. Antes he indicado el efecto producido por la anáfora *Estoy cansado;* ésta se repite en las líneas: 1-5-7-9 y 11. Pero además de la anáfora, contribuyen a este efecto la anástrofe,

7. José María Capote, *El período sevillano de Luis Cernuda,* obra citada, págs. 49-54.

tal es el caso de las líneas 1-2, así como también la repetición de ciertas palabras como: loro, plumas y el juego de sonidos similares de las líneas 5-7 y 11. La última línea es como un golpe que pone fin a este sonido de percusión obsesivo: «El loro aquel del siempre estar cansado». Ese *del siempre estar cansado* y sobre todo, el *del,* expresa ese estado habitual de indolencia y tedio del autor.

«EL CASO DEL PAJARO ASESINADO»

A) Significación del poema.

Ciertos signos en la luz y en el mar parecen indicar algo, quizás la muerte de un pájaro por una mano anónima. El poema nos hace pensar que todo él sea un símbolo; pudiera ser que el pájaro represente al poeta que sufre las consecuencias del amor.

B) Métrica.

El poema se compone de cuatro divisiones de cinco y seis líneas, y éstas oscilan entre las de 7 sílabas y las de 11.

C) Notas estilísticas.

La primera línea se abre con una negativa, con la imposibilidad de saber el por qué de esas señales luminosas en las olas del mar. Pero, sin embargo, en la línea 6 se dice que sólo las olas son testigos de algo que queda confuso. No se tiene la seguridad de que la causa de todo ello sea la muerte de un pájaro:

1 Nunca sabremos, nunca,
2 Por qué razón un día
3 Esas luces temblaron levemente;
4 Fue una llorosa espuma,
5 Una brisa más grande, nada acaso.
6 Sólo las olas saben.

Pero la certeza que las olas tienen en las siguientes líneas parece debilitarse en un recuerdo tan sólo:

7 Por eso hoy muestran desdeñosas
8 Su color de miradas,

9 Su color ignorante todavía, aunque un recuerdo
10 Les cante algo, algo levemente.

Como he indicado antes, la causa de estos signos o el recuerdo de algo no queda delimitado, parece que el autor lo hace intencionadamente:

11 Fue un pájaro quizá asesinado;
12 Nadie sabe. Por nadie
13 O por alguien quizá triste en las piedras,
14 En los muros del cielo.

La duda se intensifica con los *quizá* (líneas 11-13) y por la disyuntiva *O* (línea 13) que da la posibilidad de que el pájaro haya sido muerto por alguien o por nadie.

La muerte del pájaro fue en el pasado, confirman esto los tiempos verbales usados en las primeras líneas y en la 15: «Mas de ello hoy nada se sabe». En las líneas siguientes se repiten las señales luminosas en las olas o la brisa con miradas casi de complicidad:

16 Sólo un temblor de luces levemente,
17 Un color de miradas en las olas o en la brisa;

La confusión aumenta más aún. Ya no hay certeza en lo que muestran estas luces o las olas. No se sabe si es un temblor de la luz, si son miradas de las olas y la brisa o también quizás el miedo:

18 También, acaso, un miedo.

Como he indicado antes la línea final nos sumerge en la total incertidumbre:

19 Todo, es verdad, inseguro.

Este misterio en el que está envuelto el poema creo que tiene una función específica. Partamos, siempre hipotéticamente, de que el pájaro simboliza al poeta que siente el dolor de un amor pasado. Entonces este hecho, para él fundamental, se vierte en la naturaleza en signos casi imperceptibles. Sólo el mar o la brisa pueden saber algo de su desdicha. El autor quiere velarnos sus sentimientos, mantenernos suspendidos en la incertidumbre.

Los recursos estilísticos del poema son los ya acostumbrados. En éste la anáfora juega un importante papel (líneas 8-9) y la repetición del temblor de la luz y el color de miradas de las olas en las líneas 3-16, 8-17. Estas reiteraciones de las imágenes

restringe aún más nuestra comprensión. Palabras como *Nunca, levemente* (repetidas por tres veces), *nada acaso, desdeñosa, ignorante, quizá, alguien, nadie, inseguro,* dan al poema esta atmósfera de confusión y misterio. Ya el título, que parece más bien del género policíaco, nos predispone a este ambiente.

«DURANGO»

A) Significación del poema

En Durango, ciudad aislada y sin destino, hay una raza estéril de guerreros que ni siquiera las palabras alcanzan a describirlos. Pero en esta ciudad cerrada en sí misma hay alguien que se manifiesta, que quiere salir de sus muros inútilmente.

B) Métrica.

El poema está compuesto por cinco divisiones de siete, cinco y cuatro líneas, y éstas oscilan entre las de 7 sílabas y las de 14.

C) Notas estilísticas.

El poema lleva como título el nombre de una ciudad de Vizcaya y de Méjico, pero no parece referirse a ningún hecho concreto de la historia de estas ciudades. Así pues, ciñámonos a lo que los versos evocan. La ciudad está poblada por una raza de guerreros de gran belleza física, cuya actitud impasible hace de ellos un pueblo sin libertad y futuro. Este parece ser el sentido de las once primeras líneas:

1 Las palabras quisieran expresar los guerreros,
2 Bellos guerreros impasibles,
3 Con el mañana gris abrazado, como un amante,
4 Sin dejarles partir hacia las olas.
5 Por la ventana abierta
6 Muestra el destino su silencio;
7 Sólo nubes con nubes, siempre nubes
8 Más allá de otras nubes semejantes,
9 Sin palabras, sin voces,
10 Sin decir, sin saber;
11 Últimas soledades que no aguardan mañana.

La indolencia de estos guerreros le lleva a este silencio, al vacío, al no confiar en el futuro (líneas 3-11). El ambiente triste y asfixiante lo indican las nubes mencionadas reiterativamente (líneas 7-8). Dentro de la ciudad cerrada y vacía están estos guerreros con su belleza y juventud mudos como estatuas:

12. Durango está vacío
13 Al pie de tanto miedo infranqueable;
14 Llora consigo a solas la juventud sangrienta
15 De los guerreros bellos como luz, como espuma.

Ante la oscuridad del ambiente de la ciudad, se opone la luminosidad de los guerreros: «...como luz, como espuma». El poema hasta ese punto nos ha ido sumiendo en el misterio. ¿Quiénes son estos guerreros? ¿Por qué es así su futuro? ¿Qué castigo ha caído sobre la ciudad condenada al vacío y al aislamiento? Sin embargo, el poeta nos lleva aún más lejos, la tensión dramática y el misterio aumentan en las líneas siguientes:

16 Por sorpresa los muros
17 Alguna mano dejan revolando a veces;
18 Sus dedos entreabiertos
19 Dicen adiós a nadie,
20 Saben algo quizá ignorado en Durango.

Las murallas compactas y herméticas dejan, como en un descuido, asomarse una mano que parece salvada del hechizo en el que todos están sumidos; saben algo que se desconoce en Durango. Parece que estos guerreros están bajo el poder de un conjuro. Sólo estas manos parecen salvarse, desean escapar. En el poema el autor no nos revela el secreto. Las últimas líneas tienen el mismo misterio que una antigua leyenda. No hay ni pasado ni futuro, el tiempo se para en estos hombres estériles e impasibles:

21 En Durango postrado,
22 Con hambre, miedo, frío,
23 Pues sus bellos guerreros sólo dieron,
24 Raza estéril en flor, tristeza, lágrimas.

La combinación de líneas cortas (heptasílabos) y largas (alejandrinos y endecasílabos) dan al poema un ritmo rápido, y a la vez pausado. La reiteración de la palabra *nube* (líneas 7-8) y las anáforas de las líneas 9 y 10 consiguen expresar la atmósfera oscura y el vacío extraño de la ciudad.

«DAYTONA»

A) Significación del poema.

Hoy tan sólo es posible encontrar falsedad, oscuridad y tristeza en el mundo. Pero en Daytona, lugar casi mítico para el poeta como *Nevada* y *Durango*, existe aún un paraíso de paz y amor.

B) Métrica.

El poema está compuesto por cuatro divisiones de cuatro y cinco líneas, oscilando éstas entre las de 7 sílabas y las de 16. La última línea, separada de las demás, realiza la función ya señalada en otros poemas.

C) Notas estilísticas.

Hemos visto cómo Cernuda en otros poemas comentados hace alusión a nombres de ciudades, tal es el caso de Nevada, Durango y la del presente poema, Daytona, ciudad del estado de Florida. Estas ciudades o regiones, algunas desconocidas por el poeta, alcanzan una configuración mítica, de soñada lejanía donde el autor sitúa un posible paraíso. Sin embargo, el mundo que le rodea está marchito, y en él sólo se encuentra tristeza y hastío:

1 Hubo un día en que el día no engañaba,
2 En que sus manos tristes no sostenían un cuervo
3 Indiferente como los labios de la lluvia,
4 Como el rojizo hastío.
5 Mas hoy es imposible
6 Buscar la luz entre barcas nocturnas;
7 Alguien cortó la piedra en flor,
8 Sin que pudiera el mundo
9 Incendiar la tristeza.

Ante esta desolación y vacío se contrapone Daytona como lugar edénico que ignora las tinieblas. Sin embargo existe también el miedo y la muerte, y ésta llega hasta las plumas, símbolo éste que posiblemente represente el amor. En otros poemas la presencia de la vida para Cernuda es la luz, y esta luz sobrepasa las distancias y el tiempo; es como un resplandor inextinguible:

10 Sólo un lugar existe, cuyos días
11 Nada saben de aquello,
12 Aunque todo allí sea mortal, el miedo, hasta las plu-
13 Mas las olas abrazan [mas
14 A tanta luz aún viva.
15 A tanta luz desbordando en la arena,
16 Desbordando en las nubes, desbordando en el tiempo,
17 Que dormita sin voz entre las ramas,
18 Olvidado fantasma con su collar de frío.

La última línea, separada de las demás como en otros caos, condensa la intención del autor; es como una invitación co-
ectiva hacia el amor:

19 Mirad cómo sonríe hacia el amor Daytona.

Los procedimientos retóricos son los usuales en otros poe-
nas anteriores. Cernuda quiere resaltar la abundancia de luz
con este motivo produce una anáfora en las líneas 14-15, y rei-
eraciones con el gerundio *desbordando* (líneas 15-16).

«DESDICHA»

) Significación del poema.

Pretende significar el destino del poeta, hábil sólo en lanzar
alabras al techo y al suelo, incapaz de la acción porque sus
razos se le convierten en nubes.

) Métrica.

El poema se compone de tres divisiones con cuatro y seis
neas, y éstas oscilan entre las de 7 sílabas y 14. Estas últimas
on versos alejandrinos con una cesura que los divide en gru-
os de 7 + 7 sílabas.

) Notas estilísticas.

En anteriores poemas con significado similar a éste, hallá-
amos a ese personaje, posiblemente el autor, sumido en un
mbiente que respondía a su situación desolada o al contrario,
n mundo que, siendo luminoso, se muestra inconsciente a su

dolor. En el poema «Desdicha», el autor en su angustia se siente impotente para incorporarse al concierto de la vida:

1 Un día comprendió cómo sus brazos eran
2 Solamente de nubes.
3 Imposible con nubes estrechar hasta el fondo
4 Un cuerpo, una fortuna.

Las nubes representan el vacío y la inconsistencia, contraponiéndose a la seguridad y plenitud del mar, del viento, las estrellas en el cielo de verano y la redondez de la fortuna. Es decir, una serie de elementos sólidos y plenos se enfrentan a esos brazos de nubes que no estrechan nada, y a las palabras que tampoco le proporcionan un asidero vital.

Así pues, suelto y sin sentido, el poeta se siente errante por el mundo:

5 La fortuna es redonda y cuenta lentamente
6 Estrellas del estío.
7 Hacen falta unos brazos seguros como el viento,
8 Y como el mar un beso.
9 Pero él con sus labios,
10 Con sus labios no sabe sino decir palabras;
11 Palabras hacia el techo,
12 Palabras hacia el suelo,
13 Y sus brazos son nubes que transforman la vida
14 En aire navegable.

La alternancia de alejandrinos y heptasílabos (líneas 2-8) proporciona al poema un ritmo quebrado. Las líneas restantes siendo de un número de sílabas más breves, dan una musicalidad más uniforme.

Tan sólo hay que destacar las reiteraciones mediante las cuales el poeta quiere resaltar algún elemento; así la repetición de *nube* (líneas 2-3) y la anáfora de las líneas 11-12. Tanto la repetición de *nube* como *palabras* expresan la impotencia del poeta ante su destino.

«NO INTENTEMOS EL AMOR NUNCA»

A) Significación del poema.

El mar parece simbolizar aquí al autor. Cansado de su soledad y de su dolor intenta inútilmente una comunicación con los hombres y el mundo.

B) Métrica.

El poema se compone de seis divisiones de cuatro y cinco líneas, y éstas oscilan entre las de 7 sílabas y las de 15. Las líneas 4, 5, 10, 16, 18, 20 y 21 son versos alejandrinos de 7 + 7 sílabas, que, como hemos podido observar, son ya característicos del libro. El encabalgamiento es perceptible en este poema. Así las líneas: 6-7, 8-9, 10-11, 13-14, 18-19, 21-22 y 24-25.

C) Notas estilísticas.

El poema tiene como protagonista al mar, pero éste posiblemente represente al poeta como en otros poemas anteriores, en que el autor aparece bajo un símbolo. El título mismo del poema «No intentemos el amor nunca» es el resultado de un desengaño, de un huir de la situación presente y encontrar sólo tedio y soledad. Las primeras líneas del poema expresan la sensación de vacío y tristeza del autor:

1 Aquella noche el mar no tuvo sueño.
2 Cansado de contar, siempre contar a tantas olas,
3 Quiso vivir hacia lo lejos,
4 Donde supiera alguien de su color amargo.

La línea 3 indica ese deseo de huir del presente hacia una lejanía en la que el poeta presiente poder aliviar su dolor:

5 Con una voz insomne decía cosas vagas,
6 Barcos entrelazados dulcemente
7 En un fondo de noche,
8 O cuerpos siempre pálidos, con su traje de olvido
9 Viajando hacia nada.
10 Cantaba tempestades, estruendos desbocados
11 Bajo cielos con sombra,
12 Como la sombra misma,
13 Como la sombra siempre
14 Rencorosa de pájaros estrellas.

El rumor de la tormenta y el oleaje se confunden con una desesperada situación de angustia, lúgubre y en sombra como la oscuridad misma, matizada con imágenes oníricas (líneas 5, 6, 7, 8, y 9). Al leer estos versos recordamos otros del poema «Cuerpo en pena» donde el ahogado ve estas imágenes de sombrío fondo marino (ver las líneas de la 29 a 40 del poema citado).

El deseo de huir del momento presente, muchas veces en Cernuda se manifiesta por medio de una ciudad o región, en ocasiones muy lejanas a su país, pero que sin embargo ante el poeta tienen categoría de míticas; pensemos en títulos de poemas como «Nevada», «Quisiera estar solo en el sur», «Durango», «Daytona».

En las siguientes líneas enumera tres nombres; dos de ellos son fantásticos, el otro es Colorado, región norteamericana:

15 Su voz atravesando luces, lluvia, frío,
16 Alcanzaba ciudades elevadas a nubes,
17 Cielo Sereno, Colorado, Glaciar del Infierno,
18 Todas puras de nieve o de astros caídos
19 En sus manos de tierra.

Por las líneas que a continuación citaré se desprende que la causa del dolor del poeta es el amor pasado:

20 Mas el mar se cansaba de esperar las ciudades.
21 Allí su amor tan sólo era un pretexto vago
22 Con sonrisa de antaño,
23 Ignorado de todos.

En poemas anteriores hemos visto cómo, al final, el autor expresa una huida frenética (ver las líneas finales de «Cuerpo en pena», «Destierro», «Como el viento», «Desdicha». Aquí la huida negativa la produce el desengaño, la espera inútil:

24 Y con sueño de nuevo se volvió lentamente
25 Adonde nadie
26 Sabe nada de nadie.
27 Adonde acaba el mundo.

El desarrollo del poema comienza con la esperanza, describe la situación anímica y termina con el desencanto y la huida. Esta exposición ordenada del asunto es inconcebible dentro del surrealismo; sin embargo, está dentro de él. En Cernuda la escritura automática tiene dos fases: la primera es la de la pura afloración de las imágenes oníricas y la segunda la ordenación

de este material; de ahí el orden y el equilibrio propios de sus poemas.

La anáfora de las líneas 12-13 recalca el ambiente oscuro y amargo en que se desarrolla el poema. El uso del encabalgamiento lo está en función de un ritmo ondulado que da al poema un musicalidad a la vez retenida y fluida (ver las líneas indicadas en el apartado B).

«LINTERNA ROJA»

A) Significación del poema.

Posiblemente el autor esté simbolizado en mendigos vacíos e inertes que, en otro tiempo, buscaron el deseo y la vida. Pero ahora tan sólo pueden codiciar el pasado. Los años de hastío a los que se refiere el poeta (línea 18) expresan quizás la ausencia del amor, el recuerdo produce melancolía ya que sólo queda esta posibilidad.

B) Métrica.

El poema está compuesto por cinco divisiones de cuatro líneas, oscilando éstas entre las de 10 sílabas y las de 18. El encabalgamiento, aunque poco usado, tiene una importante función rítmica en el poema. Así las líneas: 1-2, 5-6. 9-10 y 19-20.

C) Notas estilísticas.

El ambiente en que se desarrolla el poema es similar a otros anteriores: la noche, el frío y la desolación. Mendigos que desean la vida aparecen en este panorama de sombras:

1 Albergue oscuro con mendigos de noche
2 Abrazando jirones de frío,
3 Mientras que los grupos inertes, iguales a una flor [de lluvia,
4 Contemplan cómo pasa una sonrisa.

Estos cuerpos o mendigos son opacos o parecen estar hechos de arena:

5 Poseen estos cuerpos miserables
6 Formas de ojos sin luz o de arena caída;

Desean la vida y ésta, en cierto modo, se confunde con el amor:

7 Vivir, allí canta una voz, si las manos no fallan,
8 Es alegre como un amor aprisionado.

En otro tiempo pasado estos mendigos buscaron la vida, el deseo, es decir, poseían el amor, y éste desborda a la vida más allá de sus límites:

9 Esos mendigos son los reyes sin corona
10 Que buscaron la dicha más allá de la vida,
11 Que buscaron la flor jamás abierta,
12 Que buscaron deseos terminados en nubes.

Sin el amor todo muere y carece de sentido, incluso la mis ma vida:

13 Los cuerpos palidecen como olas,
14 La luz es un pretexto de la sombra,
15 La risa va muriendo lentamente,
16 Y mi vida también se va con ella.

En la línea 16 encontramos la primera participación direct del autor; parece como si se confundiera con estos mendigos Las últimas líneas, matizadas de honda amargura, dan al poem un final sombrío. El recuerdo, con su carga de melancolía, s presenta como posibilidad negativa para el que no vive un pre sente lleno de contenido. Los años vacíos ya no son los mendigos es la oscuridad misma que se presenta ante el poeta y que tom conciencia de ello; ésta parece ser la causa de la línea 18. L melancolía y el llanto es la única solución a este estado:

17 Mas las sombras no son mendigos o coronas,
18 Son los años de hastío esta noche con vida;
19 Y mi vida es ahora un hombre melancólico
20 Sin saber otra cosa que su llanto.

El poema guarda un orden en su desarrollo. Las primera cuatro líneas presentan a estos mendigos como símbolo fund mental. Las cuatro siguiente describen cómo son. Cómo eran en e pasado estos personajes es el tema de la división siguiente; e las ocho últimas líneas entra la participación personal del auto que se confunde con el símbolo eje del poema. Este equilibri de la idea responde a un orden en la forma. Las primeras p labras de la primera línea de cada división lo indica: 1) Albe

gue oscuro...; 5) Poseen estos cuerpos...; 9) Esos mendigos son...; 13) Los cuerpos palidecen...; 17) Mas las sombras no son... Casi todos los verbos usados van añadiendo alguna facultad o quitando otras para al final perfilar claramente el asunto. Véanse las expresiones *poseen estos cuerpos, son, no son,* que coinciden, como hemos dicho antes, con la primera línea de cada división.

La anáfora juega un papel importante en el poema, tal es el caso de las líneas 10, 11 y 12, en donde la repetición de la frase *Que buscaron* expresa el afán de estos mendigos por el amor y la vida. Hay pocos encabalgamientos, pero éstos están acertadamente situados en posición inicial, media y final. (Ver el apartado B).

«MARES ESCARLATA»

A) Significación del poema.

En mitad de la noche hay un gemido de dolor que alcanza dimensiones enormes al compararse con el mar y su rabia devastadora.

B) Métrica.

El poema se compone de cuatro divisiones de dos, tres, cinco y seis líneas, que oscilan entre las de 7 sílabas y las de 14. La última división de dos líneas tiene la función ya indicada en otros poemas.

C) Notas estilísticas.

Un gemido en la noche de dolor y de rabia parece simbolizar la situación del poeta; ausencia de amor y deseo. Ante esto, reacciona con el dolor y desesperación matizada de rebeldía. En los poemas anteriores ante una situación similar sólo había amargura; sin embargo en este poema el autor parece sacudido por una fuerza y ánimo destructivos. La imagen del mar solitario golpeando contra todo y desbordándose sobre ciudades humeantes representa esta situación.

Lo mismo que la rebeldía es un nuevo factor, también lo es

el deseo. En las primeras líneas del poema podemos apreciar estos dos elementos:

1 Un gemido molusco
2 Parece nada de importancia;
3 Mas de noche un gemido son las olas
4 De mármol encendido,
5 Corolas fatigadas
6 O lascivas columnas.
7 Un gemido no es nada; son los mares
8 Coronados de otoño
9 Ante la puerta seca, como cauce
10 Olvidado de todos,
11 Su dolor contra un muro.
12 Un grito acaso pueda ofrecer más encantos,
13 Con el manto escarlata,
14 Con el pecho escarlata.

¿Qué puede significar para el mundo el dolor de un hombre? Sin embargo, dentro del ser que sufre puede levantar oleadas de violencia. Tal parece ser el sentido de las líneas: 1, 2, 3 y 4. Pero este dolor por la ausencia del sentimiento amoroso está matizado también por el deseo carnal. El gemido es como olas de mármol encendido o como columnas de lascivia (línea 6). En las últimas líneas del poema el grito sobrepasa al propio ser que sufre:

15 Son los mares, los mares desbordados
16 Que atraviesan ciudades humeantes.

Las imágenes del poema tienen todas un origen onírico; éste se podría considerar como uno de los textos más fieles a la escritura automática, al menos hasta los ahora comentados. Hay algo de apocalíptico, de destrucción total en el poema; los gemidos, las olas de mármol encendido, el color escarlata que infunden ese alto grado de pasión (líneas 13-14), los mares desbordándose, las ciudades incendiadas. Las imágenes se suceden sin coherencia, automáticamente.

Como recursos retóricos hay que señalar la anáfora de las líneas 13-14 que intensifica el matiz pasional del poema.

«RAZÓN DE LAS LAGRIMAS»

A) Significación del poema.

El amor y el deseo atormentan en la noche al poeta porque no ve posibilidad de alcanzarlos. Es una espera inútil que hace aumentar aún más su desdicha.

B) Métrica.

El poema se compone de cuatro divisiones de cinco y cuatro líneas que oscilan éstas entre las de 7 y las de 15.

C) Notas estilísticas.

El tormento del amor en mitad de la noche es como un mar que se desborda:

1 La noche por ser triste carece de fronteras.
2 Su sombra, en rebelión como la espuma,
3 Rompe los muros débiles
4 Avergonzados de blancura;
5 Noche que no puede ser otra cosa sino noche.

La rebeldía, como en «Mares escarlata», aparece también aquí, pero ya más perfilada, ese mar, siempre como símbolo de la fuerza destructiva, arremete contra todo lo que se le imponga. Las espumas arrasan los débiles muros. ¿Qué muros son éstos? ¿La sociedad que no comprende y rechaza la inclinación amorosa del poeta, o es su misma timidez para manifestar y conseguir su deseo?

Las siguientes líneas aclaran mejor la idea antes expuesta:

6 Acaso los amantes acuchillan estrellas,
7 Acaso la aventura apague una tristeza.
8 Mas tú, noche, impulsada por deseos
9 Hasta la palidez del agua,
10 Aguardas siempre en pie quién sabe a cuáles rui-
[señores.

En la noche el tormento crece impulsado por el deseo que se desborda hasta límites imprevisibles. El ruiseñor del verso parece simbolizar al poeta víctima de la noche atormentada por el deseo carnal, y aparece bajo la imagen de abismos poblados de serpientes entre plumas:

11 Más allá se estremecen los abismos
12 Poblados de serpientes entre pluma,
13 Cabecera de enfermos
14 No mirando otra cosa que la noche
15 Mientras cierran el aire entre los labios.

La noche se incendia fustigada por el deseo y mueve sus caderas, imagen ésta donde la sensualidad del poema alcanza su más alto grado Las dos últimas líneas resumen la espera inútil del amor:

16 La noche, la noche deslumbrante,
17 Que junto a las esquinas retuerce sus caderas,
18 Aguardando, quién sabe,
19 Como yo, como todos.

La anáfora de las líneas 6-7 indica una posibilidad, ésta es la función del *acaso* que contrasta con la certeza de la noche y sus pasiones. La reiteración de la palabra *noche,* en las líneas 1, 5, 8, 14 y 16, pone de delieve este momento en que el autor sufre la imposibilidad de conseguir el amor.

«TODO ES POR AMOR»

A) Significación del poema.

Si el amor se salva, no importa que la sociedad imponga sus leyes y normas demoledoras que privan de libertad al hombre.

B) Métrica.

El poema está compuesto de tres divisiones: 1.ª) 4 líneas; 2.ª) 5 líneas; 3.ª) 8 líneas de las siguientes medidas:

1.ª División

1) 17 (10 (decasílabo mixto) + 7 (heptasílabo dactílico).
2) 11 (endecasílabo heroico).
3) 7 (heptasílabo trocaico).
4) 14 (7 (heptasílabo dactílico) + 7 (heptasílabo dactílico).

2.ª División

5) 14 (7 (heptasílabo dactílico) + 7 (heptasílabo trocaico).
6) 7 (heptasílabo dactílico).

7) 7 (heptasílabo mixto).
8) 21 (7 (heptasílabo dactílico) + 7 (heptasílabo dactílico) + 7 (heptasílabo dactílico).
9) 7 (heptasílabo trocaico).

3.ª División

10) 14 (7 (heptasílabo trocaico) + 7 (heptasílabo dactílico).
11) 11 (endecasílabo heroico).
12) 18 (7 (heptasílabo mixto) + 11 (endecasílabo melódico).
13) 7 (heptasílabo mixto).
14) 4 (tetrasílabo trocaico).
15) 9 (eneasílabo dactílico).
16) 9 (5 (pentasílabo dactílico) + 4 (tetrasílabo trocaico).
17) 7 (heptasílabo dactílico).

Haciendo un recuento general vemos que en el poema hay:

3 versos alejandrinos.
2 » endecasílabos.
2 » eneasílabos.
6 » heptasílabos.
1 » tetrasílabo.

Tres líneas de 21, 18 y 17 sílabas respectivamente, y están compuestas de tres heptasílabos la de 21, de un heptasílabo y un endecasílabo la de 18, y un decasílabo y un heptasílabo la de 17 sílabas.

Como en el caso de «Remordimiento en traje de noche» y «Estoy cansado», en el presente poema observamos una superioridad del verso sobre la línea. Estas tres calas efectuadas en el libro nos demuestra que el autor tiene una voluntad de expresión según las posibilidades de la métrica tradicional.

C) Notas estilísticas.

Ese *Derriban* impersonal con que se abre el poema parece indicar a la sociedad en abstracto, y este verbo expresa la acción demoledora de los hombres:

1 Derriban gigantes de los bosques para hacer un dur- [miente,
2 Derriban los instintos como flores,
3 Deseos como estrellas,
4 Para hacer sólo un hombre con su estigma de hom- [bre.

Las líneas siguientes continúan enumerando los estragos y la indiferencia del autor ante ellos:

5 Que derriben también imperios de una noche,
6 Monarquías de un beso,
7 No significa nada;
8 Que derriben los ojos, que derriben las manos como [estatuas vacías,
9 Acaso dice menos.

Esta indiferencia expresada en las líneas 7 y 9, ante la brutal destrucción que se presenta obsesionante por la repetición de verbo *derribar,* mantiene en tensión al lector hasta la línea 9, en que a partir de entonces el poeta nos descubre su sentimiento, lo único que le interesa salvar. El poema desde este punto entra en un tono más melódico y apaciguado:

10 Mas este amor cerrado por ver sólo su forma,
11 Su forma entre las brumas escarlata
12 Quiere imponer la vida, como otoño ascendiendo tan- [tas hojas
13 Hacia el último cielo,
14 Donde estrellas
15 Sus labios dan a otras estrellas,
16 Donde mis ojos, estos ojos,
17 Se despiertan en otros.

Todo puede destruirse menos el amor, su amor. Pero al leer el final del poema cabe preguntarse: ¿Existe este amor del poeta corporizado en alguien o es sólo un deseo, una idealización? Creo que la línea 10, con el demostrativo *este,* parece indicar un amor concreto. En las siguientes líneas vemos que hay un amor en lucha que parte de lo particular y egoísta, es por lo que creo que lo califica de *cerrado,* hasta lo más espiritual, es decir, hay todo un camino platónico en sus fases. Poco a poco asciende el amor imponiendo la vida hacia una altura infinita. Parece como si en estas altitudes el sentimiento amoroso se hiciera más universal y puro. No quiero decir con esto que se convierta en un sentimiento panteísta sino que, por medio de una transformación, su amor se engrandece.

Las estrellas pueden simbolizar a la pureza. Los hombres con sus torpes instintos destruyen deseos como estrellas, es decir, puros (ver línea 3). Hacia el final del poema, cuando el amor

va ascendiendo hacia los últimos cielos, aparecen otra vez las estrellas en una lograda imagen erótica (líneas 14 y 15).

El recurso estilístico usado es la reiteración. Antes habíamos señalado las anáforas con *Derriban* y *Que derriben:* líneas 1-2 y 5-8 respectivamente. Lo mismo sucede con la palabra *estrellas* muy repetida en el poema. Así las líneas 3, 14 y 15. Hay pocos encabalgamientos, solamente al final donde el ritmo es más sereno y pausado: líneas 11-12-13 y 14-15.

«NO SÉ QUÉ NOMBRE DARLE EN MIS SUEÑOS»

A) Significación del poema.

El poeta a lo largo de su vida sin sentido nota que una luz le ilumina; es el amor, pero no es un amor actual o corporal. Más bien parece ser una idealización que sólo es posible en un mundo soñado o tal vez vivido en otra época.

B) Métrica.

El poema se compone de cinco divisiones de tres, cinco y seis líneas, y éstas oscilan entre las de 7 sílabas y las de 14.

C) Notas estilísticas.

Creo que el problema fundamental es distinguir si se trata de un amor que sólo existe en la mente del poeta o es un amor hacia alguien en concreto. En las cuatro primeras líneas el autor dice cómo su forma se encuentra con otra a la hora del crepúsculo, en ese momento en que los perfiles se difuminan y todo se envuelve en una luz indecisa. No habla el autor de cuerpos sino de formas que es un término más abstracto. Aquí tenemos ya un primer dato para creer que se trata de un amor soñado, a la par que también el título del poema nos es revelador:

1 Ante mi forma encontré aquella forma
2 En tiempo de crepúsculo,
3 Cuando las desapariciones
4 Confunden los colores a los ojos,
5 Cuando el último amor
6 Busca el cuerpo postrero.

En la línea 6 aparece el cuerpo, pero creo que sólo tiene un valor de símbolo indicando el deseo para hallar un amor.

En las líneas siguientes el autor describe su vida antes de encontrar o imaginar esta forma. Los elementos para expresar su estado son similares a los de otros poemas anteriores cuyo asunto es el mismo: la angustia, cortejo de fantasmas con cadenas rotas, y se entiende que todo ello está envuelto por las sombras de la noche:

7 Una angustia sin fondo aullaba entre las piedras;
8 Hacia el aire, hombres sordos,
9 La cabeza olvidada,
10 Pasaban a lo lejos como libres o muertos;
11 Vergonzoso cortejo de fantasmas
12 Con las cadenas rotas colgando de las manos.

A través de esta vida sórdida aparece el amor como una luz, como un don del azar, y se vuelve a hacer alusión al momento en que el poeta halló esa forma, es decir, el crepúsculo. Cuando el día, cansado por su monotonía y su fin, prepara amaneceres no menos monótonos y tristes que los anteriores:

13 La vida puso entonces una lámpara
14 Sobre muros sangrientos;
15 El día ya cansado secaba tristemente
16 Las futuras auroras, remendadas
17 Como harapos de rey.

De nuevo surge la duda sobre la corporeidad o lo imaginado de este amor:

18 La lámpara eras tú,
19 Mis labios, mi sonrisa,
20 Forma que hallan mis manos en todo lo que alcan-
[zan.

Ese *tú* tan concreto de la línea 18 contrasta con la idealización de las siguientes:

21 Si mis ojos se cierran es para hallarte en sueños,
22 Detrás de la cabeza,
23 Detrás del mundo esclavizado,
24 En ese país perdido
25 Que un día abandonamos sin saberlo.

Parece como si el amor sólo tuviera lugar en el sueño, fuera de toda lógica y del mundo real con sus normas y trabas. Pero

al final se abre la interrogante: ¿Es un amor pasado en una época en que el poeta vivía plenamente o es un amor narcisista en el que ese país de ensueño evoca el paraíso perdido de la niñez? Asegurar una u otra interpretación sería arriesgado, es por lo que creo conveniente dejar el misterio que, según parece, es la intención del autor.

Cabe destacar la anáfora de las líneas 22-23 que expresa esa incorporeidad del amor: «Detrás de la cabeza / Detrás del mundo esclavizado». Es decir, más allá del mundo tangible.

«DUERME, MUCHACHO»

A) Significación del poema.

El autor en el poema enumera una serie de elementos la mayor parte de ellos negativos. No hay un asunto determinado, pero por los elementos escogidos se transparenta un determinado estado de ánimo.

B) Métrica.

El poema está compuesto de tres divisiones de cuatro líneas. La última línea, separada de las restantes, tiene la función ya indicada en otros poemas. Oscilan entre las de 9 sílabas y las de 14.

C) Notas estilísticas.

Se trata de una enumeración que no llega a ser caótica porque no es ésta la intención del poeta. Todos los elementos evocados traslucen un espíritu en tensión, muestran quizás una crisis de hondo pesimismo. Algunos de estos elementos se engarzan en imágenes oníricas que aumentan aún más la tensión dramática:

1 La rabia de la muerte, los cuerpos torturados,
2 La revolución, abanico en la mano,
3 Impotencia del poderoso, hambre del sediento,
4 Duda con manos de duda y pies de duda;
5 La tristeza, agitando sus collares
6 Para alegrar un poco tantos viejos;

7 Todo unido entre tumbas como estrellas,
8 Entre lujurias como lunas;
9 La muerte, la pasión en los cabellos,
10 Dormitan tan minúsculas como un árbol,
11 Dormitan tan pequeñas o tan grandes
12 Como un árbol crecido hasta llegar al suelo.
13 Hoy sin embargo está también cansado.

La precipitación de la técnica enumerativa tiene dos pausas: una en las líneas 7 y 8, y otra en las líneas 10-11 y 12. La muerte, la revolución, la impotencia, la tristeza, la duda están unidas por la lujuria que engaña con su resplandor, y la muerte misma también con apariencia engañosa. Pero todos estos elementos se condensan en dos: la muerte y la pasión que crecen como un árbol, no importa si grande o pequeño, pero sí que va hacia el suelo, es decir, hacia lo más hondo de la conciencia del poeta. La última línea cierra el círculo que comienza a trazarse con el título: el sueño y el cansancio.

La muerte y la duda quizás sean los elementos más perfilados. Insiste el autor sobre la muerte en las líneas 1 y 9, y sobre la duda construye una personificación: «Duda con manos de duda y pies de duda», como si tuviese un cuerpo todo él dubitativo.

Por último, sólo hay que señalar una anáfora en las líneas 10-11. El encabalgamiento apenas se da, ya que el asunto impone un ritmo en el que no sería adecuado.

«*DRAMA O PUERTA CERRADA*»

A) Significación del poema.

La vida con sus desdichas y dudas atormenta al poeta que sabe, no sin temor, que la muerte es la única liberación.

B) Métrica.

El poema se compone de tres divisiones de seis y cinco líneas, y éstas oscilan entre las de 7 sílabas y las de 15.

C) Notas estilísticas.

La juventud y la vida pasan sin sentirse entre temores y desdichas. Tan sólo la muerte pone fin a esta situación:

1 La juventud sin escolta de nubes,
2 Los muros, voluntad de tempestades,
3 La lámpara, como abanico fuera o dentro,
4 Dicen con elocuencia aquello no ignorado,
5 Aquello que algún día débilmente
6 Ante la muerte misma se abandona.

La juventud pasa sin escolta de nubes y entre muros, es decir, sin ilusiones y en un ambiente cerrado. La lámpara de la línea 3 hace pensar en una habitación donde el poeta ve pasar amargamente el tiempo. Esta juventud entre muros, casi asfixiante, sin ilusión, es aún más triste cuando se tiene la certeza de la muerte. ¿Hay en estos tres elementos con que se describe la vida del autor un deseo de vida al aire libre, de campo abierto, contraria a la de un intelectual como era Cernuda? Ya en su libro *Perfil del Aire* la lámpara y los muros eran sinónimos de vida encerrada y solitaria [8].

7 Huesos aplastados por la piedra de sueños,
8 ¿Qué hacer, desprovistos de salida,
9 Si no es sobre puente tendido por el rayo
10 Para unir dos mentiras,
11 Mentira de vivir o mentira de carne?

La vida y el deseo (línea 11) son apariencias que no conducen a nada; sólo la muerte se cierne sobre el mundo y es como un puente tendido por el rayo que hace ver su fin, la falsedad de todo.

Mientras, la vida transcurre entre tareas que no tienen otro objeto que adormecer ese temor a la muerte, ese viaje más allá del tiempo (línea 17):

12 Sólo sabemos esculpir biografías
13 En músicas hostiles;
14 Sólo sabemos contar afirmaciones
15 O negaciones, cabellera de noche;
16 Sólo sabemos invocar como niños al frío
17 Por miedo de irnos solos a la sombra del tiempo.

La anáfora *sólo sabemos* tiene la función de hacernos ver lo inútil de nuestras acciones. El temor de la muerte es tan grande que incluso reclamamos la compañía más hostil: el frío

8. Idem, págs. 71-82.

(línea 16). ¿Hay alguna salida para la soledad, la vida y la libertad? El poeta nos dice que todo es apariencia, que la única certeza es la muerte. El poema es de un hondo y amargo pesimismo. Ni siquiera el fin absoluto es un descanso. La nada oscura y sombría se extiende palpitante ante nuestros ojos.

«DEJADME SOLO»

A) Significación del poema.

Lo verdadero y lo falso carecen de sentido para el poeta. Verdad y mentira se comparan con pájaros emigrantes, es decir, con algo cambiante y sin constancia. Pero es la mentira la que está más pronta a manifestarse. Basta «querer», como dice el propio poeta, para que surja entre nosotros. En definitiva se trata de un poema nihilista y escéptico.

B) Métrica.

El poema está compuesto de tres divisiones de seis, cinco y cuatro líneas, y éstas oscilan entre las de 7 sílabas y las de 21.

C) Notas estilísticas.

La incoherencia es notable en el poema; por este motivo está muy cerca de la técnica automática, pero aun así es comprensible. Creo que lo que el autor quiere decirnos es la falta de comprensión entre los hombres. No hay verdad ni mentira, sólo nuestra soledad y la incapacidad de comunicación. La mentira siempre está presta para sembrar aún más confusión sobre el mundo. Podría decirse que el tema de «Dejadme solo» es el caos, éste se consigue con la repetición obsesiva de las palabras *mentira* y *verdad.*

1 Una verdad es color de ceniza,
2 Otra verdad es color de planeta;
3 Mas todas las verdades, desde el suelo hasta el suelo,
4 No valen la verdad sin color de verdades,
5 La verdad ignorante de cómo el hombre suele en-
[carnarse en la nieve.
6 En cuanto a la mentira, basta decirle «quiero»

7 Para que brote entre las piedras
8 Su flor, que en vez de hojas luce besos,
9 Espinas en lugar de espinas.

Parece que la mentira es sinónimo del amor; ésta no tiene hojas sino besos y espumas. La expresión coloquial con la que se abre la línea 6 da el carácter discernidor en el que está basado el poema.

La verdad y la mentira se reducen a simples palabras confusas y que nada dicen:

10 La verdad, la mentira,
11 Como labios azules,
12 Una dice, otra dice;
13 Pero nunca pronuncian verdades o mentiras su se-
[creto torcido;
14 Verdades o mentiras
15 Son pájaros que emigran cuando los ojos mueren.

Pero el autor no solamente no cree en la verdad o en la mentira, sino que afirma que en su esencia, si alguna vez se pronuncian, son engañosas, tienen dentro de sí un «secreto torcido» línea 13). Por otra parte, son efímeras porque al morir el hombre éstas también sucumben con él, ya que no son más que productos de su espíritu imperfecto (línea 15).

El caos se consigue en el aspecto formal con la repetición le algunas palabras: *verdad, suelo, espinas, dice.* La verdad puede tener color de ceniza o de planeta y desde el suelo hasta el suelo, es decir, en su esencia misma es inútil. La mentira, por su parte, también es dolorosa, el dolor se intensifica con la expresión «Espinas en lugar de espinas». Una y otra se dicen palabras sin sentido: «Como labios azules, / Una dice, otra dice». Mediante el recurso reiterativo el autor consigue igualar expresión con el contenido, comunica el caos a la forma del poema. La mezcla de líneas breves y largas ayuda a este fin.

«CARNE DE MAR»

A) Significación del poema.

Parece como si el otoño fuese una época propicia para el amor, pero no es así para todos; hay una persona en el poe-

ma (él) que pudiera ser el mismo autor, al que el amor le está vedado.

B) Métrica.

El poema está compuesto por tres divisiones de cinco, seis y cinco líneas respectivamente, y éstas oscilan entre las de 7 sílabas y las de 16. La última línea, separada de las divisiones, realiza la función ya señalada en otros poemas.

C) Notas estilísticas.

Nuevamente aparece una región norteamericana, Virginia, con las mismas características de las otras, es decir, como región de ensueño y de lejanía mítica. Virginia en otoño es el país del amor, vuelven los cazadores a sus casas, hacia el paisaje familiar y al cuerpo amado que espera:

1 Dentro de breves días será otoño en Virginia,
2 Cuando los cazadores, la mirada de lluvia,
3 Vuelven a su tierra nativa, el árbol que no olvida,
4 Corderos de apariencia terrible,
5 Dentro de breves días será otoño en Virginia.

La primera línea se repite al final de la división como un estribillo, esta repetición acentúa aún más la nostalgia por la falta de amor de esa persona que antes hemos dicho que puede ser el mismo poeta:

6 Sí, los cuerpos estrechamente enlazados,
7 Los labios en la llave más íntima,

En la expresión «Dentro de breves días» (líneas 1-5) y el Sí de la línea 6 parece indicar una certeza dramática de que el amor existe en todos menos en él. La interrogación de los versos siguiente lo confirma:

8 ¿Qué dirá él, hecho piel de naufragio
9 O dolor con la puerta cerrada,
10 Dolor frente a dolor,
11 Sin esperar amor tampoco?

La ausencia del amor convierte al personaje en un solitario náufrago:

12 El amor viene y va, mira;
13 El amor viene y va,

14 Sin dar limosna a nubes mutiladas,
15 Por vestidos harapos de tierra,
16 Y él no sabe, nunca sabrá más nada.
17 Ahora inútil pasar la mano sobre otoño.

El amor pasa delante de él sin tocarle. La línea 17 condensa la situación dramática: «Ahora inútil pasar la mano sobre otoño» que es igual que decir: es inútil intentar el amor.

«VIEJA RIBERA»

A) Significación del poema.

En el poema hay una nostalgia por la niñez. El hombre, consciente de la vida y sus problemas, confronta su época de inocencia sin el factor tiempo y su estado actual de expulsado del paraíso.

B) Métrica.

El poema está compuesto de tres divisiones de seis, cinco y seis líneas, y éstas oscilan entre las de 9 sílabas y las de 16.

C) Notas estilísticas.

Las primeras seis líneas expresan la nostalgia por la pérdida de la niñez:

1 Tanto ha llovido desde entonces,
2 Entonces, cuando los dientes no eran carne, sino días
3 Pequeños como un río ignorante
4 A sus padres llamando porque siente sueño,
5 Tanto ha llovido desde entonces,
6 Que ya el paso se olvida en la cabeza.

La línea 1 indica los años que han pasado, lo lejos que está ya la niñez. En la línea 2 hace el autor una alusión muy directa a esta época del niño; los dientes sin carne son una inversión de las encías sin dientes del niño. Los «días pequeños» expresan la atemporalidad de la niñez, al igual que «río ignorante» indica la inocencia. La línea 1 se repite en la 5 para dar aún mayor sentimiento de dolor por la niñez perdida. La línea 7 refuerza la

anterior con la intervención del olvido, tantos años han pasado que es imposible llevar la cuenta de ellos:

7 Unos dicen que sí, otros dicen que no;
8 Mas sí y no son dos alas pequeñas,
9 Equilibrio de un cielo dentro de otro cielo,
10 Como un amor está dentro de otro,
11 Como el olvido está dentro del olvido.

El sí y el no nada importan, la verdad y la mentira son como dos «alas pequeñas». El amor y el olvido equiparan a esta arbitrariedad. Pero la vida prosigue inalterablemente hacia la muerte, los años no son más que un camino hacia el final, hacia esa tumba de «estrellas apagadas»; tal es la derrota del hombre:

12 Si el suplicio con ira pide fiestas
13 Entre las noches más viriles,
14 No haremos otra cosa que apuñalar la vida,
15 Sonreír ciegamente a la derrota,
16 Mientras los años, muertos como un muerto,
17 Abren su tumba de estrellas apagadas.

Como recurso estilístico hay también que destacar la anáfora de las líneas 10 y 11 que tiene como función expresar la arbitrariedad entre olvido y amor. El autor iguala estos dos sentimientos como muestra de su amargura.

«LA CANCIÓN DEL OESTE»

A) Significación del poema.

Es posible que el oeste al que se alude en el poema sea el norteamericano. Como ya sabemos, en este mismo libro el autor hace mención de otras regiones del país, todas ellas, incluso el oeste aquí evocado, tienen las mismas características de lejanía y ensueño, donde aún es posible hallar la vida y el amor en estado puro y primitivo. Pero en este poema el olvido y el desengaño empañan también el lugar donde en un tiempo el poeta creía encontrar sus ideales.

B) Métrica.

El poema se compone de cuatro divisiones de cinco, seis y siete líneas que oscilan entre las de 4 sílabas y las de 14. Las

líneas 2, 4, 5, 6, 8, 13, 16, 17, 19, 20 y 21 son versos alejandrinos divididos por una cesura en grupos de 7 + 7 sílabas, como es ya característico en otros poemas del libro.

C) Notas estilísticas.

1 Jinete sin cabeza,
2 Jinete como un niño buscando entre rastrojos
3 Llaves recién cortadas,
4 Víboras seductoras, desastres suntuosos,
5 Navíos para tierra lentamente de carne,
6 De carne hasta morir igual que muere un hombre.

Este jinete decapitado que va entre rastrojos a tientas y solitario buscando el deseo, los fracasos, las resoluciones e incluso la misma muerte, se puede comparar a ese personaje de otros poemas que en la noche, como un sonámbulo, pena la ausencia del amor. Como ya sabemos, el último símbolo, es decir, el del personaje nocturno, parece encarnar al propio poeta. ¿Puede acontecer lo mismo con la figura del jinete? Que este jinete no tenga cabeza creo que es muy significativo. Al igual que el personaje nocturno está vacío de todo impulso vital por la falta de amor. La cabeza donde está el motor de nuestra vida, falta en el jinete que deambula por los páramos desolados.

Pero un día ya lejano este jinete tuvo una vida llena de significados, el amor estaba presente y éste daba sentido a todo. Ahora tan sólo queda el recuerdo que poco a poco se diluye en el olvido:

7 A lo lejos
8 Una hoguera transforma en ceniza recuerdos,
9 Noches como una sola estrella,
10 Sangre extraviada por las venos un día,
11 Furia color de amor,
12 Amor color de olvido,
13 Aptos ya solamente para triste buhardilla.

El oeste es la región donde le poeta en otro tiempo poseyó el amor, ahora tan sólo es el sonido de una canción lejana. Las manos ya no tienen sentido, ya no pueden aprisionar a la luna porque ésta es opca y estéril. Estas manos que creían aprisionar a la luna parecen simbolizar el deseo:

14 Lejos canta el oeste,

15 Aquel oeste que las manos antaño
16 Creyeron apresar como el aire a la luna;
17 Mas la luna es madera, las manos se liquidan
18 Gota a gota, idénticas a lágrimas.

El olvido no es aquí una consecuencia del pasar del tiempo, sino como un despecho, una rebeldía:

19 Olvidemos pues todo, incluso al mismo oeste;
20 Olvidemos que un día las miradas de ahora
21 Lucirán a la noche, como tantos amantes,
22 Sobre el lejano oeste,
23 Sobre amor más lejano.

Lo peculiar de este poema con respecto a los anteriores es que no se da una derrota impuesta, que no hay una huida pasiva, sino que existe una voluntad de imponerse con la rebeldía y el despecho ante la falta de amor.

Las imágenes, todas ellas de carácter onírico, adquieren coherencia en el conjunto del poema.

Las anáforas son frecuentes. Ver las líneas: 1-2, 19-20, 22-23. La de las líneas 19-20 tiene la función de expresar el olvido que nace de la decisión propia, la rebeldía ante el amor que no le corresponde.

«¿SON TODOS FELICES?»

A) Significación del poema

El honor, el patriotismo, el sacrificio, el deber, no valen lo que el dolor del amor que aniquila a los cuerpos. Ante este dolor se yergue la rebeldía con feroz nihilismo. Del amor cuando pasa sólo queda la desolación, y la vida así planteada ve la muerte como final.

B) Métrica.

El poema está compuesto por cuatro divisiones de cinco y cuatro líneas, y éstas oscilan entre las de 5 sílabas y las de 19.

C) Notas estilísticas.

1 El honor de vivir con honor gloriosamente,

2 El patriotismo hacia la patria sin nombre,
3 El sacrificio, el deber de labios amarillos,
4 No valen un hierro devorando
5 Poco a poco algún cuerpo triste a causa de ellos
[mismos.
6 Abajo pues la virtud, el orden, la miseria;
7 Abajo todo; todo excepto la derrota,
8 Derrota hasta los dientes, hasta ese espacio helado
9 De una cabeza abierta en dos a través de soledades,
10 Sabiendo nada más que vivir es estar a solas con
[la muerte.

El amor es como un hierro que devora a los cuerpos (líneas -5). Y este dolor es lo único que queda. Parece que no se trata le un amor actual para el poeta, sino pasado y fallido. Cuando l amor pasa deja esta herida como única realidad, es decir, a derrota. Fuera de esto, nada existe, o aún más, el autor no uiere que exista, de ahí su grito iconoclasta: «Abajo pues la virud, el orden, la miseria; / Abajo todo, todo excepto la derrota». a derrota supone la soledad amarga y la muerte como final:

11 Ni siquiera esperar ese pájaro con brazos de mujer,
12 Con voz de hombre oscurecida deliciosamente,
13 Porque un pájaro, aunque sea enamorado,
14 No merece aguardarle, como cualquier monarca
15 Aguarda que las torres maduren hasta frutos po-
[dridos.

¿Qué puede representar ese pájaro con brazos de mujer y oz de hombre inspirado en las quimeras clásicas? Quizás pueda er el amor, y estos miembros de mujer y voz de hombre indiuen la apariencia y el engaño del amor que, una vez que pasa, eja la desolación en el amante. Pájaro mortal que no merece er esperado. Parece como si el autor nos dijera aquí una frase ue es título de uno de sus poemas: *No intentemos el amor unca.*

Junto al dolor y la rabia queda el grito postrero:

16 Gritemos sólo,
17 Gritemos a un ala enteramente,
18 Para hundir tantos cielos,
19 Tocando entonces soledades con mano disecada.

El afán destructivo, no sólo de sí mismo, sino de elementos

sobre los cuales se basa la sociedad, tales como el honor, el de
ber, la virtud, el orden, etc., es característico del surrealismo
que, como ya sabemos, ataca los cimientos de la sociedad bur
guesa. Esta rebelión del poeta ante sí mismo y lo que le rodea no
es muy frecuente en los poemas anteriores, más bien se trata
de una queja que se conforma con su destino de desterrado de
amor y que se aleja como un fantasma entre sombras.

La enumeración de sentimientos de las cinco primeras líneas
produce anáforas con el artículo *el* (ver líneas 1-2-3). Así como
también la voluntad de destrucción con el *Abajo* y *Gritemos* de
las líneas 6-7 y 16-17 respectivamente.

«NOCTURNO ENTRE LAS MUSARAÑAS»

A) Significación del poema.

Una sensación de desconcierto vacío y desengaño, impreg
na al poema. El olvido parece la única salida a una situación d
amor pasado o fallido.

B) Métrica.

El poema está compuesto por dos divisiones de 9 líneas cad
una, y éstas oscilan entre las de 7 sílabas y las de 14.

C) Notas estilísticas.

Otra vez nos encontramos con este cuerpo vacío y sin sentid
que parece arrastrarse por la vida, ya con dolor y rabia, ya cas
sin fuerzas. Las montañas simbolizan esta rebelión contra s
mismo y las cosas. Por el contsario, los muros, las cataratas
el tiempo que van derrotando al hombre, representan esta facet
negativa de resignación; en este sentido, el cuerpo queda dis
cado, como de piedra, sin el impulso de la vida:

1 Cuerpo de piedra, cuerpo triste
2 Entre lanas como muros de universo,
3 Idéntico a las razas cuando cumplen años,
4 A los más inocentes edificios,
5 A las más poderosas cataratas,
6 Blancas como la noche, en tanto la montaña

7 Despedaza formas enloquecidas,
8 Despedaza dolores como dedos,
9 Alegrías como uñas.

A este cuerpo vacío y triste le es propio el deambular, como también ocurre en otros poemas anteriores. El deseo y el amor son cortados de raíz. ¿Por quién? Hay un trastrueque en los verbos que indican la acción de ese viento aniliquilador del amor y el deseo que no permite que se manifiesten plenamente (ver líneas 11-12 y 13). Pero el cuerpo sigue en vano deseando el amor, el olvido se abre fatalmente ante él como un final insalvable:

10 No saber donde ir, donde volver,
11 Buscando los vientos piadosos
12 Que destruyen las arrugas del mundo,
13 Que bendicen los deseos cortados a raíz
14 Antes de dar su flor,
15 Su flor grande como un niño.
16 Los labios quieren esa flor
17 Cuyo puño, besado por la noche,
18 Abre las puertas del olvido labio a labio.

El recurso más usado, como ya es característico, es la reiteración, sobre todo la anáfora que proporciona al poema este ritmo de fuga angustiosa y obsesionante. Así las líneas 4-5, 7-8, 12-13. La repetición interna de ciertas palabras como *cuerpo, deseo, flor, labio,* contribuyen también a proporcionar el ritmo antes expresado.

«COMO LA PIEL»

A) Significación del poema.

Un mundo cerrado y asfixiante clama por su liberación. Dentro de él la vida se destruye lentamente. La causa podría ser el sufrimiento por un amor muerto. Al final del poema el amor, una vez aniquilada su víctima, resurgirá para poseer a otra.

B) Métrica.

El poema se compone de tres divisiones de seis, ocho y nueve líneas respectivamente, y éstas oscilan entre las de 5 sílabas y las de 18.

C) **Notas estilísticas.**

1 Ventana huérfana con cabellos habituales,
2 Gritos del viento,
3 Atroz paisaje entre cristal de roca,
4 Prostituyendo los espejos vivos,
5 Flores clamando a gritos
6 Su inocencia anterior a obesidades.

Una ventana «huérfana», inútil para la comunicación exterior, todo está envuelto en cristal, como disecado. Pero las flores, que pudieran simbolizar la vida, gritan por su libertad. Lentamente esta urna destroza los deseos, las ilusiones, penetra en los huesos y en ellos no hay nada, tan sólo un grito de angustia:

7 Esas cuevas de luces venenosas
8 Destrozan los deseos, los durmientes;
9 Luces como lenguas hendidas
10 Penetrando en los huesos hasta hallar la carne,
11 Sin saber que en el fondo no hay fondo,
12 No hay nada, sino un grito,
13 Un grito, otro deseo
14 Sobre una trampa de adormideras crueles.
15 En un mundo de alambre
16 Donde el olvido vuela por debajo del suelo,
17 En un mundo de angustia,
18 Alcohol amarillento,
19 Plumas de fiebre,
20 Ira subiendo a un cielo de vergüenza,
21 Algún día nuevamente resurgirá la flecha
22 Que abandona el azar
23 Cuando una estrella muere como otoño para olvi-
[dar su sombra.

La esterilidad llega a su más alto grado con la línea 15. El olvido que corre bajo nuestros pies se presenta como una continua amenaza. La flecha que resurgirá puede simbolizar el amor que abandona el azar para atormentar a otra víctima, cuando la anterior se haya extinguido.

Con el poema comentado finaliza el libro. La última línea quizás simbolice la derrota y el dolor del hombre ante el amor pasado. Podría decirse que el autor considera al amor como un fuerte viento que todo lo destruye a su paso.

CAPITULO CUARTO

ESTUDIO CRÍTICO DE *LOS PLACERES PROHIBIDOS*

«DIRÉ CÓMO NACISTEIS»

A) Significación del poema.

El poeta defiende su peculiar inclinación amorosa de la re-
ulsa de la sociedad. Además de una apologética de su amor, el
oeta resalta una invitación a la rebeldía y un duro reproche a
s leyes que aprisionan la libertad del hombre.

B) Métrica.

El poema está compuesto de nueve divisiones: 1.ª, 6 líneas;
ª, 6 líneas; 3.ª, 5 líneas; 4.ª, 4 líneas, 5ª., 6 líneas; 6.ª, 5 líneas;
ª, 4 líneas; 8.ª, 8 líneas; 9.ª, 5 líneas, de las siguiente medidas:

1.ª División

1) 15 (8 (octosílabo mixto) + 7 (heptasílabo trocaico).
2) 14 (7 (heptasílabo dactílico) + 7 (heptasílabo dactílico).
3) 15 (9 (eneasílabo mixto a) + 6 (hexasílabo trocaico).
4) 13 (7 heptasílabo mixto) + 6 (hexasílabo dactílico).
5) 11 (4 (tetrasílabo trocaico) + 7 (heptasílabo trocaico).
6) 13 (6 (hexasílabo trocaico) + 7 (heptasílabo dactílico).

2.ª División

7) 14 (8 (octosílabo mixto b) + 6 (hexasílabo trocaico).
8) 10 (decasílabo trocaico).
9) 14 (7 (heptasílabo dactílico) + 7 (heptasílabo dactílico).
10) 13 (4 (tetrasílabo trocaico) + 9 (eneasílabo dactílico).
11) 3 (trisílabo dactílico).
12) 10 (decasílabo dactílico).

3.ª División

13) 14 (7 (heptasílabo trocaico) + 7 (heptasílabo trocaico).

14 16 (7 (heptasílabo dactílico) + 9 (eneasílabo mixto c).
15) 13 (8 (octosílabo trocaico) + 5 (pentasílabo dactílico).
16 19 (7 (heptasílabo dactílico) + 12 (dodecasílabo de 5-7)
17) 7 (heptasílabo dactílico).

4.ª División

18) 14 (heptasílabo trocaico) + 7 (heptasílabo trocaico).
19) 11 (endecasílabo sáfico).
20) 14 (5 (pentasílabo dactílico) + 9 (eneasílabo trocaico)
21) 16 (5 (pentasílabo dactílico) + 11 (endecasílabo melódico

5.ª División

22) 14 (7 (heptasílabo dactílico) + 7 (heptasílabo trocaico)
23) 15 (8 (octosílabo trocaico) + 7 (heptasílabo mixto).
24) 14 (7 (heptasílabo mixto) + 7 (heptasílabo trocaico).
25) 13 (6 (hexasílabo dactílico) + 7 (heptasílabo dactílico)
26) 11 (endecasílabo melódico).
27) 11 (endecasílabo melódico).

6.ª División

28) 11 (endecasílabo melódico).
29) 10 (decasílabo dactílico esdrújulo).
30) 18 (6 (hexasílabo polirrítmico) + 12 (dodecasílabo de 5-7)
31) 13 (6 (hexasílabo dactílico) + 7 (heptasílabo dactílico)
32) 19 (9 (eneasílabo mixto c) + 10 (decasílabo trocaico).

7.ª División

33) 9 (eneasílabo mixto a).
34) 12 (8 (octosílabo trocaico) + 4 (tetrasílabo trocaico).
35) 10 (decasílabo mixto).
36) 13 (5 (pentasílabo trocaico) + 8 (octosílabo dactílico)

8.ª División

37) 17 (6 (hexasílabo trocaico) + 4 (tetrasílabo trocaico + 7 (heptasílabo dactílico).
38) 12 (5 (pentasílabo dactílico) + 7 (heptasílabo trocaico)
39) 11 (endecasílabo melódico).
40) 14 (7 (heptasílabo dactílico) + 7 (heptasílabo trocaico
41) 15 (5 (pentasílabo dactílico) + 10 (decasílabo trocaico compuesto).
42) 11 (endecasílabo polirrítmico).

43) 12 (9 (eneasílabo dactílico) + 3 (trisílabo dactílico).
44) 14 (2 (bisílabo trocaico) + 8 (octosílabo trocaico) + 4 (tetrasílabo trocaico).

9.ª División

45) 10 (3 (trisílabo dactílico) + 7 (heptasílabo polirrítmico).
46) 14 (5 (pentasílabo dactílico) + 9 (eneasílabo trocaico).
47) 10 (decasílabo dactílico simple).
48) 9 (eneasílabo polirrítmico).
49) 13 (4 (tetrasílabo trocaico) + 9 (eneasílabo mixto a).

Haciendo un recuento general vemos que en el poema hay: 1 verso trisílabo; 1 heptasílabo; 2 eneasílabos; 6 decasílabos; 7 endecasílabos; 3 dodecasílabos; 11 alejandrinos; 8 líneas de 13 sílabas; 4 de 15; 2 de 16; 1 de 17; otra de 18 y 2 de 19. Pero como podemos ver, las líneas poéticas están constituidas por versos tradicionales.

Cernuda establece una combinación de líneas en las que se identifican los versos tradicionales de más o menos uso, según puede verse en el esquema. La disposición métrica del poema es claramente esticomítica y se aprecia que en la mayoría de las líneas dispone una partición interna con tendencia al equilibrio. De esta forma el autor compensa la falta de unidad de la nueva métrica con esta disposición a la vez uniforme y flexible.

C) Notas estilísticas.

En la primera línea el autor expresa su intención de decirnos el mensaje del poema, y va a decírnoslo de una manera íntima, casi como una confesión; es por lo que se expresa en primera persona:

1 Diré como nacisteis, placeres prohibidos.

La línea 2 indica cómo surge el deseo de un amor prohibido:

2 Como nace un deseo sobre torres de espanto.

Desde la línea 3 a la 6 se desarrollan una serie de imágenes que reflejan un mundo cerrado y agobiante que repudia estos sentimientos, y como consecuencia, la rebeldía del poeta:

3 Amenazadores barrotes, hiel descolorida,
4 Noche petrificada a fuerza de puños,
5 Ante todos, incluso el más rebelde,
6 Apto solamente en la vida sin muros.

La línea 3 expresa ese mundo carente de libertad. El símbolo de la altiva rebelión del poeta es el puño que se yergue amenazante ante todos. Sus inclinaciones amorosas sólo serían posible dentro de una total libertad.

En las líneas 7 y 8 el autor añade más imágenes que reflejan ese mundo incomprensible. Las líneas 9 y 10 dicen en qué consiste ese deseo prohibido, y este deseo tiene un adjetivo esencial para la comprensión del poema: *lascivo.* En las líneas 11 y 12 aparece de nuevo la actitud altiva y rebelde del poeta, pero esta vez es más definitiva e interna:

> 11 No importa;
> 12 Ya declaran tu espíritu impuro.

Creo que el significado del poema está contenido en estas doce primeras líneas. Según nuestro análisis (hasta la línea 12) hemos visto los siguientes temas: la naturaleza amorosa del poeta que se contrapone a una sociedad que la rechaza. Por este motivo surge su rebeldía y el orgullo. El resto del poema perfila y acentúa aún más lo expresado. Las líneas 13-17 reflejan el orgullo rebelde por medio de la anáfora *No importa,* iniciada ya en la línea 11. De las líneas 18 a la 23 enumera o define los placeres prohibidos. De la 24 a la 36 descubre esa sociedad con sus leyes asfixiantes y cerradas, hostil a sus sentimientos. De la línea 37 a la última entabla una lucha entre los placeres prohibidos y ese mundo contrario. Es aquí donde más claramente se ve la altivez del poeta.

Pero veamos cómo Cernuda representa estas líneas temáticas, es decir, la naturaleza de su amor, la repulsa de la sociedad con sus leyes intransigentes, su orgullo y rebeldía.

Sentido amoroso.

El mismo autor declara que su inclinación amorosa está dentro de lo prohibido. Desde la primera línea así lo califica:

> 1 Diré cómo nacisteis, placeres prohibidos.

Así pues, agruparé los distintos símbolos con que representa este tipo de amor:

> 2 Como nace un deseo sobre torres de espanto.

Y más adelante dice:

> 9 Tu deseo es beber esas hojas lascivas

10 O dormir en esa agua acariciadora.
11 No importa;
12 Ya declaran tu espíritu impuro.

A medida que avanza el poema estos placeres **o deseos** se perfilan más concretamente:

18 Placeres prohibidos, planetas terrenales,
19 Miembros de mármol con sabor de estío,
20 Jugo de esponjas abandonadas por el mar,
21 Flores de hierro, resonantes como el pecho de un [hombre.

En las líneas siguientes aparece el sentimiento de ser diferente. El enfrentamiento altivo del que escoge el amor prohibido:

22 Soledades altivas, coronas derribadas,
23 Libertades memorables, manto de juventudes;

En definitiva, el deseo en Cernuda, al menos aquí, está representado por una serie de símbolos del subconsciente enumerados caóticamente y que responden a la inspiración surrealista bajo la cual está concebido el poema. El deseo nace sobre torres de espanto, y este amor o deseo se cifra en: beber hojas lascivas, dormir sobre el agua acariciadora, o en planetas terrenales, miembros de mármol con sabor de estío, jugo de esponjas abandonadas por el mar, flores de hierro resonantes como el pecho de un hombre. Si analizamos los símbolos que encarnan el deseo de Cernuda, vemos que todos se refieren a la materia o a lo corporal. Son elementos de la tierra: hojas, planetas, aguas acariciadoras, etc. Y esto es aún más patente cuando existen adjetivos como *lascivas* e *impuros*.

El mundo hostil.

Al igual que el deseo o el amor, los símbolos que reflejan el mundo y la sociedad que no comprenden los sentimieneos del poeta están faltos de lógica, pero en el conjunto del poema resultan comprensibles. Veamos éstos: Amenazadores barrotes, hiel descolorida, corazas infranqueables, lanzas o puñales. Como puede observarse es un mundo asfixiante que acota la libertad. Por eso dice en versos sucesivos: límites de metal o de papel, leyes hediondas, códigos, ratas de paisajes derruidos. Si el poeta intenta dar un paso hacia la libertad encuentra: montañas que prohiben, bosques impenetrables que niegan, mares que devoran

adolescentes. Parece como si las amarguras de la hiel, los muros, el mar, los bosques se confabularan para aprisionarlo. Estos símbolos, como los del amor prohibido, están colocados según la técnica de la enumeración caótica, pero esta enumeración no resulta exhaustiva, ya que el autor los coloca con equilibrio dentro del poema.

Rebeldía y orgullo.

La rebelión y la conciencia de soledad altiva aparecen desde las primeras líneas. El puño que contra todos se alza es el primer símbolo que encontramos:

4 Noche petrificada a fuerza de puños,
5 Ante todos, incluso el más rebelde,

El poeta sabe de su impureza y sin embargo, lanza como un desafío ese *No importa* que se repetirá en anáforas en las líneas 11, 13 y 15. Así, contra todos y sobre todo, proclama su adhesión al amor prohibido. Y esa sociedad, que no acepta ni comprende sus sentimientos, tiene lengua de tinieblas, es vil como un rey que se arrasta por la tierra para conseguir la vida, impone límites y leyes. Pero todo esto nada puede contra las fuerzas del amor:

37 Pero si la ira, el ultraje, el oprobio y la muerte,
38 Ávidos dientes sin carne todavía,
39 Amenazan abriendo sus torrentes,
40 De otro lado vosotros, placeres prohibidos,
41 Bronce de orgullo, blasfemia que nada precipita,
42 Tendéis en una mano el misterio.
43 Sabor que ninguna amargura corrompe,
44 Cielos, cielos relampagueantes que aniquilan.

En las líneas siguientes la lucha y el convencimiento de la victoria es total:

45 Abajo, estatuas anónimas,
46 Sombras de sombras, miseria, preceptos de niebla;
49 Una chispa de aquellos placeres
48 Brilla en la hora vengativa.
49 Su fulgor puede destruir vuestro mundo.

La última línea cierra el asunto del poema. Para el autor la superioridad de los placeres prohibidos es evidente, aunque es palpable también el orgullo del solitario y la rebeldía amarga.

«*TELARAÑAS CUELGAN DE LA RAZÓN*»

A) Significación del poema.

El amor cuando pasa sólo deja desolación. Pero el dolor se mantiene vivo con la sola existencia de la persona amada, que es inconsciente del daño que produce en el amante. Sin embargo, cierta esperanza ilumina el poema; existe la posibilidad de que el amor de nuevo llene de sentido la vida del poeta.

B) Métrica.

El poema está compuesto de cuatro divisiones de cuatro, seis y cinco líneas, y éstas oscilan entre las de 7 sílabas y las de 17.

C) Notas estilísticas.

Las dos primeras divisiones expresan la acción devastadora del amor cuando pasa y el tormento que aún produce la existencia de la persona amada. Da la impresión de un amor no correspondido, y ésta es la causa de la profunda angustia del autor:

1 Telarañas cuelgan de la razón
2 En un paisaje de ceniza absorta;
3 Ha pasado el huracán de amor,
4 Ya ningún pájaro queda.

5 Tampoco ninguna hoja,
6 Todas van lejos, como gotas de agua
7 De un mar cuando se seca,
8 Cuando no hay ya lágrimas bastantes,
9 Porque alguien, cruel como un día de sol en pri-
[mavera,
10 Con su sola presencia ha dividido en dos un cuerpo.

El dolor se traduce en un paisaje desolado, casi volcánico. Las cenizas, la falta de vida y la sequedad, no sólo ya del agua natural, sino también de sus lágrimas, y todo ello por amor, por esa persona amada que atormenta como un día de primavera, es decir, que su misma belleza y su inconsciencia ante los sentimientos del poeta contrastan cruelmente con la situación de éste.

Cernuda resuelve este motivo con un tópico propio del romanticismo, una naturaleza luciente hace aún más doloroso, por contraste, su estado anímico. En la última división este

tema del amor sin correspondencia se concreta. El día, la luz, parecen estrechar al poeta que está prisionero de su propia vida sin sentido:

17 Tú nada sabes de ello,
18 Tú estás allá, cruel como el día;
19 El día, esa luz que abraza estrechamente un triste [muro,
20 Un muro, ¿no comprendes?,
21 Un muro frente al cual estoy solo.

Sin embargo, en la segunda división hay cierto rasgo de esperanza; el autor ve la posibilidad de que el amor vuelva a dar plenitud a su vida, aunque sea como antes: «De sueños desconocidos y deseos invisibles». Esta línea nos hace pensar en la naturaleza de este amor. Como ha podido observarse, en el poema hay un coloquio entre el yo y el tú, pero cabe la posibilidad de que el tú no indique una persona concreta, sino una idea, un amor pensado que no existe fuera del autor:

11 Ahora hace falta recoger los trozos de prudencia,
12 Aunque siempre nos falte alguno;
13 Recoger la vida vacía
14 Y caminar esperando que lentamente se llene,
15 Si es posible, otra vez, como antes,
16 De sueños desconocidos y deseos invisibles.

Pero ¿qué significa ese afán por la prudencia? Acaso exprese el peligro de hacer realidad o mejor dicho, de concretizar en alguien ese amor interior e ideal. Creo ver en el poema como un arrepentimiento por proyectarse en algo y como un deseo de replegamiento en sí mismo. El autor se da cuenta de la imposibilidad o del fracaso de intentar salir de su propio yo, de su amor pensado y es por lo que se exige prudencia e impreca al *tú*, dando ocasión a la anáfora de las líneas 17-18.

El recurso estilístico más importante es la reiteración; así la anáfora ya citada y la de las líneas 20-21, también las anástrofes de las líneas 18-19 y 19-20.

«ADÓNDE FUERON DESPEÑADAS»

A) Significación del poema.

Cuando el amor se precipita en el tiempo ¿dónde va? A esta pregunta sólo parece saber responder el personaje extraño del Corsario que vive en un constante sentimiento de amor y deseo, de tal forma que podría confundirse con ellos, y es por lo que el poeta anhela entregarse a él, incluso hasta la muerte.

B) Métrica

El poema está compuesto de tres divisiones; una de cinco y dos de siete líneas, y éstas oscilan entre las de cinco sílabas y las de 16.

C) Notas estilísticas.

Las cinco primeras líneas del poema constituyen un sintagma interrogativo. La pregunta podría resumirse así: ¿Dónde va el amor cuando es también integrado en el tiempo, en la historia? El peregrino, que es espacio y tiempo, ve pasar el amor, pero ya disecado, como algo vacío:

1 ¿Adónde fueron despeñadas aquellas cataratas,
2 Tantos besos de amantes, que la pálida historia
3 Con signos venenosos presenta luego al peregrino
4 Sobre el desierto, como un guante
5 Que olvidado pregunta por su mano?

Las cataratas, los besos, los signos venenosos y ese guante vacío que reclama una mano, dan al poema un hálito misterioso, de intenso carácter onírico. El personaje central, además del propio autor, es el Corsario que, como he dicho antes, puede ser una personificación del amor y el deseo, y él podría ser como una actualización constante de estos sentimientos que le proporcionan la capacidad de respuesta. La atmósfera de misterio y ensueño no decae en los versos que a continuación citaré. Los arrecifes meridionales, como islas extrañas, casi edénicas, parecen conservar en exclusiva todo un mundo de erotismo:

6 Tú lo sabes, Corsario;
7 Corsario que se goza en tibios arrecifes,
8 Cuerpos gritando bajo el cuerpo que les visita,

9 Y sólo piensan en la caricia,
10 Sólo piensan en el deseo,
11 Como bloque de vida
12 Derretido lentamente por el frío de la muerte.

Pero la vida, que significa amor y deseo para Cernuda, está amenazada por la presencia de la muerte que es amarga, pero que constituye el punto donde la pasión amorosa culmina:

13 Otros cuerpos, Corsario, nada saben;
14 Déjalos pues.
15 Vierte, viértete sobre mis deseos,
16 Ahórcate en mis brazos tan jóvenes,
17 Que con la vista ahogada,
18 Con la voz última que aún broten mis labios,
19 Diré amargamente cómo te amo.

Las imágenes expresan una intensa sensualidad, hay un deseo de entrega total que llega hasta la destrucción, un querer anegarse en el cuerpo amado hasta la muerte misma, final triunfante del amor.

El ritmo del poema se mantiene por la reiteración, sobre todo con anástrofes y anáforas. Tal es el caso de las líneas 6-7, 9-10. Estas últimas indican la sola intención de deseo y amor, expresado por la repetición de *Sólo piensan*.

«EN MEDIO DE LA MULTITUD»

En medio de la multitud le vi pasar, con sus ojos tan rubios como la cabellera. Marchaba abriendo el aire y los cuerpos; una mujer se arrodilló a su paso. Yo sentí cómo la sangre desertaba mis venas gota a gota.
Vacío, anduve sin rumbo por la ciudad. Gentes extrañas pasaban a mi lado sin verme. Un cuerpo se derritió con leve susurro al tropezarme. Anduve más y más.
no sentía mis pies. Quise cogerlos en mi mano, y no hallé mis manos; quise gritar, y no hallé mi voz. La niebla me envolvía.
Me pasaba la vida como un remordimiento; quise arrojarla de mí. Mas era imposible, porque estaba muerto y andaba entre los muertos.

A) **Significación del poema.**

El poeta por un instante ve el amor y lo desea. Pero su pre presencia es fugaz y otra vez vuelve a una vida vacía y sin sentido. Comienza el deambular entre una multitud anónima, donde él mismo también se siente desconocido. La ausencia del amor hace que el mundo se pueble de muerte.

B) **Métrica.**

Poema en prosa.

C) **Notas estilísticas.**

Todo el poema tiene un carácter temporal pretérito. Los verbos están usados en pasado: «En medio de la multitud le vi pasar»; «Marchaba abriendo el aire y los cuerpos»; «Yo sentí cómo la sangre desertaba mis venas gota a gota»; «Vacío anduve por la ciudad»; «Me pasaba la vida como un remordimiento». etc. El autor parece contarnos su experiencia como vivida en un sueño, y ésta puede ser la causa del uso de los verbos en pasado. Las formas cortas se suceden vertiginosamente, respondiendo a la forma en que en el sueño se presentan las imágenes. El autor se sitúa al principio como un espectador que poco a poco va tomando parte activa en la escena.

En medio de la multitud surge el amor, a su paso abre los cuerpos y el aire, es decir, va infundiendo a todos el amor y el deseo. Ante su presencia, el poeta queda sin aliento. A partir de este momento comienza un vagar doloroso en medio de una multitud anónima. ¿Por qué este cambio? Puede ser la amargura del amor no conseguido, de su visión fugaz. En el deambular sin rumbo, el poeta encuentra a otro ser en sus mismas circunstancias, cuerpo que como el suyo se arrastra como fantasma: «Un cuerpo se derritió con leve susurro al tropezarme». El dolor crece hasta la insensibilidad, los miembros quedan paralizados, y una niebla letal parece cubrirlo todo. Al final la muerte impera, el poeta es un muerto entre muertos. Sin el amor no existe la vida.

El ambiente del poema nos recuerda a otros del libro anterior. Si comparamos este poema con «Remordimiento en traje de noche», por ejemplo, vemos que el tema de uno y otro son

similares; la niebla, la presencia de la muerte, ese cuerpo vacío que pena de amor, la soledad y la incomunicación entre los hombres.

Las imágenes del poema, por su hermetismo, hacen muy difícil su análisis y es por lo que sólo pretendo dar un sentido aproximado.

«QUÉ RUIDO TAN TRISTE»

A) Significación del poema.

Expresa la imposibilidad del amor. A esta imposibilidad se llega tras un desengaño, tras una espera inútil. La muerte, por el contrario, sí es una certeza.

B) Métrica.

El poema está compuesto por tres divisiones: una de siete líneas y dos de seis, y éstas oscilan entre las de 7 sílabas y las de 15.

C) Notas estilísticas.

Las siete primeras líneas parecen ser una repulsa del amor pero esta repulsa se siente, creo, después de un desengaño:

1 Qué ruido tan triste el que hacen dos cuerpos cuan-
[do se aman.
2 Parece como el viento que se mece en otoño
3 Sobre adolescentes mutilados,
4 Mientras las manos llueven,
5 Manos ligeras, manos egoístas, manos obscenas,
6 Cataratas de manos que fueron un día
7 Flores en el jardín de un diminuto bolsillo.

El amor se ve como algo triste e inútil, apto tan sólo para el egoísmo carnal. El sonido triste de los cuerpos al amarse, el viento de otoño, los adolescentes mutilados, hacen del amor, de su propia esencia, un factor negativo, sólo responde a lo oculto a lo egoísta y obsceno. Esto es lo que parecen indicar las cinco primeras líneas. Pero esas manos (líneas 4-5) que ahora son sigilosas, obscenas o egístas, fueron en un tiempo manos puras

este tiempo pasado puede ser real o imaginario. Creo que el poeta se refiere a esto último (líneas 6-7).

En las líneas siguientes hay una esperanza de amor idealizado, pero esta ilusión disminuye con la presencia del cansancio y de los sueños frustrados:

8 Las flores son arena y los niños son hojas,
9 Y su leve ruido es amable al oído
10 Cuando ríen, cuando aman, cuando besan,
11 Cuando besan el fondo
12 De un hombre joven y cansado
13 Porque antaño soñó mucho día y noche.

Pero al final el pesimismo se implanta; la idea del amor es una espera estéril y la muerte es el único final:

14 Mas los niños no saben,
15 Ni tampoco las manos llueven como dicen;
16 Así el hombre, cansado de estar solo con sus sueños,
17 Invoca los bolsillos que abandonan arena,
18 Arena de las flores,
19 Para que un día decoren su semblante de muerto.

Las manos que un día fueron flores en el jardín de un bolsillo (líneas 6-7), ahora no son más que arena, como arena también las mismas flores. La esperanza del amor se ha transformado en algo tan seco y desolado. Las imágenes del poema responden a la estética surrealista, pero siempre es perceptible cierta intención de coherencia. Aun siendo el poema muy hermético es posible acercarse a su significado, pero siempre será una aproximación.

El recurso estilístico más usado es la reiteración. Ver la repetición de la palabra *mano*, sobre todo en la línea 5. También en la 10, la repetición del adverbio *Cuando* determinado por un verbo. Cabe señalar una anástrofe y anáfora en las líneas 10-11.

«NO DECÍA PALABRAS»

A) Significación del poema.

El poeta busca con ansia el amor y el deseo, pero nunca halla respuesta. Sabe sin embargo que pueden surgir inespera-

damente, pero su búsqueda es inútil y se mantiene con la esperanza de encontrarlos un día.

B) Métrica.

El poema está compuesto de cuatro divisiones de seis, cinco, siete y dos líneas, y éstas oscilan entre las de 5 sílabas y las de 20. Las dos últimas líneas sintetizan el sentido del poema como ya hemos visto en otros del libro anterior.

C) Notas estilísticas.

Aunque el poema esté expresado en tercera persona, parece ser una confesión del propio autor, que en silencio busca al amor y el deseo sin hallarlos. Ante esta negativa la angustia le domina:

1 No decía palabras,
2 Acercaba tan sólo un cuerpo interrogante,
3 Porque ignoraba que el deseo es una pregunta
4 Cuya respuesta no existe,
5 Una hoja cuya rama no existe,
6 Un mundo cuyo cielo no existe.
7 La angustia se abre paso entre los huesos,
8 Remonta por las venas
9 Hasta abrirse en la piel,
10 Surtidores de sueño
11 Hechos carne en interrogación vuelta a las nubes.

Sin palabras, en silencio, y entregándose por entero al amor el poeta descubre la inutilidad de este empeño. La desesperación lo posee desde lo más íntimo hasta la piel misma. Sus ilusiones se refieren a varios sueños sin consistencia (líneas 10-11). Sin embargo, el poeta sabe que la respuesto al deseo puede presentarse de improviso. Tan sólo basta una mirada o un simple roce de otro cuerpo para que el amor y el deseo se manifiesten. El cuerpo abierto en dos, es decir, el cuerpo poseído por el amor, es ya una imagen que el autor usa en el poema «En medio de la multitud», ya comentado. El amor deseado no es sólo espiritual, sino también carnal como podremos ver a continuación:

12 Un roce al paso,
13 Una mirada fugaz entre las sombras,

14 Bastan para que el cuerpo se abra en dos,
15 Ávido de recibir en sí mismo
16 Otro cuerpo que sueñe;
17 Mitad y mitad, sueño y sueño, carne y carne,
18 Iguales en figura, iguales en amor, iguales en deseo.

Al contrario de los otros poemas, no ya de este libro, sino del anterior, hay en éste una esperanza. Basta tan sólo una fugaz aparición para que el deseo y el amor surjan, aunque el poeta sepa que no tienen respuesta:

19 Aunque sólo sea una esperanza,
20 Porque el deseo es una pregunta cuya respuesta na- [die sabe.

El ritmo del poema se mantiene por la reiteración. El pronombre relativo *cuyo-a* se repite en las líneas 4-5-6-20, así como también la negación de la existencia del amor y el deseo ocasiona la epífora de las líneas 4-5-6, con la repetición de la frase: *no existe.* La semejanza de los cuerpos enamorados produce la repetición de la palabra *iguales* en la línea 18.

«ESTABA TENDIDO»

Estaba tendido y tenía entre mis brazos un cuerpo como seda. Lo besé en los labios, porque el río pasaba por debajo. Entonces se burló de mi amor. Sus espaldas parecían dos alas plegadas. Lo besé en las espaldas, porque el agua sonaba debajo de nosotros. Entonces lloró al sentir la quemadura de mis labios.
Era un cuerpo tan maravilloso que se desvaneció entre mis brazos. Besé su huella; mis lágrimas la borraron. Como el agua continuaba fluyendo, dejé caer en ella un puñal, un ala y una sombra. De mi mismo cuerpo recorté otra sombra, que sólo me sigue a la mañana. Del puñal y el ala, nada sé.

A) Significación del poema.

El tiempo como factor destructivo y la brevedad del amor pueden ser los temas de esta composición. El instante gozoso del amor es breve y de éste sólo queda una sombra, es decir, el re-

cuerdo. Las alas y el puñal, o lo que de gozo y doloroso tiene el amor, son arrastrados por la corriente del tiempo.

B) Métrica.

Poema en prosa.

C) Notas estilísticas.

Como en el poema en prosa anterior, también los verbos están usados en pasado y creo que es por el mismo motivo. El poeta se expresa recordando un sueño. Las imágenes insertadas en esta técnica narrativa adquieren un mayor grado de realidad y de misterio. Esta experiencia de lo soñado parece estar clara en la frase final, donde el poeta despierta: «De mi mismo cuerpo recorté otra sombra, que sólo me sigue a la mañana». Únicamente le acompaña el recuerdo de lo vivido en sueños durante la noche. La mañana y la vuelta a la realidad se contraponen a la noche y lo soñado. En la frase citada parece haber un cierto rasgo narcisista. «De mi mismo cuerpo recorté otra sombra». Una sombra que se parece al mismo poeta y al cuerpo soñado. El despertar pone un fin brusco al amor: «Era un cuerpo tan maravilloso que se desvaneció entre mis brazos». Pero esta experiencia amorosa soñada tiene un doble significado; así como el sueño es breve, también el tiempo tasa y destruye al amor. La brevedad de la experiencia amorosa es el tema central del poma. Las aguas que fluyen rápidas, casi vertiginosas, y que parecen mantener en vilo toda la trama, representan al tiempo breve como un sueño. A esta corriente caen las alas y el puñal, placer y dolor de la experiencia amorosa. Sólo la sombra, el recuerdo, es lo que perdura. Pero como ya sabemos, el recuerdo es algo negativo para Cernuda, ya que es un sentimiento que se alimenta del pasado y no del presente.

El tono fatalista del poema, la imagen del río que fluye como símbolo del tiempo, la sensualidad en que está envuelta la experiencia amorosa, el ala y el puñal, símbolos del gozo y el dolor, que se pierden fatalmente, hacen que la composición tenga un cierto aire de los poemas arábigos andaluces.

«SI EL HOMBRE PUDIERA DECIR»

A) Significación del poema.

Ante su peculiar inclinación amorosa, el autor desea la libertad de poder proclamar y manifestar su amor ante la sociedad, ya que es el único sentimiento por el que la vida se llena
de contenido.

B) Métrica.

El poema está compuesto por tres divisiones de trece, nueve y tres líneas, y éstas oscilan entre las de 7 sílabas y las de 14.

C) Notas estilísticas.

El poema se desarrolla en un tono de íntima confesión, en
las tres líneas finales el autor se dirige al amor directamente
usando el pronombre *tú*. Las trece primeras líneas expresan el
deseo de proclamar «su» amor, pidiendo libertad a sus sentimientos, que la socieda rechaza. Por encima de todos los bienes
que tenemos está la verdad del amor, esencial para el poeta:

1 Si el hombre pudiera decir lo que ama,
2 Si el hombre pudiera levantar su amor por el cielo
3 Como una nube en la luz;
4 Si como muros que se derrumban,
5 Para saludar la verdad erguida en medio,
6 Pudiera derrumbar su cuerpo, dejando sólo la ver-
[dad de su amor,
7 La verdad de sí mismo,
8 Que no se llama gloria, fortuna o ambición,
9 Sino amor o deseo,
10 Yo sería aquel que imaginaba;
11 Aquel que con su lengua, sus ojos y sus manos
14 Proclama ante los hombres la verdad ignorada,
13 La verdad de su amor verdadero.

«Si el hombre pudiera decir lo que ama», el autor se reco-
nocería en esa imagen de libertad soñada. De la línea 1 a la 9
se extiende la prótasis y de la 10 a la 13 la apódosis. Es decir,
las 13 primeras líneas forman un sintagma condicional con las
dos partes señaladas.

De la línea 14 a la 22 hay una manifestación de lo que el amor significa para el autor. El tono de intimidad crece aún más:

14 Libertad no conozco sino la libertad de estar preso [en alguien
15 Cuyo nombre no puedo oír sin escalofrío;
16 Alguien por quien me olvido de esta existencia mez- [quina,
17 Por quien el día y la noche son para mí lo que quiera,
18 Y mi cuerpo y espíritu flotan en su cuerpo y espíritu
19 Como leños perdidos que el mar anega o levanta
20 Libremente, con la libertad del amor,
21 La única libertad que me exalta,
22 La única libertad por que muero.

El mar representa al amor y el poeta es el leño que se hunde o se levanta en sus olas. El autor expresa así la unión y la entrega total del amante y el amado.

Las tres últimas líneas tienen el aire de una definición, condensan el sentido de las anteriores y en ellas también se advierte cierto influjo de la mística:

23 Tú justificas mi existencia:
24 Si no te conozco, no he vivido;
25 Si muero sin conocerte, no muero, porque no he vi- [vido

Aun estando dentro de un ibro de inspiración surrealista, el poema no ofrece ninguna dificultad. La idea se desarrolla en imágenes simples que son comprensibles sin necesidad de un previo análisis interpretativo.

En cuanto a los recursos estilísticos, el más empleado es la reiteración. Las anáforas juegan un importante papel en el ritmo y en el sentido general del poema. La de las líneas 1-2, con la repetición del *si* condicional, expresa el afán de libertad en el terreno amoroso. La misma función tiene la de las líneas 21-22 y la de las 24-25, con otro *si* condicional, indica hasta qué punto el amor es vital para el autor. Las palabras *libertad* y *verdad* se repiten frecuentemente en el poema, ya que la idea general de éste es la libertad amorosa y, como consecuencia de ésta, el poder proclamar en alta voz la verdad de su sentimiento.

«UNOS CUERPOS SON COMO FLORES»

A) Significación del poema.

Cualquier cuerpo, un día, se convierte en fuego por virtud del amor. El hombre sin este fuego está vacío, muerto como una piedra. Pero el tiempo pasa y esa quemadura del amor se olvida. El poeta desea ser más, se entrega totalmente menospreciando las riquezas e incluso la libertad; quiere ser camino y no piedra para darse por entero a la pasión amorosa.

B) Métrica.

El poema se compone de tres divisiones de seis, cuatro y ocho líneas, oscilando éstas entre las de 7 sílabas y las de 16.

C) Notas estilísticas.

Comienza el autor con la descripción de los cuerpos, pero no importa; todos serán un día poseídos por el amor, fuerza que es la que da al hombre su medida:

1 Unos cuerpos son como flores,
2 Otros como puñales,
3 Otros como cintas de agua;
4 Pero todos, temprano o tarde,
5 Serán quemaduras que en otro cuerpo se agranden,
6 Convirtiendo por virtud del fuego a una piedra en [un hombre.

La enumeración de los cuerpos da lugar a una descripción que matiza la pasión que éstos proporcionan. Cuerpos como flores, es decir, tranquilos y apacibles. Como puñales; amor doloroso y pasión aniquilante. Como cintas de agua; sosiego y pureza. Esta puede ser la interpretación de las comparaciones que el poeta hace de los cuerpos y las sensaciones que éstos suscitan.

En las líneas siguientes hace su presencia el olvido, enemigo principal del amor. El hombre actúa, sueña con la libertad, ambiciona el poder y olvida o posterga a un segundo plano el amor, quedando como antes, vacío y sin vida como una piedra en soledad:

7 Pero el hombre se agita en todas direcciones,

8 Sueña con libertades, compite con el viento,
9 Hasta que un día la quemadura se borra,
10 Volviendo a ser piedra en el camino de nadie.

Hasta aquí el poema ha transcurrido en un tono impersonal, pero el *yo* del autor aparece de golpe abriendo la primera línea de la última división, y lo hace para marcar una profunda diferencia con los demás hombres:

11 Yo, que no soy piedra, sino camino
12 Que cruzan al pasar los pies desnudos,
13 Muero de amor por todos ellos;

El amor es la única razón de su existencia. El poeta se hace camino para que todos los cuerpos, antes descritos, pasen por él. Se ofrece con humildad para que de esta forma sienta el amor siempre. No importa la ambición o las vanas ilusiones de los hombres (la nube puede representar los sueños humanos), por encima de todo, aunque los demás no lo reconozcan, está esa capacidad de amar:

14 Les doy mi cuerpo para que lo pisen,
15 Aunque les lleve a una ambición o a una nube,
16 Sin que ninguno comprenda
17 Que ambiciones o nubes
18 No valen un amor que se entrega.

Como en el poema anterior, tampoco aquí hay dificultades. Las imágenes son claras, y podría decirse que casi no se encuentran rasgos surrealistas en ellas.

El recurso estilístico usado es la anáfora. La enumeración de los tipos de cuerpos da lugar a la anáfora de las líneas 2-3.

«*ESPERABA SOLO*»

Esperaba algo, no sabía qué. Esperaba al anochecer, los sábados.
Unos me daban limosna, otros me miraban, otros pasaban de largo sin verme.
Tenía en la mano una flor; no recuerdo qué flor era.
Pasó un adolescente que, sin mirar, la rozó con su sombra. Yo tenía la mano tendida.

Al caer, la flor se convirtió en un monte. Detrás se ponía un sol; no recuerdo si era negro.
Mi mano quedó vacía. En su palma apareció una gota de sangre.

A) Significación del poema.

El poeta parece esperar algo que ni él mismo sabe lo que es. Sin embargo, esta espera inútil y vacía, es similar a la de otros poemas anteriores, por lo que podría decirse que se trata de la búsqueda del amor.

B) Métrica.

Poema en prosa.

C) Notas estilísticas.

Como en los dos poemas en prosa anteriores, el autor parece contarnos una experiencia soñada y para ello, como en los tros poemas, utiliza también el pasado en los verbos. El ritmo es entrecortado por los signos frecuentes de puntuación, resultando así una prosa de frases cortas que le dan dicha musicalidad. Con este tipo de prosa el poeta quiere transparentar la técnica automática. Es como un rápido desfile de imágenes de difícil interpretación a causa de su hermetismo.

La búsqueda inútil del amor es el tema central, como lo es también de otros poemas ya estudiados. Intentemos ahora interpretar los diferentes símbolos que rodean y perfilan al tema. La flor que el autor sostiene en la mano puede significar el ofrecimiento del amor y el deseo. El adolescente, símbolo del amor, la roza a su paso y cae, y por este simple roce de la sombra del amor, la flor se convierte al caer en un monte, es decir, la pasión aumenta. Tras ese monte se oculta el sol, el poeta no recuerda si era negro, y este color peculiar del sol puede que indique el presentimiento de la fugacidad, sospecha que se confirma al final del poema: «Mi mano quedó vacía. En su palma apareció una gota de sangre». El adolescente pasa y con un roce despierta el amor que no será correspondido. La gota de sangre expresa el fracaso amoroso.

Creo que ésta puede ser la interpretación del tema central y de los símbolos que lo configuran. Como he dicho antes, este

comentario puede ser sólo un tanteo, ya que las imágenes y los símbolos, como nacidos de una visión onírica, admiten únicamente una aproximación.

«*LOS MARINEROS SON ALAS DEL AMOR*»

A) Significación del poema.

El mar, los marineros y el amor están unidos por el color rubio con que el autor ha querido unificarlos, de tal forma que podría decirse que el amor, el mar y sus hombres son una misma cosa. Con ellos va también la dicha y la libertad. El deseo del poeta es hundirse en ese mar = amor, y así poseerlo totalmente.

B) Métrica.

El poema está compuesto de tres divisiones: 1.ª), 5 líneas; 2.ª), 6 líneas y 3.ª, 6 líneas, de las siguientes medidas:

1.ª División.

1) 13 (5 (pentasílabo dactílico) + 8 (octosílabo trocaico).
2) 9 (eneasílabo trocaico).
3) 7 (heptasílabo trocaico).
4) 14 (7 (heptasílabo dactílico) + 7 (heptasílabo trocaico).
5) 12 (5 (pentasílabo dactílico) + 7 (heptasílabo trocaico).

2.ª División.

6) 14 (7 (heptasílabo dactílico) + 7 (heptasílabo trocaico).
7) 5 (pentasílabo dactílico).
8) 9 (eneasílabo mixto c).
9) 12 (7 (heptasílabo mixto) + 5 (pentasílabo trocaico).
10) 9 (eneasílabo trocaico).
11) 12 (5 (pentasílabo dactílico) + 7 (heptasílabo trocaico).

3.ª División.

12) 7 (heptasílabo mixto).
13) 14 (7 (heptasílabo dactílico) + 7 (heptasílabo mixto).
14) 14 (7 (heptasílabo trocaico) + 7 (heptasílabo mixto).
15) 12 (7 (heptasílabo dactílico) + 5 (pentasílabo dactílico).
16) 5 (pentasílabo dactílico).
17) 12 (5 (pentasílabo dactílico) + 7 (heptasílabo trocaico).

Haciendo un recuento general vemos que en el poema hay: 2 versos pentasílabos; 2 heptasílabos; 3 eneasílabos; 5 dodecasílabos; 4 alejandrinos y una línea de 13 sílabas compuesta de un pentasílabo y un octosílabo. Como en los anteriores poemas analizados minuciosamente bajo el punto de vista métrico, aquí también observamos una superioridad del verso sobre la línea.

C) Notas estilísticas.

El color rubio será el matiz unificador del poema. Una serie de elementos como el mar, el amor y los marineros van a confundirse por esa nota cromática común:

1 Los marineros son las alas del amor,
2 Son los espejos del amor,
3 El mar les acompaña,
4 Y sus ojos son rubios lo mismo que el amor
5 Rubio es también, igual que son sus ojos.

La alegría que produce su presencia es igualmente rubia, y poseen un don esencial también para el autor: la libertad:

6 La alegría vivaz que vierten en las venas
7 Rubia es también,
8 Idéntica a la piel que asoman;
9 No les dejéis marchar porque sonríen
10 Como la libertad sonríe,
11 Luz cegadora erguida sobre el mar.

Las once primeras líneas constituyen una exposición del tema. El autor ha ido presentando una serie de elementos con sus cualidades para después tomar decisiones personales. Veremos que en las últimas líneas el *yo* del poeta aparece como hemos venido observando en otras composiciones:

12 Si un marinero es mar,
13 Rubio mar amoroso cuya presencia es cántico,
14 No quiero la ciudad hecha de sueños grises;
15 Quiero sólo ir al mar donde me anegue,
16 Barca sin norte,
17 Cuerpo sin norte hundirme en su luz rubia.

La línea 12 comienza con una condicional, la prótasis ocupa las líneas 12 y 13 y la apódosis hasta la 17. Si el mar es un marinero y éste es el amor, el poeta desea anegarse en él, ser barca sin rumbo, hundirse en ese resplandor dorado del amor.

Rechaza, por el contrario, la ciudad y sus engaños. Hay un irresistible deseo de confundirse no sólo con el amor, sino también con esa fuerza primitiva y natural que para Cernuda es el mar.

Como recurso estilístico hay que señalar la reduplicación. Al principio del comentario habíamos señalado la importante función que tiene el color rubio y precisamente por esto se repite este matiz en casi todos los versos del poema: líneas 4, 5, 7, 13 y 17. No hay anáforas, pero sí repeticiones de las mismas palabras a principio de las líneas, aunque éstas no sean contiguas. Tal es el caso de las líneas 5, 7 y 13.

En el poema no hay tan sólo una exposición de los elementos y sus cualidades, con una intervención del *yo* del autor, sino que también éste nos hace participar a todos, nos avisa de que los hombres del mar son el amor, nos invita a no desaprovechar la ocasión de poseer esa fuerza vivificadora de la pasión amorosa.

«PARA UNOS VIVIR»

Para unos vivir es pisar cristales con los pies desnudos; para otros vivir es mirar el sol frente a frente.
La plaza cuenta días y horas por cada niño que muere.
Una flor se abre, una torre se hunde.
Todo es igual. Tendí mi brazo; no llovía. Pisé cristales; no había sol. Miré, la luna; no había playa.
Qué más da. Tu destino es mirar las torres que levantan, las flores que abren, los niños que mueren; aparte, como naipe cuya baraja se ha perdido.

A) Significación del poema.

El poeta se siente aparte de la sociedad, pero esta separación ya no le importa. Las frases: *Todo es igual* y *Qué más da* lo indican. Como aquel que ha pasado por todo, enumera algunas formas de vida y esta enumeración indica su escepticismo.

B) Métrica.

Poema en prosa.

C) Notas estilísticas.

A diferencia de los otros poemas en prosa comentados, «Para unos vivir» nos presenta una acción real, la experiencia continua de la vida. Por eso vemos cómo los verbos están usados en presente. Si algunos de ellos están en pasado: *Tendí, llovía, pisé, había, miré,* es para indicar que ha probado todas las formas del vivir, sin que ninguna de ellas le haya satisfecho.

Para unos vivir es ir sobre cristales con los pies desnudos, es decir, una vida amarga y difícil; para otros es mirar el sol cara a cara con esperanza. Una vez presentadas estas dos formas de vida, el autor piensa en el tiempo, y su paso lo señala con un devenir racional de días y horas, pero también con dos imágenes de destrucción y nacimiento: el derrumbarse de las torres y el nacimiento de una flor.

A todo ello el autor responde con la indiferencia: *Todo es igual.* Él por experiencia conoce ya la vida, sufre en lo más hondo el transcurrir del tiempo. Por esto decide apartarse o replegarse en sí mismo y tomar una postura de mero observador, solo e incomprendido.

Aunque la experiencia del poema es real y directa, las frases son cortas, y por esta razón el ritmo es acelerado, automático. Por tratarse de una acción o experiencia real es quizás por lo que hallamos un mayor grado de coherencia en las imágenes, a diferencia de los otros poemas en prosa donde el hermetismo es más acusado.

«QUISIERA SABER POR QUÉ ESTA MUERTE»

A) Significación del poema.

Sin amor la vida transcurre entre sombras, tan sólo él tiene el poder de transformarla en luz e imprimir en ella un sentido de lucha y dinamismo.

B) Métrica.

El poema se compone de cuato divisiones de nueve, seis y dos de siete líneas, y éstas oscilan entre las de 5 sílabas y las de 19. El uso del encabalgamiento es moderado; así las líneas:

1-2, 5-6-7, 14-15, 20-21, 26-27. La posición de estos encabalgamientos, inicial, media y final, influye en una mayor fluidez del poema.

C) Notas estilísticas.

La presencia del adolescente despierta la pasión amorosa, amor que es muerte. Esa es la razón de la pregunta nada más que empezar el poema: «Quisiera saber por qué esta muerte». El adolescente es ese amor rubio, como en el poema «Los marineros son las alas del amor», donde el poeta desea anegarse para su total posesión:

1 Quisiera saber por qué esta muerte
2 Al verte, adolescente rumoroso,
3 Mar dormido bajo los astros negros,
4 Aún constelado por escamas de sirenas,
5 O sedas que despliegan
6 Cambiante de fuegos nocturnos
7 Y acordes palpitantes,
8 Rubio igual que la lluvia,
9 Sombrío igual que la vida es a veces.

Este mar en el que se confunde el adolescente es variado y cambiante, sobre él hay fuegos nocturnos, resuena como un acorde, ese sonido supremo del amor es rubio y sombrío, alegre y triste como la misma vida. Parece como si el adolescente fuera un manantial de amor y un espejo donde las formas de vida se reflejasen, y por todo ello potencial de poesía.

Pero el poeta parece conformarse con su presencia, tan sólo desea ir al lado del adolescente, «huracán ignorante», como una sombra. Esta comparación del amor con un huracán ya la hemos observado en el poema «Telarañas cuelgan de la razón», línea 3, de este mismo libro. También el amor es lucha donde los cuerpos que se aman se aniquilan:

10 Aunque sin verme desfiles a mi lado,
11 Huracán ignorante,
12 Estrella que roza mi mano abandonada su eternidad,
13 Sabes bien, recuerdo de siglos,
14 Cómo el amor es lucha
15 Donde se muerden dos cuerpos iguales.

La luz entra en la oscuridad de la vida del poeta. El adolescente lleno de luz propia, refleja su resplandor sobre la «forma

opaca» del amante, de tal forma que incluso éste parece iluminado:

16 Yo no te había visto;
17 Miraba los animalillos gozando bajo el sol verdeante,
18 Despreocupado de los árboles iracundos,
19 Cuando sentí una herida que abrió la luz en mí;
20 El dolor enseñaba
21 Cómo una forma opaca, copiando luz ajena,
22 Parece luminosa.

Antes del amor la vida pasa sin trascendencia; esto parece indicar las líneas 16-17 y 18. Por el contrario, el amor, aunque doloroso como una herida, llena de luz y contenido la existencia:

23 Tan luminosa,
24 Que mis horas perdidas, yo mismo,
25 Quedamos redimidos de la sombra,
26 Para no ser ya más
27 Que memoria de luz;
28 De luz que vi cruzarme,
29 Seda, agua o árbol, un momento.

La línea 24 se refiere a su vida antes de conocer el amor, una existencia neutra y sin sentido, vida que se refleja en las líneas 16, 17 y 18.

El tono de la composición es íntimo como una confesión o callado monólogo al adolescente. La interrogación del principio y los verbos usados en segunda persona, como en las líneas 10, 13 y 16, dan al poema este carácter indicado antes.

La reduplicación casi no se emplea, sólo la anástrofe de las líneas 27-28. Quizás sea el poema en que la reduplicación no tenga un papel señalado en el ritmo ni en el contenido.

«DÉJAME ESTA VOZ»

A) Significación del poema.

El autor considera que la entrega de sí mismo por amor es la más plena de cuantas existen, cuando el amor pasa sólo queda el vacío, la voz de la soledad y la amargura. El título del poema es revelador al respecto.

B) Métrica.

El poema está compuesto por cuatro divisiones de cuatro líneas cada una, y éstas oscilan entre las de 8 sílabas y las de 14. Hay encabalgamiento en las líneas 2-3, 5-6 y 7-8.

C) Notas estilísticas.

Si a la pampa le dejan sus matorrales y los ríos secos, el poeta pide que al menos le dejen su voz para lamentarse:

1. Déjame esta voz, que tengo,
2 Lo mismo que a la pampa le dejan
3 Sus matorrales de deseo,
4 Sus ríos secos colgando de las piedras.

Ni en la primera división ni en la segunda, el autor especifica el porqué de su dolor. Hay un deseo de apartarse del mundo, de querer permanecer en el olvido:

5 Déjame vivir como acero mohoso
6 Sin puño, tirado en las nubes;
7 No quiero saber de la gloria envidiosa
8 Con rabo y cuernos de ceniza.

Ese *Déjame* con que se abren las dos primeras divisiones indica el deseo del poeta de quedar con su lamento y permanecer al margen del mundo: «Déjame vivir como acero mohoso», es decir, como algo que se olvida y queda arrumbado.

El tú al que se dirige el autor no es en este caso la persona amada. Parece un tú que se extiende a un vosotros, así se expresaría mejor la desilusión y la huida.

Hasta la tercera división el poeta no nos revela la causa de su desaliento:

9 Un anillo tuve de luna
10 Tendida en la noche a comienzos de otoño;
11 Lo di a un mendigo tan joven
12 Que sus ojos parecían dos lagos.

Esta división, quizás la más compleja, puede interpretarse así: el anillo de luna podría ser la capacidad de amor del poeta que se entrega totalmente al amado (línea 11). La línea 11 hace alusión a la belleza de sus ojos.

Antes había dicho que la segunda persona a la que el autor

se dirige parece mejor un vosotros, y esta idea se confirma aún más cuando en la línea 13 vemos:

13 Me ahogué en fin, amigos;

Amigos indica un vosotros, de tal forma que la anáfora de las líneas 1-5, en lugar de *Déjame,* expresa un *Dejadme.*

El poeta se ha entregado por entero al joven, se ha hundido en el deseo. Ahora que el amor no le es correspondido, sólo le resta permanecer en el sueño, en la negación de sí mismo, solo con su dolor:

14 Ahora duermo donde nunca despierto.
15 No saber más de mí mismo es algo triste;
16 Dame la guitarra para guardar las lágrimas.

En la última línea vuelve a aparecer la segunda persona con *Dame,* pero creo que tiene el mismo carácter que las anteriores.

La anáfora de las líneas 1-5, y los encabalgamientos de las líneas 2-3, 5-6, 7-8, 9-10 y 11-12 son los elementos estilísticos más señalados del poema. Los encabalgamientos, juntamente con la anáfora, mantienen y disponen el ritmo del poema. Los primeros hacen deslizarse las líneas, dando así la impresión de suave queja. La anáfora indica los deseos del autor mediante el *Déjame* inicial, es decir, la posibilidad de tener sólo la voz para expresar su tristeza y el deseo de evasión.

«PASIÓN POR PASIÓN»

Pasión por pasión. Amor por amor.
Estaba en una calle de ceniza, limitada por vastos edificios de arena. Allí encontré al placer. Le miré: en sus ojos vacíos había dos relojes pequeños; uno marchaba en sentido contrario al otro. En la comisura de los labios sostenía una flor mordida.
Sobre los hombros llevaba una capa en jirones.
A su paso unas estrellas se apagaban, otras se encendían. Quise detenerle; mi brazo quedó inmóvil.
Lloré, lloré tanto, que hubirea podido llenar sus órbitas vacías. Entonces amaneció.
Comprendí por qué llaman prudente a un hombre sin cabeza.

A) **Significación del poema.**

El poeta posee por un instante el placer, pero éste escapa de entre sus manos. Como consecuencia el dolor se apodera de él. Al amanecer comienza otra vez la vida monótona y vacía.

B) **Métrica.**

Poema en prosa.

C) **Notas estilísticas.**

Una atmósfera de irrealidad y ensueño envuelve el poema. El uso del pasado en los verbos acentúa aún más esta intención de expresar una experiencia soñada. La acción del poema acontece durante la noche, hay una alusión a las estrellas: «A su paso unas estrellas se apagaban, otras se encendían», y un amanecer que pone fin a la visión.

En el poema hallamos imágenes propias del sueño, tales como la calle de ceniza con edificios de arena, el placer cuyos ojos son relojes que giran uno en sentido contrario al otro, la capa destrozada y la flor mordida, la inmovilidad del brazo del poeta ante su fuga. Todas ellas cooperan para lograr el ambiente antes indicado. Pero intentemos ahora dar una interpretación aproximada del texto. En una calle de ceniza con altos edificios de arena halla el poeta el placer. El lugar descrito parece indicar inconsistencia, la ceniza y la arena presagian la fugacidad de la visión del placer. Los dos relojes marchando uno en sentido contrario al otro, en las cuencas vacías de los ojos de éste, podrían expresar el tiempo pasado y el presente, así como la flor mordida y la capa en jirones, lo que de gozo y remordimiento hay en la sensualidad. El poeta presiente una esperanza y al mismo tiempo intuye el fracaso del amor no correspondido. Pero contra estos convencimientos desea el placer e intenta detenerlo, sin embargo éste escapa y a su paso provoca o desengaña al deseo. Este parece ser el sentido de la frase: «A su paso unas estrellas se apagaban, otras se encendían». Al no poderlo retener, el dolor es lo que permanece. El día llega, pero no trae con él una esperanza, sino más bien la vuelta a una vida similar al sueño, donde el amor no tiene lugar.

La frase final del poema es la que a mi parecer tiene mayor dificultad: «Comprendí por qué llaman prudente a un hom-

bre sin cabeza». Su significado podría ser éste: un hombre sin cabeza, es decir, sin capacidad de amor o deseo, lleva una vida vacía, como algo muerto, incapaz de equivocación o acierto, y es por lo que tampoco puede arriesgar nada en la búsqueda del amor. Una interpretación semejante hice del poema «La canción del oeste» perteneciente al libro *Un río, un amor* en donde también aparece este personaje sin cabeza que, no obstante, busca y desea llenar su existencia con el amor.

En «Pasión por pasión» vida real y experiencia soñada se equiparan. Con esto el autor quiere expresar que tanto en la realidad como en el sueño el amor y el deseo no pueden poseerse y que si se consiguen es por breves instantes.

«DE QUÉ PAÍS»

A) Significación del poema.

Parece que el poeta se pregunta a sí mismo por su vida y destino. Solo con sus sueños, ante la realidad más cruda, contempla la belleza encarnada en las estatuas olvidadas de los dioses. El tiempo es el enemigo mortífero. La vieja hilando (línea 7) puede representar a las Parcas, y su rueda todo lo consume. En la vida no hay tregua para la inocencia, para el paraíso. A donde quiera que se vaya están las sombras amenazadoras. El hombre con sólo venir a este mundo se corrompe tarde o temprano, y de la inocencia primera no quedará rastro. Ante esta verdad el poeta desea la muerte.

B) Métrica.

El poema está compuesto por cinco divisiones: dos de cinco; una de seis; y las restantes de siete y cuatro líneas respectivamente, y éstas oscilan entre las de 7 sílabas y las de 21. Se observan encabalgamientos en las líneas 5-6, 10-11, 13-14, 15-16, 20-21.

C) Notas estilísticas.

1 De qué país eres tú,
2 Dormido entre realidades como bocas sedientas,

3 Vida de sueños azuzados,
4 Y ese duelo que exhibes por la avenida de los mo-
[numentos,
5 Donde dioses y diosas olvidados
6 Levantan brazos inexistentes o miradas marmóreas.

El poema comienza con una interrogación, pregunta profunda a sí mismo, por la vida y el destino. La vida transcurre entre realidades que destruyen los sueños. Ante esta contrariedad sólo queda replegarse en la belleza, muda belleza de estatuas de dioses mutilados que todos tienen en olvido. Pero también el tiempo se agrega a este panorama desolador:

7 La vieja hilaba en su jardín ceniciento;
8 Tapias, pantanos, aullidos de crepúsculo,
9 Hiedras, batistas, allá se endurecían,
10 Mirando aquellas ruedas fugitivas
11 Hacia las cuales levantaba la arcilla un puño ame-
[nazante.

Parece que el poeta se refiere a las Parcas representadas por esta vieja que hila, y las ruedas de su rueca devoran las cosas del mundo, de las que hace alusión por medio de la enumeración caótica. (Ver las líneas 8-9.)

No hay salvación para el hombre, su inocencia se perderá pronto porque las sombras se encargarán de ello:

12 El país es un nombre;
13 Es igual que tú, recién nacido, vengas
14 Al norte, al sur, a la niebla, a las luces;
15 Tu destino será escuchar lo que digan
16 Las sombras inclinadas sobre la cuna.

Hay un hondo pesimismo. El hombre no puede salvarse por ninguno de los caminos que tome, su destino, ya desde su nacimiento, está determinado por el mal, y los dones, casi todos ellos negativos, irán configurando al hombre para hacer de su vida un caos:

17 Una mano dará el poder de sonrisa,
18 Otra dará las reconrosas lágrimas,
19 Otra el puñal experimentado,
20 Otra el deseo que se corrompe, formando bajo la
[vida

21 La charca de cosas pálidas,
22 Donde surgen serpientes, nenúfares, insectos, mal-
[dades,
23 Corrompiendo los labios, lo más puro.

Lo que el hombre va a encontrar en su vida, o hacerla con esas armas que se le dan al principio, da lugar a otra enumeración caótica similar a la ya señalada (líneas21-22).

La última división tiene el aire de una sombría sentencia. La imposibilidad de la inocencia y la de vivir en consonancia con esa voz interior que propone los sueños, la pureza y todo cuanto de maravilloso puede haber en el mundo, que para el poeta es aún más real que lo cotidiano. La línea final es una invitación a la muerte, a ser nada antes de caer en ese torbellino de la existencia.

24 No podrás pues besar con inocencia,
25 Ni vivir aquellas realidades que te gritan con lengua
[inagotable.
26 Deja, deja, harapiento de estrellas;
27 Muérete bien a tiempo.

La enumeración de los dones de las Parcas da lugar a la anáfora de las líneas 18, 19 y 20. Los encabalgamientos indicados en el apartado B, en posición inicial, media y final, dan fluidez al poema.

«SENTADO SOBRE UN GOLFO DE SOMBRA»

Sentado sobre un golfo de sombra vas siendo ya sombra tú todo. Sombra tu cabeza, sombra tu vientre, sombra tu vida misma.

En vano escuchas la canción del muchacho jovial.

Es una canción impersonal, exactamente pudiera ser otra canción cualquiera, y ése es el motivo de que te sientas atraído por el canto y su cantor.

Cuida tu sombra; dentro de tiempo ni sombra serás. Cuida tu pecho y tus sueños, cuida tu cabeza, que ya es una nube y se pierde, como chal delicado, en la tempestad orquestada.

Sube a las cariátides fraudulentas; grita desde allí sobre la arcilla y la lana.
Grita, grita, vuelve tus manos del revés. Luego podrás tenderte confiado bajo tu propia sombra.
El resto es el amor evangélico.

A) Significación del poema.

El mundo es como un golfo de sombras, va invadiéndolo todo con su oscuridad, incluso al mismo poeta, y siendo así es inútil sentirse atraído por el amor y el deseo: el adolescente y su canción. Hay en el poema una conciencia de desastre, la seguridad de que en poco tiempo ni siquiera las sombras persistirán.

B) Métrica.

Poema en prosa.

C) Notas estilísticas.

El texto tiene un tono de toma de conciencia con la situación presente y de su análisis. El poeta va recogiendo experiencia para un futuro inmediato. Por esta causa los verbos del poema están usados en presente y futuro. La atmósfera de ensueño e irrealidad de la mayoría de los poemas en prosa analizados no la encontramos en «Sentado sobre un golfo de sombra». La vida real y su experiencia negativa hacen tomar al autor una postura al principio de protesta, y luego de ironía escéptica.

Intentemos ahora interpretar los símbolos que rodean a tema central. Ante la invasión de las sombras, es decir, de todo lo que de malo hay en el mundo, el poeta ve cómo los valores positivos se perderán sin remedio, incluso el mismo amor, e adolescente y su canción, fuente del impulso vital. Por este motivo hay un presentimiento de caos, hasta tal punto que incluso las sombras serán destruidas y esta destrucción le alcanzará también a él: «Cuida la sombra; dentro de tiempo ni sombra serás». Sin embargo, un intento de protesta surge en el poema protesta matizada de ironía, pues bien sabe el autor que el rebelarse no hace cambiar nada. Creo que éste puede ser el sentido de los últimos párrafos del poema. Las cariátides engañosas ese grito sobre la lana y la arcilla y las manos del revés indican la falta de consistencia y la inutilidad a priori de esta postura

Después sólo resta confiarse bajo su propia sombra, y ese amor evangélico del final, donde quizás esté la nota de amarga ironía, la inseguridad y la desconfianza en el hombre.

Como hemos visto en los anteriores poemas en prosa, la característica común de todos ellos es el uso de la frase breve y cortante que proporciona un ritmo acelerado; sin embargo, en este poema parece que las frases fluyen con más lentitud, los períodos son más largos y no se cortan por el uso frecuente de los signos de puntuación.

El poema tiene una disposición equilibrada; podríamos dividirlo en cuatro períodos y una frase de cierre. En el primero el autor se da cuenta de la invasión del mal y sus síntomas; en el segundo ve cómo hasta el amor va a ser destruido. El período se abre con la frase «En vano escuchas la canción del muchacho jovial». En el tercero hay un intento de protección, iniciado con el imperativo: «Cuida tu sombra». En el cuarto hay otro imperativo que aconseja la rebelión, aunque ésta sea inútil: «Sube a las cariátides fraudulentas». La última frase cierra con amarga ironía todo el proceso anterior: «El resto es el amor evangélico». En ella se adivina un cierto abandono fatalista, como también una crítica y desconfianza por la providencia, y en esto es donde quizás pueda verse más clara la influencia del surrealismo.

«TU PEQUEÑA FIGURA»

A) Significación del poema.

Ante un mundo desolado que sólo ofrece sus muros, la libertad y el amor están ausentes; el hombre así parece perder sus dimensiones, perdiéndose en un caminar sin objeto. El título del poema es como un aviso que incluso sintentiza su sentido. Ante esta situación el autor es consciente de su destino doloroso.

B) Métrica.

El poema está compuesto por cuatro divisiones de cinco y cuatro líneas, y éstas oscilan entre las de 5 sílabas y las de 19.

C) Notas estilísticas.

La figura del poeta enajenada y solitaria cae desde la luz,

y su mano ya no es capaz de belleza, es decir, de crear el poema, tan sólo surgen estrellas en un crepúsculo de otoño:

1 Tu pequeña figura, sola en algún camino,
2 Cae lentamente desde la luz,
3 Semejante a la arena desde un brazo,
4 Cuando la mano, poema perdido,
5 Abre diez estrellas sobre el otoño de rojiza reso-
[nancia.

Quizás «el otoño de rojiza resonancia» de la línea 5, no sólo se refiera al estado anímico del autor, sino también a los acontecimientos políticos de España en aquella época. La situación de inseguridad y caos crece en la segunda división. Un afán de búsqueda mueve al poeta en todas direcciones, y sólo halla muros que aprisionan su libertad:

6 No sabes, no sabes;
7 Busca por la tierra un estremecimiento blanquecino,
8 Mientras los muros, con su hiedra antigua,
9 Crecen lentamente sobre el ocaso.

Las dos divisiones primeras parecen ser las más difíciles de interpretar. Las imágenes de las líneas 2, 3, 4, 5 y 7 proporcionan un hermetismo a la composición que después parece disminuir a favor de una mayor coherencia:

10 Tristeza sin guarida y sin pantano,
11 Sales de un frío para entrar en otro;
12 Abandonas la hierba tan cariñosa
13 Para pedir que el amor no te olvide.

La tristeza no parece tener límites: «sin guarida y sin pantano», lo mismo que la desolación indicada por el frío siempre presente. Las líneas 12 y 13 son las que ofrecen mayor dificultad. Si antes el autor habla de la tristeza y desolación totales, parece contradecirse en la línea 12: «Abandonas la hierba tan cariñosa», es decir, dejar un lugar confortable y apacible. Creo que éste es el sentido de la expresión «hierba cariñosa». Pero todo se deja por el amor, y aún más, por tal que el amor no se olvide del poeta y éste tenga la esperanza de poseerlo un día. Mas esta esperanza y su situación son inútiles. El autor tiene conciencia de su destino, de su continuo dolor entre sombras:

14 Palabras de demente o palabras de muerto,
15 Es igual.

16 Escucha el agua, escucha la lluvia, escucha la tor-
[menta;
17 Esa es tu vida:
18 Líquido lamento fluyendo entre sombras iguales.

El agua, la lluvia y tormenta indican un «crescendo» en el dolor, en ese lamento que, como la tormenta, se acerca o se aleja en la oscuridad.

La actitud romántica de Cernuda es una constante de su poesía y es necesario tenerla siempre en cuenta, ya que con leves o marcadas pinceladas, como en el caso de este poema, aparce a lo largo de toda su obra.

El poema se desarrolla a modo de monólogo consigo mismo y ésta es la causa de ese tono de confesión o de toma de conciencia. La atmósfera intimista es ya característica de otros poemas del libro, lo que proporciona un dato fundamental a la hora de hacer un análisis global del mismo.

«QUÉ MAS DA»

A) Significación del poema.

El amor es inaccesible y efímero, así lo considera el poeta, pero para él basta que surja una criatura que le atraiga para con su solo recuerdo iluminar su vida entre tinieblas.

B) Métrica.

El poema está compuesto de tres divisiones de dos, cinco y cuatro líneas, y éstas oscilan entre las de 10 sílabas y las de 25.

C) Notas estilísticas.

El tiempo no importa en la búsqueda del amor, existe otro factor del que el autor es consciente y del que sabe no puede desasirse:

1 Qué más da el sol que se pone o el sol que se levanta,
2 La luna que nace o la luna que muere.
3 Mucho tiempo, toda mi vida, esperé verte surgir en-
[tre las nieblas monótonas,
4 Luz inextinguible, prodigio rubio como la llama;

5 Ahora que te he visto sufro, porque igual que aqué-
[llos
6 No has sido para mí menos brillante,
7 Menos efímero o menos inaccesible que el sol y la
[luna alternados.

El tiempo al que se refiere el autor es un tiempo mecánico, de sucesión de día y noche; sol y luna, y con estos dos elementos con que expresa el pasar del tiempo y su vida sin amor, pero con el deseo de poseerlo, y en tinieblas, compara la persona que al fin suscita en él la pasión amorosa. La luz y belleza del ser amado no son menores a las del sol y la luna, pero de esta misma comparación surge también todo el centro dramático del poema; el amor es inaccesible y efímero, es decir, imposible de alcanzar y si éste se encuentra en la vida, no puede mantenerse vivo. Como en muchos otros poemas, el amor está matizado por el color rubio. (Ver línea 4 y el poema titulado «Los marineros son las alas del amor».)

Sin embargo, el recuerdo, que casi siempre es negativo en Cernuda, aquí es al contrario, es la única posibilidad que el poeta tiene de sobrevivir en esa vida de tinieblas por la ausencia del amor:

8 Mas yo sé lo que digo si a ellos te comparo,
9 Porque aun siendo brillante, efímero, inaccesible,
10 Tu recuerdo, como el de ambos astros,
11 Basta para iluminar, tú ausente, toda esta niebla
[que me envuelve.

En el poema no se encuentran huellas del surrealismo. Las imágenes se suceden con una total coherencia.

La *o* disyuntiva es fundamental para la construcción del poema, ya que en ella se basa la comparación del amor con el sol y la luna. (Ver las líneas 1, 2 y 3.)

«EL MIRLO, LA GAVIOTA»

A) Significación del poema.

La visión del mundo, y con él todo lo que el poeta ama, le infunde una poderosa esperanza para un día, con fe en la vida y en las cosas, poderse fundir con ellas en unión amorosa.

B) Métrica.

El poema está compuesto por siete divisiones de doce, tres, siete, dos, seis, cuatro y cinco líneas, y éstas oscilan entre las de 5 sílabas y las de 23.

C) Notas estilísticas.

Las ocho primeras líneas son una enumeración caótica de las cosas del mundo que el poeta va nombrando como si leyera en un gigantesco catálogo. Mientras el mundo gira desgastándose por el tiempo:

1 El mirlo, la gaviota,
2 El tulipán, las tuberosas,
3 La pampa dormida en Argentina,
4 El Mar Negro como después de una muerte,
5 Las niñitas, los tiernos niños,
6 Las jóvenes, el adolescente,
7 La mujer adulta, el hombre,
8 Los ancianos, las pompas fúnebres,
9 Van girando lentamente con el mundo;
10 Como si una ciruela verde,
11 Picoteada por el tiempo,
12 Fuese inconmovible en la rama.

Las tres líneas siguientes constituyen una alabanza de la inocencia y de la pureza. El niño es el símbolo de estas dos cualidades:

13 Tiernos niñitos, yo os amo;
14 Os amo tanto, que vuestra madre
15 Creería que intentaba haceros daño.

El poeta se dirige a una segunda persona que parece tener un matiz colectivo. Se inicia la línea 16 con el *Dame*, y a continuación comienza otra enumeración caótica hasta la línea 20:

16 Dame las glacinas azules sobre la tapia inocente,
17 Las magnolias embriagadoras sobre la falda blanca [y vacía,
18 El libro melancólico entreabierto,
19 Las piernas entreabiertas,
20 Los bucles rubios del adolescente;

Los elementos enumerados no son objetos del mundo moderno deshumanizado. Cernuda recoge y sólo le interesa el mundo natural, y de él los elementos que pueden infundir una atmósfera de indolente nostalgia.

21 Con todo ello haré el filtro sempiterno:
22 Bebe unas gotas y verás la vida como a través de [un vidrio coloreado.

Sin embargo, sabe que aún no puede alcanzar una vida así y ante esta imposibilidad desea el sueño, un letargo que tendrá su final en un día lleno de esperanza:

23 Déjame, ya es hora de que duerma,
24 De dormir este sueño inacabable.
25 Quiero despertar algún día,
26 Saber que tu pelo, niño,
27 Tu vientre suave y tus espaldas
28 No son nada, nada, nada.
29 Recoger conchas delicadas:
30 Mira qué viso violado.

La mirada del poeta parece sorprender otra serie de elementos que le atraen, y quisiera fundar un mundo de ensueño donde sólo ellos existieran:

31 Las escamas de los súbitos peces,
32 Los músculos dorados del marino,
33 Sus labios salados y frescos,
34 Me prenden en un mundo de espejismo.

Todas las enumeraciones antes citadas van configurando la esperanza, la fe en un día posible donde el mundo esté hecho solamente de esos elementos que le interesan al poeta, y aún más, él mismo ser o confundirse con ellos.

35 Creo en la vida,
36 Creo en ti que no conozco aún,
37 Creo en mí mismo;
38 Porque algún día yo seré todas las cosas que amo:
39 El aire, el agua, las plantas, el adolescente.

La última línea es también una enumeración que condensa todas las anteriores.

Como hemos podido observar, el poema está construido en su mayor parte por enumeraciones caóticas que proporcionan un ritmo acelerado al que contribuye también la combinación de

líneas breves y largas. Por otra parte, las anáforas son frecuentes (ver las líneas 1, 2, 5, 6, 35, 36 y 37). Las anáforas y el procedimiento de la enumeración logran el ritmo antes expresado.

¿Nos encontramos ante el poema más optimista de Cernuda? Esa fe en la vida, en el amor desconocido, pero que el autor intuye, la seguridad en sí mismo, hacen pensar que sí. Al menos hay un fuerte contraste con los anteriores donde el pesimismo es vidente. En cuanto al aspecto amoroso que en otros poemas se considera como algo efímero e inalcanzable, aquí es algo que se siente, que es palpable y que se integra en la esperanza del poeta.

«TIENES LA MANO ABIERTA»

Tienes la mano abierta como el ala de un pájaro; no temes que huyan las buenas acciones, los delirios, lo que no sufre compostura. Un grito, y cantas la luz renovada. Un deseo, y mueres calladamente.
Cuándo sabrás que el color violado de las conchas, que sonríen tan vagas en la tierra, es la nueva melodía. Ajusta tu ritmo y tu voz; vuelve la cabeza a derecha e izquierda: eres el señor de las alturas y de las bajezas. Saluda al público cuando llegue la noche. Escucha al mirlo cómo se burla de Dios. Liberado, sonríe con gracia fresca, como muere un niñito.

A) Significación del poema.

El autor parece encontrarse en un estado de esperanza, con las manos abiertas y sin temor, pero intenta buscar un término medio perfecto, y una vez alcanzado éste, la vida puede ajustarse en el dominio del espíritu y el cuerpo.

B) Métrica.

Poema en prosa.

C) Notas estilísticas.

La experiencia de la vida lleva al poeta a la necesidad de encontrar una postura en ella. Se trata por su asunto de un

poema directo, parecido en su tono a «Para unos vivir», pero con un sentido distinto. Los tiempos verbales están en presente, y los imperativos: *ajusta, vuelve, saluda, escucha,* expresan esa necesidad de tomar una posición determinada en la vida. El poeta se impone a sí mismo: «Ajusta tu ritmo y tu voz». Al principio del poema parece notarse una cierta indiferencia: «no temes que huyan las buenas acciones, los delirios, lo que no sufre compostura». Pero a partir de esta frase el autor adopta una posición comprometida, tan sólo le basta el impulso de la vida y canta a la vida, siente el deseo, y sufre el dolor de la pasión amorosa, y este término medio entre la alegría y el dolor: «el color violado de las conchas» es la justa medida; «la nueva melodía» y una vez alcanzada ésta es posible mirar a izquierda y derecha, dominar el espíritu y el cuerpo, ser el señor de las alturas y de las bajezas.

En la expresión «escucha al mirlo cómo se burla de Dios» parece haber cierta resonancia pagana, oposición a un cristianismo que es contrario al sentimiento «arcádico» al que pertenece el autor. De esta forma, liberado de todo prejuicio, se puede alcanzar la pureza y la inocencia: «Liberado, sonríe con gracia fresca, como muere un niñito».

El poema tiene características similares a los otros en prosa. Sin embargo, se observa cierta tendencia a componer las imágenes con sólo elementos de la naturaleza, que recuerdan en cierto sentido a la época de transición enter *Primeras poesías* y la surrealista, es decir, *Égloga, Elegía y Oda,* y pueden ser también un anuncio de lo que será el mundo de las *Invocaciones.* Aun habiendo en el poema un cierto hermetismo, no hay influjo surrealista. Hay un ambiente de optimismo, de equilibrio casi clásico, de goce sensual por la vida en unión de la naturaleza, que lo hacen apartarse de esta tendencia.

«COMO LEVE SONIDO»

A) Significación del poema.

El poeta siente un afán, una fuerza que está dentro y al mismo tiempo fuera de él, pero una y otra se atraen. La presencia de estos impulsos, internos y externos, que pueden ser el amor, mantienen en vilo su vida y todo lo que existe en el mun-

do, el leve sonido, la caricia. El deseo no hace más que aumentar la mutua atracción de esos impulsos, el que nace de su más profundo yo, y el que hay fuera que es un reflejo del primero.

B) Métrica.

El poema está compuesto por cinco divisiones, cuatro de ellas con cuatro líneas y una con seis, y éstas oscilan entre las de 7 sílabas y las de 13.

C) Notas estilísticas.

Cada división del poema expresa por medio del adverbio comparativo *Como*, un elemento o varios que impulsan ese afán interior y exterior que el poeta siente:

1 Como leve sonido:
2 Hoja que roza un vidrio,
3 Agua que pasa unas guijas,
4 Lluvia que besa una frente juvenil;

El relativo *que* se repite en las tres últimas líneas de la división, produciendo un ritmo reiterativo igual que el *como* podría repetirse en todos los versos: «como hojas que...», «como agua que...», etc.

La segunda división también con un *como* comparativo, agrega otro elemento más:

5 Como rápida caricia:
6 Pie desnudo sobre el camino,
7 Dedos que ensayan el primer amor,
8 Sábanas tibias sobre el cuerpo solitario;

Así también la tercera y la cuarta:

9 Como fugaz deseo:
10 Seda brillante en la luz,
11 Esbelto adolescente entrevisto,
12 Lágrimas por ser más que un hombre;

13 Como esta vida que no es mía
14 Y sin embargo es la mía,
15 Como este afán sin nombre
16 Que no me pertenece y sin embargo soy yo;

La entrega de su propia vida que le pertenece y al mismo tiempo se da en otra, así como también ese afán sin nombre

que lo siente como propio pero que igualmente se confunde con otro afán, puede significar el amor. Aún es más evidente ese significado en la última división, donde también se sintetizan los elementos que han despertado el amor en el poeta:

17 Como todo aquello que de cerca o de lejos
18 Me roza, me besa, me hiere,
19 Tu presencia está conmigo fuera y dentro,
20 Es mi vida misma y no es mi vida,
21 Así como una hoja y otra hoja
22 Son la apariencia del viento que las lleva.

Esta manera de plantearse el amor como entrega total y sin reservas, el juego del ser y del no ser confundiéndose en la persona amada, recuerda en cierto modo al amor de los místicos, a los que Cernuda creo que ha tenido muy en cuenta al exponer su teoría del amor.

Se podría decir que el poema entero es una comparación, ya hemos visto que todas las estrofas se inician con el comparativo *Como* que va marcando la pauta del poema, y esta reiteración también influye en el ritmo de la composición. El *como* inicial de cada división abre paso a una serie de elementos que se van integrando. Los dos puntos al final de las líneas 1, 5 y 9 indican esa intención por parte del autor de enumerar todo aquello que hace vibrar su afán amoroso.

«*TE QUIERO*»

A) Significación del poema.

El autor confiesa su amor por la persona amada, pero esta confesión no se expresa con el lenguaje; éste es insuficiente y para decirlo transmite su amor a elementos de la naturaleza: al viento, al sol, a las nubes, las plantas, al agua y al miedo mismo. Aun así no basta y el poeta busca algo que para él está más allá de la vida, de la muerte e incluso del amor; ello es el olvido.

B) Métrica.

El poema está compuesto de ocho divisiones: 1.ª), 1 línea;

2.ª), 3 líneas; 3.ª), 3 líneas; 4.ª), 3 líneas; 5.ª), 3 líneas; 6.ª), 2 líneas; 7.ª), 3 líneas; 8.ª), 5 líneas, de las siguientes medidas:

1.ª División.

1) 3 (trisílabo dactílico).

2.ª División.

2) 8 (octosílabo trocaico).
3) 14 (5 (pentasílabo trocaico) + 9 (eneasílabo dactílico).
4) 14 (5 (pentasílabo trocaico) + 9 (eneasílabo dactílico).

3.ª División.

5) 8 (octosílabo trocaico).
6) 12 (3 (trisílabo dactílico) + 9 (eneasílabo polirrítmico).
7) 14 (4 (tetrasílabo trocaico) + 10 (decasílabo polirrítmico).

4.ª División.

8) 8 (octosílabo trocaico).
9) 14 (7 (heptasílabo polirrítmico) + 7 (heptasílabo dactílico).
10) 7 (heptasílabo trocaico).

5.ª División.

11) 8 (octosílabo trocaico).
12) 9 (eneasílabo trocaico).
13) 11 (endecasílabo melódico).

6.ª División.

14) 8 (octosílabo trocaico).
15) 14 (6 (hexasílabo trocaico) + 8 (octosílabo mixto a).

7.ª División.

16) 8 (octosílabo trocaico).
17) 9 (eneasílabo mixto a).
18) 13 (5 (pentasílabo dactílico) + 8 (octosílabo dactílico).

8.ª División.

19) 7 (heptasílabo dactílico).
20) 7 (heptasílabo dactílico).
21) 10 (decasílabo dactílico).
22) 7 (heptasílabo dactílico).
23) 11 (endecasílabo sáfico).

Haciendo un recuento general vemos que en el poema hay: 1 verso trisílabo; 4 heptasílabos; 6 octosílabos; 2 eneasílabos; 1 decasílabo; 2 endecasílabos; 1 dodecasílabo; 5 alejandrinos, y una línea poética de 13 sílabas compuesta por versos tradicionales; estos últimos predominan, como hemos visto, en anteriores poemas.

C) Notas estilísticas.

La primera línea, separada de las demás, lleva toda la carga significativa de la confesión amorosa. Las divisiones restantes expresan las distintas maneras con que el autor declara su amor a la persona amada, es decir: con el viento, el sol, las nubes, las plantas, el agua, el miedo. La primera línea de cada división indica uno de los elementos expresados y las restantes líneas definen a ese elemento o alguna cualidad de éste:

1 Te quiero.

2 Te lo he dicho con el viento,
3 Jugueteando como animalillo en la arena
4 O iracundo como órgano tempestuoso;

5 Te lo he dicho con el sol,
6 Que dora desnudos cuerpos juveniles
7 Y sonríe en todas las cosas inocentes;

8 Te lo he dicho con las nubes,
9 Frentes melancólicas que sostienen el cielo,
10 Tristezas fugitivas;

11 Te lo he dicho con las plantas,
12 Leves criaturas transparentes
13 Que se cubren de rubor repentino;

14 Te lo he dicho con el agua,
15 Vida luminosa que vela un fondo de sombra;

16 Te lo he dicho con el miedo,
17 Te lo he dicho con la alegría,
18 Con el hastío, con las terribles palabras.

Las líneas 16, 17 y 18 agregan otros conceptos con que el poeta ha expresado su amor. Como podemos observar, la división está constituida de manera distinta a las anteriores, el autor no dice las cualidades del concepto que, como hemos visto, va en la primera línea de cada división, sino que se limita a añadir otros para agotar todas las posibilidades. Esta enumeración de maneras de decir el amor tiene la intención de decirnos que tanto el lenguaje como la naturaleza son insuficientes para poder expresarlo. Y dice el autor:

19 Pero así no me basta:
20 Más allá de la vida,
21 Quiero decírtelo con la muerte;
22 Más allá del amor,
23 Quiero decírtelo con el olvido.

De una forma en pasado, «Te lo he dicho...», que se va repitiendo en todas las estrofas, pasa a una forma presente: «Quiero decírtelo...» El cambio de pasado a presente lleva consigo los intentos fracasados de su confesión amorosa y el poeta sólo halla dos formas: con la muerte, que está más allá de la vida, y con el olvido, que está más allá del mismo amor.

La primera línea es como un resorte que pone en marcha la frase: «Te lo he dicho...» y esta frase, además de indicar la inutilidad de su intento, imprime al poema un ritmo que se mantiene con el leitmotiv reiterativo de la expresión indicada.

«HABÍA EN EL FONDO DEL MAR»

Había en el fondo del mar una perla y una vieja trompeta. Las sutiles capas del agua sonreían con delicadeza al pasar junto a ellas; las llamaban las dos amigas.
Había un niñito ahogado junto a un árbol de coral. Los brazos descoloridos y las ramas luminosas se enlazaban estrechamente; los llamaban los dos amantes.
Había un fragmento de rueda venida desde muy lejos y un pájaro disecado, que asombraba como elegante extranjero a los atónitos peces; les llamaban los nómadas.
Había una cola de sirena con reflejos venenosos y un muslo de adolescente, distantes la una del otro; les llamaban los enemigos.

Había una estrella, una liga de hombre, un libro deteriorado y un violín diminuto; había otras sorprendentes maravillas, y cuando el agua pasaba, rozándolas suavemente, parecía como si quisiera invirtarlas a que la siguieran en cortejo centelleante.
Pero ninguna era comparable a una mano de yeso cortada. Era tan bella que decidí robarla. Desde entonces llena mis noches y mis días; me acaricia y me ama. La llamo la verdad del amor.

A) Significación del poema.

El uator hace una enumeración de objetos que casi todos ellos guardan entre sí una relación creada por él. Esta enumeración tiene la función de resaltar el valor supremo del amor, es decir, nada de las cosas nombradas pueden compararse con el instinto amoroso del hombre.

B) Métrica.

Poema en prosa.

C) Notas estilísticas.

Por virtud del sueño el poeta parece bajar a las profundidades submarinas, y su subconsciente halla y pone en relación una serie de objetos. El resultado de ese extraño viaje es el poema. El autor, con intención poética, narra su experiencia, de ahí el uso del pasado de los verbos.

Los objetos enumerados yacen en el fondo del mar, y al irlos presentando, lo hace con el *había* que se repite en todas las ocasiones, de igual manera que al expresar la relación entre estos objetos usa siempre la expresión: «Los llamaban...», y esta repetición de las dos fórmulas indicadas dan al poema un ritmo y constitución cerrados.

Además de los objetos nombrados, el poeta sabe de otras maravillas que ni siquiera especifica. Pasa casi precipitamente a lo que en verdad le interesa; y dice así: «Pero ninguna era comparable a una mano de yeso cortada». La mano representa para *él la verdad del amor*, es decir, la esencia misma del amor, cuyo recuerdo consuela los días y las noches. La mano cortada que decide robar, y que le acompaña, recuerda a la sombra del

cuerpo amado del poema de este mismo libro «Estaba tendido». El símbolo de la mano es muy corriente en la iconografía surrealista, el mismo Cernuda lo presenta en algunos poemas, tal es el caso de «Remordimiento en traje de noche» de *Un río, un amor*.

Por la naturaleza de los objetos mencionados: la perla, la trompeta, el cadáver del niño y el coral, los trozos de rueda y el pájaro disecado, la cola de sirena y el muslo del adolescente, la liga de hombre, el libro deteriorado, la estrella, etc., el poema está dentro de la estética surrealista, y más que por la simple mención de los objetos, por la relación que hace entre ellos.

Interpretar el sentido de estas relaciones es difícil, tan sólo el hecho de llamar enemigos a la cola de sirena y al muslo del adolescente, refleja el sentimiento peculiar del autor en el terreno amoroso.

Esta técnica de unir objetos de naturaleza dispar es lo que los propios surrealistas llaman *aproximaciones insólitas*, procedimiento que usa Cernuda para el poema, juntamente con la enumeración caótica que tiene como fin el resaltar aún más la primacía del amor.

«VEíA SENTADO»

A) Significación del poema.

El monismo del devenir de Heráclito, cierto influjo del mito de Narciso y la espera del amor son las tres partes que componen el poema. El autor, sentado junto al agua, ve pasar las cosas del mundo; él mismo al reflejarse en la corriente, que toma naturaleza de verdad esencial, no se reconoce, es otro cuerpo el que se contempla, y este hecho de no reconocerse en el seno de la verdad podría interpretarse como la ausencia del amor, que impide su integración consigo mismo y las cosas. Su presencia, por el contrario, haría que el poeta dejara de ser al mismo tiempo el amor y su imagen. Las cosas que se reflejan en las aguas, y que como innecesarias se van con ellas, expresan con más fuerza la importancia vital del amor.

B) Métrica.

El poema se compone de cinco divisiones: la 1.ª, de 5 líneas;

la 2.ª, de 4; la 3.ª, de 4; la 4.ª, de 6 y la 5.ª, de 5, y las líneas oscilan entre las de 7 sílabas y las de 15.

C) Notas estilísticas.

Como hemos visto antes, en el poema intervienen tres temas; así pues, analizaré cada uno por separado para mejor comprensión. El primero que encontramos es el tema del monismo del devenir de Heráclito. El poeta, sentado a la orilla del agua, ve reflejarse en ella las cosas que van pasando llevadas por la corriente, pero éstas no sólo pertenecen a la realidad exterior, sino que también a la interior del propio poeta, así como su propia juventud:

1 Veía sentado junto al agua
2 Con vago ademán de olvido,
3 Veía las hojas, los días, los semblantes,
4 El fondo siempre pálido del cielo,
5 Conversando indiferentes entre ellos mismos.

Esta actitud indiferente que adoptan los elementos de la naturaleza, en contraste con la del poeta, es como sabemos un tópico romántico. Sin embargo, los reflejos continúan:

6 Veía la luz agitarse eficazmente,
7 Un pequeño lagarto de visita,
8 Las piedrecillas vanidosas
9 Disputando el lugar a las tristes hierbas.

No todas las realidades enumeradas se reflejan en el agua el autor a golpe de vista las descubre y las nombra, pero todas ellas parece que pasan intrascendentes como arrastradas por la corriente de estas aguas simbólicas:

10 Veía reinos perdidos o quizá ganados,
11 Veía mi juventud ni ganada ni perdida,
12 Veía mi cuerpo distante, tan extraño
13 Como yo mismo, allá en extraña hora.

En estas últimas líneas citadas, la mirada del poeta vuelve otra vez a las aguas, contempla su cuerpo, su juventud sin sentido:

14 Veía los canosos muros disgustados
15 Murmurando entre dientes sus vagas blasfemias,
16 Veía más allá de los muros

17 El mundo como can satisfecho,
18 Veía al inclinarme sobre la verdad
19 Un cuerpo que no era el cuerpo mío.

En las líneas 18 y 19 parece que las aguas asumen el don de la verdad, y es también aquí donde cierto influjo del mito de Narciso se deja ver: «Veía al inclinarme...», es decir, al asomarse sobre el agua ve un cuerpo que no es el suyo, y este reflejo extraño de que su propia figura sea otra puede indicar el vacío del amor, o también que el cuerpo que se refleja fuera la imagen del amor soñado, que no está presente por ser sólo un reflejo. Las líneas siguientes hacen inclinarse a esta última idea:

20 Subiendo hasta mí mismo
21 Aquí vive desde entonces,
22 Mientras aguardo que tu propia presencia
23 Haga inútil ese triste trabajo
24 De ser yo solo el amor y su imagen.

El último tema, el de la ausencia del amor, se mezcla íntimamente con el influjo del mito de Narciso. El reflejo del cuerpo del poeta no es él mismo, sino la imagen del amor, que por ser reflejo no es real, y es por lo que el propio autor invoca la presencia del ser amado para dejar de ser él al mismo tiempo, el deseo del amor y su propia imagen.

El recurso estilístico que resalta más en el poema es la anáfora, la palabra *veía* se repite siete veces a principio de las divisiones y dentro de ellas. La función de esta repetición ya la hemos dicho antes. Con ella, el autor quiere expresar que todo lo que va observando no le interesa tanto como el amor, ve todo menos la persona amada.

Salvo ciertas imágenes, como las de las líneas 14, 15 y 17, que están dentro de la estética surrealista, las restantes tienen claridad y coherencia, y por lo tanto son de fácil interpretación.

«HE VENIDO PARA VER»

A) Significación del poema.

El poema tiene un significado semejante al anterior. El autor parece venir de algún lugar apartado que más bien puede in-

dicar el deseo de salir de una postura introvertida. El fin de esta decisión es la posibilidad de hallar el amor. El poeta viene para acercarse a las cosas del mundo, pero de todas ellas, el amor es la esencial, al final no lo encuentra, pero guarda dentro de sí la esperanza de poseerlo algún día.

B) Métrica.

El poma está compuesto por siete divisiones: la 1.ª, de 4 líneas; la 2.ª, de 4; la 3.ª, de 5; la 4.ª, de 6; la 5.ª, de 5; la 6.ª, de 4 y la 7.ª, de 4, y las líneas oscilan entre las de 9 sílabas y las de 12. Observamos encabalgamientos en las líneas 1-2, 3-4, 5-6, 9-10, 12-13, 14-15, 16-17, 20-21 y 27-28.

C) Notas estilísticas.

Como he dicho antes, el poeta parece salir de un estado de letargo y desea fervientemente tomar contacto con la vida, encontrar el amor para poder así integrarse con el mundo; ésta es la razon del título que se irá repitiendo a lo largo del poema:

1 He venido para ver semblantes
2 Amables como viejas escobas,
2 He venido para ver las sombras
4 Que desde lejos me sonríen.

5 He venido para ver los muros
6 En el suelo o en pie indistintamente,
7 He venido para ver las cosas,
8 Las cosas soñolientas por aquí.

9 He venido para ver los mares
10 Dormidos en cestillo italiano,
11 He venido para ver las puertas,
12 El trabajo, los tejados, las virtudes
13 De color amarillo caduco.

14 He venido para ver la muerte
15 Y su graciosa red de cazar mariposas,
16 He venido para esperarte
17 Con los brazos un tanto en el aire,
18 He venido no sé por qué;
19 Un día abrí los ojos: he venido.

Hasta ahora el autor ha utilizado la frase «He venido para ver», pero en la línea 16 la cambia por «He venido para esperarte», el cambio es notable en dos sentidos; ya no es ver, sino esperar, y además se dirige a una segunda persona. Esta segunda persona que el poeta desea esperar con los brazos extendidos en el aire, puede ser el amor. En las líneas 18 y 19 hay un momento de duda, pero una fuerza interior le arrastra hacia fuera, a la comunicación:

20 Por ello quiero saludar sin insistencia
21 A tantas cosas más que amables:
22 Los amigos de color celeste,
23 Los días de color variable,
24 La libertad del color de mis ojos;

25 Los niñitos de seda tan clara,
26 Los entierros aburridos como piedras,
27 La seguridad, ese insecto
28 Que anida en los volantes de la luz.

29 Adiós, dulces amantes invisibles,
30 Siento no haber dormido en vuestros brazos.
31 Vine por esos besos solamente;
32 Guardad los labios por si vuelvo.

Si en las líneas 16 y 17, la búsqueda del amor se nos presentaba como una posibilidad, la duda se disipa con la línea 31: «Vine por esos besos solamente», es decir, el poeta se lanza al mundo, pero de todas las cosas, sólo le interesa hallar el amor, y al no encontrarlo vuelve otra vez a esconderse, a replegarse quizás en sí mismo: «Adiós, dulces amantes invisibles», invisibles ya que ha visto todo menos a ellos. Sin embargo, la retirada no es amarga y desilusionada, el poema termina con una esperanza, cabe la posibilidad de la vuelta y un día encontrar el amor: «Guardad los labios por si vuelvo». Esta esperanza que vibra en la última división se ve truncada al pasar los años. Para ver esto pondré el contacto algunos versos del poema titulado «Despedida» del libro *Desolación de la Quimera*. Parece como si el poema naciera en «He venido para ver», y terminara su desarrollo en su último libro. La diferencia es que en «Despedida» se cierne un total pesimismo, no hay vuelta posible, el poeta sabe que sólo la muerte le espera:

Muchachos
Que nunca fuisteis compañeros de mi vida,
Adiós.
Muchachos
Que no seréis nunca compañeros de vida,
Adiós.

... ...

Adiós, adiós, manojos de gracias y donaires.
Que yo pronto he de irme, confiado,
Adonde, anudado el roto hilo, diga y haga
Lo que aquí falta, lo que a tiempo decir y hacer [aquí no supe.
Adiós, adiós, compañeros imposibles.
Que ya tan sólo aprendo
A morir, deseando
Veros de nuevo, hermosos igualmente
En alguna otra vida.

Tanto el poema «Veía sentado» como «He venido para ver» tienen parecida construcción. Los dos se basan en la anáfora. Hemos visto cómo la frase «he venido para ver» se repite en casi todas las divisiones, y esta frase da lugar a enumeraciones caóticas que tienen como fin el sobrevalorar el amor. Algunas imágenes, como las contenidas en las líneas 1, 2, 5, 6, 9, 10, 12, 13, tiñen al poema de un cierto surrealismo. Sobre todo en las líneas 12 y 13 hay una protesta contra la virtud y el trabajo como institución, rasgo este muy propio de dicha tendencia. En definitiva puede decirse que hay un equilibrio entre lo onírico y la coherencia, de tal forma que el poema en conjunto resulta comprensible. El encabalgamiento, como es característica en esta época de la poesía de Cernuda, no es frecuente; la enumeración caótica en la que está basada la mayor parte del poema pide el uso frecuente de los signos de puntuación y la disposición es claramente esticomítica. Sin embargo, las líneas encabalgadas (ver el apartado B) prestan flexibilidad al poema.

CAPÍTULO QUINTO

ESTUDIO CRÍTICO DE *DONDE HABITE EL OLVIDO*

I

A) Significación del poema.

El amor abandona al poeta dejándolo en un estado de desesperación melancólica. Vacío de este sentimiento, desea huir lejos del alcance del deseo, del mismo amor. Este afán de huida llega hasta el olvido, el factor más negativo de la poesía de Cernuda.

B) Métrica.

El poema está compuesto de seis divisiones: 1.ª), 5 líneas; 2.ª), 3 líneas; 3.ª), 4 líneas; 4.ª), 3 líneas; 5.ª), 5 líneas y 6.ª), 2 líneas, de las siguientes medidas:

1.ª División.

1) 7 (heptasílabo dactílico).
2) 11 (endecasílabo melódico).
3) 7 (heptasílabo mixto).
4) 14 (7 (heptasílabo trocaico) + 7 (heptasílabo dactílico).
5) 14 (7 (heptasílabo mixto) + 7 (heptasílabo trocaico).

2.ª División.

6) 7 (heptasílabo mixto).
7) 14 (7 (heptasílabo trocaico) + 7 (heptasílabo trocaico).
8) 8 (octosílabo dactílico).

3.ª División.

9) 16 (11 (endecasílabo heroico) + 5 (pentasílabo dactílico).
10) 7 (heptasílabo trocaico).
11) 7 (heptasílabo dactílico).

12) 18 (11 (endecasílabo melódico) + 7 (heptasílabo dactílico).

4.ª División.

13) 19 (10 (decasílabo mixto) + 9 (eneasílabo mixto c).
14) 10 (decasílabo dactílico).
15) 14 (6 (hexasílabo dactílico) + 8 (octosílabo trocaico).

5.ª División.

16) 14 (7 (heptasílabo dactílico) + 7 (heptasílabo trocaico).
17) 14 (7 (heptasílabo mixto) + 7 (heptasílabo trocaico).
18) 14 (7 (heptasílabo dactílico) + 7 (heptasílabo dactílico).
19) 8 (5 (pentasílabo dactílico) + 3 (trisílabo dactílico).
20) 12 (5 (pentasílabo trocaico) + 7 (heptasílabo dactílico).

6.ª División.

21) 6 (hexasílabo dactílico).
22) 7 (heptasílabo dactílico).

Haciendo un recuento, vemos que en el poema hay: 1 verso hexasílabo, 6 heptasílabos, 2 octosílabos, 1 decasílabo, 1 endecasílabo, 1 dodecasílabo, 7 alejandrinos, una línea de 16 sílabas compuesta por un endecasílabo y un pentasílabo, una línea de 18 sílabas formada por un endecasílabo y un heptasílabo, y finalmente, otra de 19 sílabas compuesta por un decasílabo y un eneasílabo. Hay pues, un claro predominio de los versos tradicionales sobre las líneas, e incluso éstas, como hemos visto, están constituidas por versos de la métrica histórica. Como puede observarse en el poema, los versos que más abundan son los heptasílabos y los alejandrinos; hay un número equilibrado entre ellos: 6 heptasílabos y 7 alejandrinos. La disposición del poema es esticomítica, salvo algunos encabalgamientos en las líneas 3-4-5, 6-7, 10-11.

C) Notas estilísticas.

Como sabemos, el título del libro y la primera línea del poema están sacados de la rima LXVI de Bécquer, cuyo influjo es sensible en el libro [1].

---

1. Juan Alberto FERNÁNDEZ BAÑULS, *Bécquer y la creación poética del 27: el caso de Luis Cernuda,* en «Archivo Hispalense», núm. 165, tomo LIV, Sevilla, 1971, págs. 39-76.

Desde la primera división el autor expresa sus deseos de huir, de apartarse del amor y del deseo:

1 Donde habite el olvido,
2 En los vastos jardines sin aurora;
3 Donde yo sólo sea
4 Memoria de una piedra sepultada entre ortigas
5 Sobre la cual el viento escapa a sus insomnios.

6 Donde mi nombre deje
7 Al cuerpo que designa en brazo de los siglos,
8 Donde el deseo no exista.

Pero no sólo quiere huir del deseo sino del amor, motivo de su dolor. Esa gran región a la que se refiere la línea 9, puede ser el olvido, situación donde el amor, el deseo, el afán de vida no existen:

9 En esa gran región donde el amor, ángel terrible,
10 No esconda como acero
11 En mi pecho su ala,
12 Sonriendo lleno de gracia aérea mientras crece el [tormento.

El afán que en otras ocasiones toma el lugar del deseo, en la división siguiente aparece como el amor:

13 Allá donde termine este afán que exige un dueño a [imagen suya,
14 Sometiendo a otra vida su vida,
15 Sin más horizontes que otros ojos frente a frente.

Hasta el final, el poema es un añadir lugares de refugio o situaciones de huida:

16 Donde penas y dichas no sean más que nombres,
17 Cielo y tierra nativos en torno de un recuerdo;
18 Donde al fin quede libre sin saberlo yo mismo,
19 Disuelto en niebla, ausencia,
20 Ausencia leve como carne de niño.

21 Allá, allá lejos;
22 Donde habite el olvido.

El deseo de escapar y de olvido alcanza en las líneas 19 y 20 su más alto grado; el autor desea disolverse como niebla, como aire, es decir, un total nihilismo.

Como ha podido observarse, el adverbio *donde* se repite anafóricamente en cada división, así, cada una de ellas es la descripción de los lugares a los que el autor quisiera escapar para olvidarse del amor y el deseo. Los lugares indicados son todos ellos indeterminados en el tiempo y el espacio, dando una sensación de infinito.

Veamos ahora la rima LXVI de Bécquer para compararla con el poema de Cernuda:

LXVI

1 ¿De dónde vengo?... El más horrible y áspero
de los senderos busca.
Las huellas de unos pies ensangrentados
sobre la roca dura;
5 Los despojos de un alma hecha jirones
en las zarzas agudas,
te dirán el camino
que conduce a mi cuna.
¿Adónde voy? El más sombrío y triste
10 de los páramos cruza:
valle de eternas nieves y de eternas
melancólicas brumas.
En donde esté una piedra solitaria
sin inscripción alguna,
15 donde habite el olvido,
allí estará mi tumba.

Parece que el poema de Cernuda tiene un cierto influjo de la segunda parte de la rima. Sin embargo, Bécquer sitúa con precisión ese lugar, que en Cernuda queda vago e impreciso. En los dos poemas se habla de una tumba, y esto nos lleva irremediablemente a pensar en la muerte. En Cernuda la tumba aparece al principio del poema (ver las líneas 3, 4 y 5), en Bécquer se menciona en el último verso:

Bécquer:

En donde esté una piedra solitaria
sin inscripción alguna,
donde habite el olvido,
allí estará mi tumba.

Cernuda:

Donde yo sólo sea
Memoria de una piedra sepultada entre ortigas
Sobre la cual el viento escapa a sus insomnios.

Bécquer concretamente dice una tumba; Cernuda, con imprecisión, habla de una piedra sepultada en las ortigas, y al final de su poema deja el lugar nimbado de vaguedad con ansias de infinito: «Allá, allá lejos; / Donde habite el olvido». ¿Dónde está esa lejana región donde el olvido impera? ¿Es la muerte o está más allá de la muerte? Para Cernuda el olvido es un grado más de nihilismo que la misma muerte y es en este punto donde está la diferencia entre los dos poetas sevillanos. En Bécquer el final está en la muerte, en el olvido para Cernuda. El primero es más concreto, el segundo está fuera del tiempo y del espacio. Esta diferencia no impide el influjo de la segunda parte de la rima LXVI sobre el poema de Cernuda. Se pudiera decir que el poema es un desarrollo de los cuatro últimos versos de la rima. Otra de las semejanzas que hallamos entre las dos composiciones es el uso del adverbio *donde,* y su repetición en ambos poemas da esa atmósfera de búsqueda indecisa, casi sin rumbo, donde los dos hombres parecen perderse, aunque al final, el uno halla el lugar en la muerte y el otro en el olvido, como he indicado antes.

Otra rima de Bécquer, la XLVIII, ejerce su influjo sobre este poema de Cernuda. Veamos, pues, los textos:

Bécquer:

Como se arranca el hierro de una herida,
su amor de las entrañas me arranqué,

Cernuda:

En esa gran región donde el amor, ángel terrible,
No esconda como acero
En mi pecho su ala,

El amor es para los dos poetas como un puñal clavado en el pecho, cuyo dolor es insufrible. Para Bécquer es hierro, para Cernuda acero, pero en este último hay una comparación que no encontramos en Bécquer. El amor es un puñal y este puñal es como un ala. La comparación o representación del amor con un ala es característico de la poesía de Cernuda.

En las líneas 16, 17, 18, 19 y 20 hay imágenes que aluden al mundo onírico y hacen que el poema pueda encuadrarse dentro de la influencia surrealista.

II

A) Significación del poema.

El afán de amor que siente el poeta se compara con un elemento de la naturaleza: el mar. Pero ese afán amoroso, aunque pasado, guarda aún vida, hasta tal punto de desear anegarse en ese mar que simboliza la pasión amorosa.

B) Métrica.

El poema está compuesto de dos divisiones de nueve líneas cada una, y éstas oscilan entre las de 7 sílabas y las de 19. Hay encabalgamiento en las líneas 1-2-3, 4-5, 8-9, 13-14, 16-17.

C) Notas estilísticas.

Las primeras nueve líneas expresan esa comparación entre el mar y el amor del poeta; ambos elementos poseen una fuerza ascendente como veremos a continuación:

1 Como una vela sobre el mar
2 Resume ese azulado afán que se levanta
3 Hasta las estrellas futuras,
4 Hecho escala de olas
5 Por donde pies divinos descienden al abismo,
6 También tu forma misma,
7 Ángel, demonio, sueño de un amor soñado,
8 Resume en mí un afán que en otro tiempo levantaba
9 Hasta las nubes sus olas melancólicas.

Es decir, igual que una vela sobre el mar, resume ese afán que se levanta, también *tu* forma resume en *mí* un afán que en otro tiempo levantaba hasta las nubes sus olas melancólicas. El mar y el amor tienen una fuerza ascendente, ambos despiertan un afán que se eleva. En las líneas 2 y 8 el autor utiliza el mismo verbo: *levantar*. El azulado afán del mar se eleva hasta las estrellas futuras, el del amor hasta las nubes. La vela sintetiza el afán azulado del mar, la forma de la persona amada

resume la fuerza de la pasión amorosa. La persona amada se presenta ante nosotros vagamente, el autor lo quiere así. En la línea 6 es una forma, y en la siguiente un ángel, un demonio o aún más inconcreto, el sueño de un amor soñado. Este ángel o demonio nada tiene que ver con el cristianismo, sino con lo daimónico griego.

El azulado afán del mar es presente, el verbo *levantar* está usado de esta forma para dar idea de continuidad, por el contrario, el afán amoroso es pasado (*levantar*, línea 2 y *levantaba*, línea 8). Esta diferencia en los tiempos verbales es fundamental en el poema, por ella sabemos que se trata de un amor pretérito y esto nos llevará al entendimiento de la composición. Sin embargo, el amor, ya sea presente o pasado, es siempre melancólico (ver las líneas 8 y 9). Este sentido de melancolía en el amor es uno de los factores que hacen de Cernuda un poeta romántico.

Analicemos ahora la segunda y última división donde el poema encuentra su total desarrollo:

10 Sintiendo todavía los pulsos de ese afán,
11 Yo, el más enamorado,
12 En las orillas del amor,
13 Sin que una luz me vea
14 Definitivamente muerto o vivo,
15 Contemplo sus olas y quisiera anegarme,
16 Deseando perdidamente
17 Descender, como los ángeles aquellos por la escala [de espuma,
18 Hasta el fondo del mismo amor que ningún hombre [ha visto.

El amor, aunque pasado, sigue latiendo dentro del poeta (línea 10). Sin embargo, no está dentro del amor, sólo tiene el deseo ferviente de poseerlo. El amor es como un mar en que el poeta está en sus orillas queriendo hundirse en sus aguas, más aún, descender por la escala de espuma como los ángeles, hasta lo más profundo de sus aguas, hasta lo más profundo del amor donde quizás ningún hombre ha penetrado.

Las líneas 4-5 se complementan con la 17. Esos ángeles o demonios son los únicos seres que pueden poseer el amor profundamente, y que a la vez lo provocan.

El uso del encabalgamiento es moderado, pero distribuido en posición inicial, media y final (ver apartado B), da al poema un ritmo fluido y ondulante.

III

A) Significación del poema.

El poeta espera el amor entregándose plenamente. En un tiempo pasado, el amor le acompañó, ahora tan sólo le queda el deseo de su presencia, pero desengañado por la espera, renuncia.

B) Métrica.

El poema está compuesto por cuatro divisiones, todas ellas de cuatro líneas, menos la última de dos, y éstas oscilan entre las de 6 sílabas y las de 13.

C) Notas estilísticas.

1 Esperé un dios en mis días
2 Para crear mi vida a su imagen,
3 Mas el amor, como un agua,
4 Arrastra afanes al paso.

La capacidad de espera es grande, pero el amor, como un impetuoso río, arrastra todas las esperanzas. Sin embargo, en un tiempo, el amor poseyó al poeta y a él se entregó sin reservas:

5 Me he olvidado a mí mismo en sus ondas;
6 Vacío el cuerpo, doy contra las luces;
7 Vivo y no vivo, muerto y no muerto;
8 Ni tierra ni cielo, ni cuerpo ni espíritu.

Pero el amor ha pasado, sólo queda un acorde lejano:

9 Soy eco de algo;
10 Lo estrechan mis brazos siendo aire,
11 Lo miran mis ojos siendo sombra,
12 Lo besan mis labios siendo sueño.

Las dos últimas líneas sintetizan el sentido del poema. Técnica que como ya sabemos la utiliza Cernuda en sus dos libros anteriores:

13 He amado, ya no amo más;
14 He reído, tampoco río.

El desengaño del amor le lleva a rechazarlo de su vida, y esta decisión la hace el autor sin queja o melancolía, en un tono seco, con breves palabras y sin adornos.

En la línea 7 hay una antítesis en uso doble, distribuida en dos términos en oposición:

7 vivo y no vivo, muerto y no muerto;

su esquema sería: [+ ←→ −] ←→ [+ ←→ −]

Línea 8 Ni tierra ni cielo, ni cuerpo ni espíritu

tierra — cielo	cuerpo — espíritu
+ −	+ −

Se trata de una antítesis de índole negativo en grado paralelo.

En las líneas 10, 11 y 12, antítesis de orden sintáctico:

(Lo estrechan mis brazos) siendo (aire)
+ −
(Lo miran mis ojos) siendo (sombra)
+ −
(Lo besan mis labios) siendo (sueño)
+ −

En las líneas 13 y 14 observamos antítesis de orden temporal:

13 He amado, ya no amo más
pasado presente
14 He reído, tampoco río
pasado presente

Las antítesis indicadas expresan la entrega plena del poeta al amor, de tal manera que llega hasta el olvido de sí mismo (División 2.ª). Aun sabiendo que el amor es inalcanzable, persiste en su intento. Tal es la razón de las antítesis de la división 3.ª El desengaño amoroso trae consigo las antítesis de orden temporal, un pasado lleno de amor y alegría que se contrapone con un presente desolado y vacío.

IV

A) Significación del poema.

El amor infunde vida, es causa de la existencia. Sin amor el poeta deja de existir, se precipita en la nada.

B) Métrica.

El poema está compuesto de seis divisiones: 1.ª), de una línea; 2.ª), de 2; 3.ª), de 3; 4.ª), de 3; 5.ª), de 4 y 6.ª), de una, y éstas oscilan entre las de 2 sílabas y las de 13.

C) Notas estilísticas.

1 Yo fui.

2 Columna ardiente, luna de primavera,
3 Mar dorado, ojos grandes.

4 Busqué lo que pensaba;
5 Pensé, como al amanecer en sueño lánguido,
6 Lo que pinta el deseo en días adolescentes.

7 Canté, subí,
8 Fui luz un día
9 Arrastrado en la llama.

El *yo* con el que se abre el poema nos predispone a oí algo personal; es como una confesión íntima de lo que el auto supuso al poseer el amor, tanto que lo considera principio d la vida. Como se puede observar, casi todas las formas verbale indican épocas pasadas, lo que nos dice que se trata de una ex periencia amorosa pretérita. El amor posee una fuerza ascen sional y hace del poeta *columna ardiente, luna de primavera mar dorado, ojos grandes.* Le obliga a cantar, a subir, ser tod luz y abandonarse en el fuego de la pasión. Pero nunca falta es nota melancólica y delicadamente romántica propia de Cernud que nos recuerda al adolescente que sentía ese amor vago, aú sin nombre concreto, de *Perfil del aire:* «Pensé, como al aman cer en sueño lánguido, / Lo que pinta el deseo en días adole centes». Pero ese poder ascensional y transformativo pasa y tod lo que era altura y luminosidad se convierte en sombra y caída

10 Como un golpe de viento
11 Que deshace la sombra,
12 Caí en lo negro,
13 En el mundo insaciable.

El amor ha pasado y tras él sólo quedan tinieblas y caída un mundo devorador e incomprensible. La última línea expresa o definitivo:

14 He sido.

Es decir, con el amor tuve vida: «Yo fui», sin él he dejado le existir. El ritmo del poema parece como una fuga que tuiera su principio en la misma vida, y terminara casi violentanente en la línea final. El poema se mantiene «in crescendo» asta la línea 9. Expresiones como: *columna ardiente, mar doado, busqué, pensé, canté, subí, fui luz un día, arrastrado en i llama,* impirmen este sentido de elevación. Desde la línea 10 odo se precipita hacia el final que de un golpe detiene el ritmo e la composición.

Fijemos ahora las épocas verbales que juegan importante apel en el poema[2]. De la línea 1 a la 5 el autor usa la época asada. El *pensaba* de la línea 4 es un presente inactual en posición a *pienso* actual. Expresa coexistencia, pero en inactuadad.

En la línea 6 el autor se expresa en época actual: «Lo que inta el deseo en días adolescentes». El *Lo* neutro matiza el caácter atemporal de esta época. De la línea 7 a la 9 continúa a época pasada; en la 11 nuevamente la actual. A partir de sta línea los verbos están usados en época pasada, la línea 14 ue pone fin al poema es una época pasada completa. Como odemos observar, la composición está regida por dos épocas; a actual y la pasada, y este uso particular de los verbos tiene la unción de expresar lo que el hombre, en este caso el propio utor, es cuando el amor le asiste o le abandona, idea eje del oema, como hemos visto antes.

Las alusiones al mundo de las sombras, a lo oscuro y más ue nada las transformaciones que va tomando el autor por el olo poder del sentimiento amoroso, hacen pensar que aún exise cierto influjo del surrealismo.

---

2. Vidal LAMÍQUIZ, *Morfosintaxis estructural del verbo español*. Publicacioes de la Universidad de Sevilla, 1972, págs. 70-81.

V

A) Significación del poema.

El poema puede tener dos interpretaciones. El autor pa rece desear la muerte, muerte que equivale a un olvidarse de sí mismo, perdiéndose y ocultándose de los demás, allá en una le jana región indeterminada que el autor sitúa simbólicamente en la luna. Esta muerte puede ser el amor con todo lo que sig nifica de olvido personal en pos del ser amado. Otra interpre tación sería el deseo de la muerte, el olvido del mundo y de sí mismo por la ausencia del amor.

B) Métrica.

El poema está compuesto de cuatro divisiones: las tres pri meras de cuatro líneas y la última de cinco, y éstas oscilan entre las de 7 y 13 sílabas.

C) Notas estilísticas.

La muerte en el poema, como ya hemos visto, puede tener dos significados: quizás aluda a una muerte física que se desea por falta de amor o puede ser el amor sentido como muerte. El autor ha querido dejar esta ambigüedad en el poema y esta oscuridad es una de sus notas positivas. El afán o el deseo de esta muerte es también vago y melancólico, y el lugar donde se sitúa este gozo está en consonancia a la manera en que se siente el deseo:

1 Quiero, con afán soñoliento,
2 Gozar de la muerte más leve
3 Entre bosques y mares de escarcha,
4 Hecho aire que pasa y no sabe.

La muerte o el amor es como un fruto pasado e instantáneo, sutil como una luz de invierno:

5 Quiero la muerte entre mis manos,
6 Fruto tan ceniciento y rápido,
7 Igual al cuerpo frágil
8 De la luz cuando nace en el invierno.

Hasta aquí el autor parece referirse a una muerte física, pero en la división siguiente, ciertos atributos a la muerte deseada

como: *lejana amargura, su sueño con rumor de arpa,* hacen pensar que pueda tratarse del amor:

9 Quiero beber al fin su lejana amargura;
10 Quiero escuchar su sueño con rumor de arpa
11 Mientras siento las venas que se enfrían,
12 Porque la frialdad tan sólo me consuela.

El amor puede sentirse como un trance mortal, incluso con sus mismos síntomas de frialdad, frío en la sangre y el cuerpo que consuela de su dolor al poeta (línea 12). La ambigüedad del símbolo muerte-amor crece aún más en estas líneas:

13 Voy a morir de un deseo,
14 Si un deseo sutil vale la muerte;
15 A vivir sin mí mismo de un deseo,
16 Sin despertar, sin acordarme,
17 Allá en la luna perdido entre su frío.

La línea 13 parece indicar esta idea: voy a morir de amor o por desearlo con afán irresistible. Las líneas 15 y 16 expresan el olvido que de sí mismo siente la persona que ama. La vaguedad es intencionada y por sí sola constituye la base estética de la composición. El situar el amor en la luna como lugar lejano y soñado es uno de los rasgos de este tono.

Es quizás en este poema donde hasta el momento se observa mayor influjo del surrealismo, la falta de coherencia de las imágenes y la ambigüedad en que está envuelta toda la composición hacen considerarlo así.

La anáfora es el recurso estilístico más usado. El deseo de la muerte-amor origina la repetición de *Quiero* en las líneas 1, 5, 9 y 10.

VI

A) Significación del poema.

De nuevo aparece el mar simbolizando el amor. Este mar atrae al poeta, es una «fiel respuesta al deseo». Pero en el fondo el amor, en el seno de sus olas, aguarda la destrucción y la muerte.

B) Métrica.

El poema se compone de cuatro divisiones; las tres prime-

ras de cuatro líneas y la última de dos. Las líneas son todas de 7 sílabas.

C) Notas estilísticas.

«El mar es un olvido», que sería lo mismo que decir: el amor es un olvido, una destrucción que atrae y al final aniquila:

1 El mar es un olvido
2 Una canción, un labio;
3 El mar es un amante,
4 Fiel respuesta al deseo.

Y continúan las comparaciones del amor:

5 Es como un ruiseñor,
6 Y sus aguas son plumas,
7 Impulsos que levantan
8 A las frías estrellas.

El afán, los impulsos son tan poderosos que tienen una fuerza cósmica:

9 Sus caricias son sueño,
10 Entreabren la muerte,
11 Son lunas accesibles,
12 Son la vida más alta.
13 Sobre espaldas oscuras
14 Las olas van gozando.

Es decir, «Sus caricias son sueño» que dan placer y vida feliz, pero también se entrevé la muerte, el olvido y la destrucción. El poema está entre el deseo del amor y en el saber en dónde desemboca éste.

Aunque el autor se ha impuesto el rigor y la métrica (las líneas son de 7 sílabas), las imágenes están dentro de la estética surrealista, sobre todo las contenidas en las tres últimas divisiones.

VII

A) Significación del poema.

Es una toma de conciencia con el tiempo pasado. La niñez con su ignorancia, donde aún las fuerzas negativas no amena-

zan al hombre. La adolescencia en donde el deseo comienza a despertarse vagamente. El autor hace un examen de los años pasados con el presente y el resultado es doloroso. Pero algo permanece como una constante a lo largo de la vida e incluso con la muerte; el afán: el deseo que siempre posee el poeta como única fuerza integradora con lo creado.

B) Métrica.

El poema está compuesto por cuatro divisiones de cuatro líneas cada una, y las líneas oscilan entre las de 7 sílabas y las de 15.

C) Notas estilísticas.

El recuerdo de la adolescencia, época indecisa entre la penumbra y el reflejo, da dolor al poeta. El placer y la inconsciencia de los años juveniles han pasado:

1 Adolescente fui en días idénticos a nubes,
2 Cosa grácil, visible por penumbra y reflejo,
3 Y extraño es, si ese recuerdo busco,
4 Que tanto, tanto duela sobre el cuerpo de hoy.

5 Perder placer es triste
6 Como la dulce lámpara sobre el lento nocturno;
7 Aquél fui, aquél fui, aquél he sido;
8 Era la ignorancia mi sombra.

Como penetrando en el tiempo, el autor recuerda ahora su niñez soñadora y retraída, que le hace vivir una realidad interior aún más auténtica que la percibida por los sentidos (ver las líneas 11 y 12).

9 Ni gozo ni pena; fui niño
10 Prisionero entre muros cambiantes;
11 Historias como cuerpos, cristales como cielos,
12 Sueño luego, un sueño más alto que la vida.

La última división es como la conclusión final a las consideraciones anteriores. La muerte le sorprenderá un día sin nada en las manos, es decir, siempre en continuo deseo, en tensión con las mismas ilusiones que un adolescente:

13 Cuando la muerte quiera
14 Una verdad quitar de entre mis manos,

15 Las hallará vacías, como en la adolescencia
16 Ardientes de deseo, tendidas hacia el aire.

Resalta en el poema como recurso estilístico una moderada reiteración. La repetición de palabras como *tanto* (línea 4), *aquel fui* (línea 7), *sueño* (línea 12), proporcionan un ritmo adecuado a la función amarga que tiene el recuerdo de los años pasados en confrontación con el presente.

VIII

A) Significación del poema.

En mitad de la noche crece el tormento del amor hasta convertirse en una angustia sin nombre. Los que como el poeta sufren del mismo mal son los condenados que tuercen sus cuerpos en la oscuridad. El amor es un mundo caído donde silba la ira, un mar de delirios, o las alas de un dios póstumo.

B) Métrica.

El poema se compone de cinco divisiones de cuatro líneas cada una, y éstas son en la mayoría versos heptasílabos.

1.ª División.

1) 8 (3 (trisílabo dactílico) + 5 (pentasílabo trocaico).
2) 7 (heptasílabo dactílico).
3) 7 (heptasílabo trocaico).
4) 7 (heptasílabo mixto).

2.ª División.

5) 7 (heptasílabo dactílico).
6) 7 (heptasílabo trocaico).
7) 7 (heptasílabo mixto).
8) 7 (heptasílabo dactílico).

3.ª División.

9) 7 (heptasílabo mixto).
10) 7 (heptasílabo trocaico).
11) 7 (heptasílabo mixto).
12) 7 (heptasílabo trocaico).

4.ª División.

13) 7 (heptasílabo dactílico).
14) 7 (heptasílabo dactílico).
15) 7 (heptasílabo dactílico).
16) 7 (heptasílabo dactílico).

5.ª División.

17) 7 (heptasílabo dactílico).
18) 7 (heptasílabo trocaico).
19) 7 (heptasílabo mixto).
20) 7 (heptasílabo trocaico).

Como podemos observar, las líneas, en su mayoría, son versos heptasílabos que, junto con los endecasílabos y los alejandrinos, son los más usados por Cernuda en los libros analizados. Aun siendo *Donde habite el olvido* el último libro de inspiración surrealista, vemos un control desde el punto de vista métrico, control que es otra característica de la poesía de Cernuda.

C) Notas estilístic[illegible]

En tormento amoroso, con insomnio en la noche con sus horas [illegible]argadas de angustia, bajo un cielo de hierro donde la amargu[illegible] florece como un árbol, viven los que sufren por amor, y como en una danza retuercen sus cuerpos siempre entre tinieblas:

1 Nocturno, esgrimes horas
2 Sordamente profundas;
3 En esas horas fulgen
4 Luces de ojos absortos.

5 Bajo el cielo de hierro
6 Da hojas la amargura,
7 Lenta entre las cadenas
8 Que sostienen la vida.

9 Hechos vibrante fuego
10 O filo inextinguible,
11 Los condenados tuercen
12 Sus cuerpos en la sombra.

El dolor, que a fuerza de ser intenso ya no tiene nombre crece hasta un límite que sobrepasa la vida y la muerte. El amo aunque ya pasado, el último verso así parece indicarlo, es aú como un mar delirante o un clamor que llena todo el espacio

13 Ya no es vida ni muerte
14 El tormento sin nombre,
15 Es un mundo caído
16 Donde silba la ira.

17 Es un mar delirante,
18 Clamor de todo espacio,
19 Voz que de sí levanta
20 Las alas de un dios póstumo.

En la línea 17 aparece nuevamente el amor comparado co el mar, pero no es éste un amor donde el poeta encuentra l satisfacción de sus deseos, sino que es, aunque atrayente, el m tivo de su aniquilamiento, de su destrucción.

El ambiente de insomnio y angustia engendra imágenes d claro influjo surrealista, no ya por su falta de lógica, sino po su misma naturaleza (ver las divisiones 1.ª, 2.ª, 4.ª y 5.ª).

IX

A) Significación del poema.

Una vaga pero honda tristeza invade al poema. El amor presentido como una «pasión sin figura» o «como herida al pecho» es la causa de este dolor, que de tanto ser intenso es casi impreciso.

B) Métrica.

El poema está compuesto de cinco divisiones de cuatro líneas, menos la última que es de una y sintetiza el sentido del poema. Las líneas son la mayoría versos hexasílabos.

C) Notas estilísticas.

El amor cuando pasa es como un sueño, un aire que va dejando un nihilismo interior:

1 Era un sueño, aire

2 Tranquilo en la nada;
3 Al abrir los ojos
4 Las ramas perdían.

Y este nihilismo va tiñéndolo todo de una difusa melancolía:

5 Exhalaba el tiempo
6 Luces vegetales,
7 Amores caídos,
8 Tristeza sin donde.

9 Volvía la sombra;
10 Agua eran sus labios.
11 Cristal, soledades,
12 La frente, la lámpara.

El sentimiento amoroso parece definirse con mayor precisión en las líneas siguientes:

13 Pasión sin figura,
14 Pena sin historia;
15 Como herida al pecho,
16 Un beso, el deseo.

17 No sabes, no sabes.

Con la última línea la confusión se hace más patente. La fuerza turbadora del amor llega a un límite en que el poeta no sabe darle nombre a su propio dolor.

En el poema hay un claro influjo de la rima XLVIII de Bécquer, concretamente en la línea 15, y de *Perfil del aire*. Palabras como: *sombra, agua, aire, labios, cristal, fuente, lámpara,* y esa tristeza vaga casi indolente en que está sumido el poema, hacen recordar el primer libro de Cernuda.

X

A) Significación del poema.

Sin amor el poeta se siente como un ángel expulsado del paraíso. Ante él se extiende la soledad y una vida errante por un mundo de sombras. El amor que antes le impulsaba a la vida está marchito, y ahora no es más que una irónica respuesta al deseo. Por el dolor del recuerdo quisiera ser joven para poder levantar de nuevo el amor perdido.

B) Métrica.

El poema está compuesto de siete divisiones ‹ cuatro y cinco líneas, y éstas oscilan entre las de 7 sílabas y la de 18. Il encabalgamiento es poco usado. Así las líneas: 2-3-4 20-21, 3-24.

C) Notas estilísticas.

La pérdida del amor supone la expulsión de un paraíso. poeta se compara al ángel mítico:

1 Bajo el anochecer inmenso,
2 Bajo la lluvia desatada, iba
3 Como un ángel que arrojan
4 De aquel edén nativo.

El cuerpo lleno aún de la inocencia, desnudo, choca ante una vida hostil donde las alas y la luz, símbolos del amor, pesan sobre las espaldas cansadas del poeta:

5 Absorto el cuerpo aún desnudo,
6 Todo frío ante la brusca tristeza,
7 Lo que en la luz fue impulso, las alas,
8 Antes candor erguido,
9 A la espalda pesaban sordamente.

La soledad le acompaña, dos soledades mejor: la de él mismo y la del amor perdido. El mundo es un desierto de sombras por donde el poeta está condenado a vagar sin rumbo fijo alguno. Ante esto quiere encontrarse a sí mismo u olvidarse de su existencia:

10 Se buscaba a sí mismo,
11 Pretendía olvidarse a sí mismo;
12 Niño en brazos del aire,
13 En lo más poderoso descansando,
14 Mano en la mano, frente en la frente.

15 Entre precipitadas formas vagas,
16 Vasta estela de luto sin retorno,
17 Arrastraba dos lentas soledades,
18 Su soledad de nuevo, la del amor caído.

Las alas del amor que en un tiempo mantenían su afán, ahora están derribadas en el suelo, como triste respuesta al deseo El alivio del olvido no le asiste y el tormento crece instigado

por el deseo y el recuerdo (ver las líneas 25 y 26 donde los verbos *recordar* y *desear* están usados en gerundio para expresar así una acción continuada):

23 Quisiste siempre, al fin sabes
24 Cómo ha muerto la luz, tu luz un día,
25 Mientras vas, errabundo mendigo, recordando, de-
[seando;
26 Recordando, deseando.

El recuerdo pesa porque despierta el deseo y también es un recurso negativo, cuando el amor se recuerda es señal de que ha pasado. Sólo las fuerzas de la juventud pueden alzar el amor a su esplendor primero a pesar de las lágrimas, el odio y la injusticia:

27 Pesa, pesa el deseo recordado;
28 Fuerza joven quisieras para alzar nuevamente,
29 Con fango, lágrimas, odio, injusticia,
30 La imagen del amor hasta el cielo,
31 La imagen del amor en la luz pura.

El recurso estilístico más usado es la reiteración. Hay algunas anáforas, como en las líneas 1-2. La repetición de *bajo* anafóricamente expresa la situación de ángel caído en que se encuentra el autor. La de las líneas 30-31, con la repetición de la frase *la imagen del amor* tiene la función de indicar el afán de recuperar el amor y elevarlo hasta el cielo, hasta la luz pura.

XI

A) Significación del poema.

Una vez que ha pasado el amor como experiencia dolorosa, el poeta no desea volver a sentirlo. Sin embargo, algo queda vivo aún de este amor que quisiera borrarlo con el olvido.

B) Métrica.

El poema está compuesto por cuatro divisiones de cuatro líneas, y éstas oscilan entre las de 7 sílabas y las de 12. Hay encabalgamiento en las líneas 1-2, 3-4, 5-6 y 9-10.

C) Notas estilísticas.

En la primera división se expresa el miedo a volver a sentir el amor, a caer en su dolor; sin embargo, en otro tiempo éste fue motivo de vida y felicidad:

1 No quiero, triste espíritu, volver
2 Por los lugares que cruzó mi llanto,
3 Latir secreto entre los cuerpos vivos
4 Como yo también fui.

Incluso el recuerdo del amor le hace sufrir, está vivo como una herida que no sana:

5 No quiero recordar
6 Un instante feliz entre tormentos;
7 Goce o pena, es igual,
8 Todo es triste al volver.

9 Aún va conmigo como una luz lejana
10 Aquel destino niño,
11 Aquellos dulces ojos juveniles,
12 Aquella antigua herida.

La falta de amor, el dolor que éste le ha causado, han hecho de él casi un cadáver, pero prefiere morir aún más, arrancarlo de su pensamiento, olvidarlo antes de volver a sentir esa experiencia fatal. El olvido es el remedio más fuerte con que el autor puede disipar de sus sentimiento ese pesar:

13 No, no quisiera volver,
14 Sino morir aún más,
15 Arrancar una sombra,
16 Olvidar un olvido.

Todas las divisiones, menos la tercera, se inician con una negación, dos de ellas con la expresión *No quiero,* y una con la simple negación *No.* Esta reiteración de lo negativo está en función con el sentido del poema, la firme decisión de no volver a pasar por esa experiencia, motivo de su dolor.

La enumeración de los recuerdos que aún acompañan al autor origina la repetición anafórica de las líneas 10, 11 y 12, que, aunque no tiene un papel específico en el significado del poema, sí es importante en cuanto al ritmo, así como también con el mismo fin, los encabalgamientos indicados en el apartado B.

XII

A) Significación del poema.

La vida es un don de quien ama, cuando el amor termina es el amante el que muere; el autor seguirá siempre triunfando como causa de la existencia y de la armonía del mundo.

B) Métrica.

El poema se compone de seis divisiones: la 1.ª, de 2 líneas; la 2.ª, de 5; la 3.ª, de 4; la 4.ª, de 6; la 5.ª, de 5, y la 6.ª, de una, y las líneas oscilan entre las de 7 sílabas y las de 13. La última división, compuesta por una sola línea, es como una confirmación del asunto del poema.

C) Notas estilísticas.

Las dos primeras líneas condensan el significado del poema, hasta tal punto que el resto es un desarrollo de esta idea primera: el amor no muere, somos los hombres los que dejamos de existir cuando éste nos abandona:

1 No es el amor quien muere,
2 Somos nosotros mismos.

La inocencia de la niñez se pierde con el deseo del amor, y éste consiste en el olvido de sí mismo para caer en otro olvido, es decir, el amor es fatalmente un olvido; llega un momento en que éste termina para ser presa en otro. Tal es para el autor el ciclo doloroso e indefinido del amor:

3 Inocencia primera
4 Abolida en deseo,
5 Olvido de sí mismo en otro olvido,
6 Ramas entrelazadas,
7 ¿Por qué vivir si desaparecéis un día?

La pregunta de la línea 7 halla respuesta en la siguiente división, que en síntesis podría ser ésta: sólo hay vida mientras perdura el amor:

8 Sólo vive quien mira
9 Siempre ante sí los ojos de su aurora,
10 Sólo vive quien besa
11 Aquel cuerpo de ángel que el amor levantara.

Las dos divisiones siguientes describen cómo son y cómo viven los seres que perdieron el amor:

12 Fantasmas de la pena,
13 A lo lejos, los otros,
14 Los que ese amor perdieron,
15 Como un recuerdo en sueños,
16 Recorriendo las tumbas
17 Otro vacío estrechan.

18 Por allá van y gimen,
19 Muertos en pie, vidas tras de la piedra,
20 Golpeando impotencia,
21 Arañando la sombra
22 Con inútil ternura.

Estos fantasmas, mendigos, abandonados, nos recuerdan en cierto sentido a los que aparecen en los poemas de *Un río, un amor,* pero falta aquí la rebeldía que caracteriza al libro citado. De éstos se desprende una queja amarga, un llanto sostenido y abnegado.

La última línea es como una afirmación de la idea contenida en las dos primeras:

23 No, no es el amor quien muere.

XIII

«MI ARCANGEL»

A) Significación del poema.

El arcángel significa para el poeta su potencia de amor, su capacidad amorosa. En el momento del poema no hay un amor actual, pero sí una voluntad de amar. Cuando este afán se diluye en las sombras, cuando no es mantenido por el propio poeta, éste se convierte en un ser inanimado, en un «mendigo» que vuelva a caer en la oscuridad de donde proviene.

B) Métrica.

El poema se compone de cuatro divisiones: 1.ª, 4 líneas; 2.ª, 5 líneas; 3.ª, 5 líneas, y 4.ª, 5 líneas, de las siguientes medidas:

1.ª División.

1) 16 (12 (dodecasílabo polirrítmico) + 4 (tetrasílabo trocaico).
2) 11 (endecasílabo a la francesa).
3) 9 (eneasílabo trocaico).
4) 11 (endecasílabo sáfico).

2.ª División.

5) 14 (7 (heptasílabo mixto) + 7 (heptasílabo trocaico).
6) 7 (heptasílabo trocaico).
7) 14 (7 (heptasílabo mixto) + 7 (heptasílabo mixto).
8) 4 (tetrasílabo trocaico).
9) 10 (5 (pentasílabo dactílico) + 5 (pentasílabo dactílico).

3.ª División.

10) 16 (5 (pentasílabo dactílico) + 11 (endecasílabo melódico).
11) 7 (heptasílabo mixto).
12) 8 (5 (pentasílabo trocaico) + 3 (trisílabo dactílico).
13) 8 (octosílabo mixto b).
14) 13 (7 (heptasílabo trocaico) + 6 (hexasílabo trocaico).

4.ª División.

15) 15 (5 (pentasílabo trocaico) + 10 (decasílabo trocaico simple).
16) 11 (endecasílabo sáfico).
17) 15 (5 (pentasílabo dactílico) + 6 (hexasílabo trocaico) + 4 (tetrasílabo trocaico).
18) 14 (7 (heptasílabo trocaico) + 7 (heptasílabo dactílico).
19) 12 (5 (pentasílabo trocaico) + 7 (heptasílabo trocaico).

Haciendo un recuento vemos que en el poema hay: 1 verso tetrasílabo; 2 heptasílabos; 2 octosílabos; 1 eneasílabo; 1 decasílabo; 3 endecasílabos; 1 dodecasílabo; 3 alejandrinos; una línea de 13 sílabas; dos de 15 y dos de 16 sílabas respectivamente. Como en los otros poemas analizados bajo el punto de vista métrico, también en éste hay un predominio del verso tradicional sobre la línea poética.

La disposición del poema es esticomítica, salvo el encabalgamiento de las líneas 8-9.

C) **Notas estilísticas.**

El poeta no quiere ya la presencia del amor, es decir, el amor como acto. Le basta la potencia de amor, sentirla ésta como una voluntad constante:

1 No solicito ya ese favor celeste, tu presencia;
2 Como incesante filo contra el pecho,
3 Como el recuerdo, como el llanto,
4 Como la vida misma vas conmigo.

5 Tú fluyes en mis venas, respiras en mis labios,
6 Te siento en mi dolor;
7 Bien vivo estás en mí, vives en mi amor mismo,
8 Aunque a veces
9 Pesa la luz, la soledad.

Esta imagen del arcángel, esta voluntad de amar se engendra dentro del poeta en instantes de íntima soledad:

10 Vuelto en el lecho, como un niño sin nadie frente [al muro,
11 Contra mi cuerpo creo,
12 Radiante enigma, el tuyo;
13 No ríes así ni hieres,
14 No marchas ni te dejas, pero estás conmigo.

Pero si este enigma, arcángel o afán que nace en lo más profundo del alma se desvanece, el poeta vuelve a caer en un «infierno», en un caos de sombras:

15 Estás conmigo como están mis ojos en el mundo,
16 Dueños de todo por cualquier instante;
17 Mas igual que ellos, al hacer la sombra, luego vuelvo,
18 Mendigo a quien despojan de su misma pobreza,
19 Al yerto infierno de donde he surgido.

El recurso estilístico más usado es la reiteración. La anáfora de las líneas 2-3-4 indica por medio del *como* las diferentes formas en que ese arcángel o potencia amorosa acompaña al poeta. La de las líneas 13-14 expresa con la negación de acciones, la manera sutil de sentir la presencia de este deseo de amor: «No ríes así ni hieres, / No marchas ni te dejas, pero estás conmigo». La anástrofe de las líneas 14-15 tiene la función de indicar la intimidad de esa pasión, hasta qué punto ese afán de amar está en lo más profundo del autor.

XIV

A) Significación del poema.

El autor se dirige a un personaje casi celestial, que no ha sido tocado ni manchado por la maldad y la impotencia de este mundo. Es un ser etéreo y feliz que poseyó la vida y la muerte y no supo lo que eran éstas, y que a su paso dejó una verdad, la cual «supo y no sintió», «vio y no quiso».

B) Métrica.

El poema está compuesto por cinco divisiones de cuatro, cinco y siete líneas, y éstas oscilan entre las de 7 sílabas y las de 16.

C) Notas estilísticas.

Como una creación de un espíritu invisible aparece este ser al que se dirige el poeta. Por el tiempo usado en los verbos sabemos que ese ser existió o estuvo junto a él:

1 Eras tierno deseo, nube insinuante,
2 Vivías con el aire entre cuerpos amigos,
3 Alentabas sin forma, sonreías sin voz,
4 Dejo inspirado de invisible espíritu.

El ser que nos describe el autor no tiene la impotencia de los hombres, ni ha sido tocado por la maldad y el egoísmo:

5 Nuestra impotencia, lenta espina,
5 Quizá en ti hubiera sido fuerza adolescente;
7 No dolor irrisorio ni placer egoísta,
8 No sueño de una vida ni maldad triunfante.

Sin embargo, este personaje tuvo la muerte y la vida al mismo tiempo, pero sin vivir ni morir. Las líneas 11 y 12 aumentan el misterio que rodea a este ser, haciendo difícil su interpretación:

9 Como nube feliz que pasa sin la lluvia,
10 Como un ave olvidada de la rama nativa,
11 A un tiempo poseíste muerte y vida,
12 Sin haber muerto, sin haber vivido.

En la división siguiente se muestran aún más cualidades. Las fuerzas negativas del mundo e incluso el amor, al que el autor

considera derrotado por la maldad y la injusticia, no tocaron el puro esplendor de este espíritu feliz:

13 Entre el humo tan triste, entre las flacas calles
14 De una tierra medida por los odios antiguos,
15 No has descubierto así, vueltos contra tu dicha,
16 El poder con sus manos de fango,
17 Un dios abyecto disponiendo destinos,
18 La mentira y su cola redonda erguida sobre el mundo,
19 El inerme amor llorando entre las tumbas.

Su ausencia no está sujeta por el tiempo y el espacio, pero ha dejado una verdad que «supo y no sintió», «que vio y no quiso»:

20 Tu leve ausencia, eco sin nota, tiempo sin historia,
21 Pasando igual que un ala,
22 Deja una verdad transparente;
23 Verdad que supo y no sintió,
24 Verdad que vio y no quiso.

Al terminar la lectura del poema quedamos sin saber quién es ese personaje al que el autor se dirige. Una cosa sí sabemos cierta, por el uso en pasado de los verbos parece que ese ser existió y acompañó al poeta en otro tiempo. La línea 20 habla de su ausencia.

No se trata del amor, porque una de las propiedades que enriquecen a este ser es el no haber conocido «El inerme amor llorando entre las tumbas»; tampoco puede ser que le hable a su juventud pasada, ya que el propio autor se incluye en la impotencia humana (ver las líneas 5-6). Sin embargo, podría tratarse de un espíritu daimónico, del ángel-demonio que el poeta siente dentro de sí como conciencia de lo que quisiera haber sido y realizado y no lo fue ni lo hizo. A esto parecen referirse las líneas 22, 23 y 24. Es como si este ángel o espíritu daimónico hubiese abandanado al poeta, esa es la razón de ser de los tiempos verbales en pasado y de la contenida nostalgia que se desprende del poema.

El autor nos describe las propiedades esenciales del personaje, así como su triunfo ante las maldades del mundo, y este método descriptivo le hace usar una cierta forma de enumeración que va configurando lo descrito, así como también la anáfora. Este procedimiento descriptivo enumerativo se observa en toda la composición, siendo más intenso en unas divisiones que en otras.

XV

A) Significación del poema.

Existe el afán de amor, existe el deseo, pero éstos no pueden realizarse plenamente, están como prisioneros de su propia imposibilidad. Trágicamente el poeta siente dentro de sí esta prisión que no le deja realizar su pasión amorosa.

B) Métrica.

El poema se compone de siete divisiones de dos, tres, cuatro y cinco líneas, y éstas oscilan entre las de 3 sílabas y las de 11. Hay encabalgamiento en las líneas: 1-2, 6-7-8, 9-10, 17-18, 19-20-21.

C) Notas estilísticas.

La prisión de la imposibilidad del amor se alza por todas partes:

1 El invisible muro
2 Entre los brazos todos,
3 Entre los cuerpos todos,
4 Islas de maldad irrisoria.

Y el amante es un prisionero de su propia impotencia:

5 No hay besos, sino losas;
6 No hay amor, sino losas
7 Tantas veces medidas por el paso
8 Febril del prisionero.

Posiblemente fuera de esta cárcel exista la vida e incluso el amor, pero dentro del poeta, aunque existan el afán de la vida y el deseo amoroso, están condenados a un fatal destino:

9 Quizá el aire afuera
10 Suene cantando al mundo
11 El himno de la fiel alegría;
12 Quizá, glorias enajenadas,
13 Alas radiantes pasan.

14 Un deseo inmenso,
15 Afán de una verdad,
16 Bate contra los muros,
17 Bate contra la carne
18 Como un mar entre hierros.

En medio de tanta sombra y angustia aparece la esperanza de liberación, pero ésta se extingue como una luz:

19 Ávidos un momento
20 Unos ojos se alzan
21 Hacia el rayo del día,
22 Relámpago cobrizo victorioso
23 Con su espada tan alta.

Sin embargo, la verdad del amor y la vida existe entre los muros, la ira, el olvido y las sombras:

24 Entre piedras de sombra,
25 De ira, llanto, olvido,
26 Alienta la verdad.

Pero el fatal destino del amor, de «su» amor, sigue golpeando en estas dos últimas líneas donde amargamente termina el poema:

27 La prisión,
28 La prisión viva.

El recurso estilístico más usado es la reduplicación. La anáfora de las líneas 2-3, con la reptición de *entre,* expresa el muro que se entrelaza impidiendo la realización del amor y el triunfo de la vida. En esta cárcel donde los muros marchitan la existencia, sólo es posible su triste interior, y esta idea da lugar a la anáfora de las líneas 5-6: «No hay besos, sino losas; / No hay amor, sino losas». Pero el prisionero sospecha que fuera de la prisión es posible la vida, ésta es la función de la anáfora de las líneas 9-12 con el *quizá* dubitativo. Por causa de esta sospecha el deseo se despierta como un mar que quiere desbordarse. La anáfora de las líneas 16-17, con la repetición de *bate,* expresa esta idea de afán descontrolado. Pero pronto la esperanza se disipa y sólo queda la realidad. Las dos últimas líneas, con la anáfora: «La prisión, / La prisión viva», expresa la única posibilidad de existencia. Esta abundancia de anáforas proporcionan un ritmo obsesionante que colabora muy estrechamente con el ambiente angustioso y asfixiante del poema. Contribuye a esto algunos encabalgamientos (ver apartado B) que hacen que las líneas se deslicen unas en otras, consiguiendo de esta forma el ritmo indicado.

XVI

A) Significación del poema.

El amor no es mortal, sí su recuerdo o su ausencia. La situación particular del poeta, de recuerdo y olvido del amor, nos dice que sólo existe la muerte, que sólo existen las miserias del amor que pasa y que éste sólo deja «burla suprema, una fecha vacía». En cierto modo, el asunto de este poema es similar al XIII: «No es el amor quien muere, / Somos nosotros mismos».

B) Métrica.

El poema está compuesto de cinco divisiones: La 1.ª, de 5 líneas; la 2.ª, de 8; la 3.ª, de 8; la 4.ª, de 6 y la 5.ª, de 7, y las líneas oscilan entre las de 7 sílabas y las de 16.

C) Notas estilísticas.

La idea central del poema se nos esboza ya desde la primera división, inserta en la imagen del árbol cortado por un hacha:

1 No hace al muerto la herida,
2 Hace tan sólo un cuerpo inerte;
3 Como el hachazo al tronco,
4 Despojado de sones y caricias,
5 Todo triste abandono al pie de cualquier senda.

La muerte es la única verdad que se destaca de todas las otras cosas difusas o aparentes:

6 Bien tangible es la muerte;
7 Mentira, amor, placer no son la muerte.
8 La mentira no mata,
9 Aunque su filo clave como puñal alguno;
10 El amor no envenena,
11 Aunque como un escorpión deje los besos;
12 El placer no es naufragio,
13 Aunque vuelto fantasma ahuyente todo olvido.

La división siguiente es una enumeración de todos los elementos antes nombrados, y esta enumeración la utiliza el autor para decir que todo hiere mortalmente cuando es recuerdo, cuando pertenece al pasado:

14 Pero tronco y hachazo,
15 Placer, amor, mentira,
16 Beso, puñal, naufragio,
17 A la luz del recuerdo son heridas
18 De labios siempre ávidos;
19 Un deseo que no cesa,
20 Un grito que se pierde
21 Y clama al mundo sordo su verdad implacable.

22 Voces al fin ahogadas con la voz de la vida.
23 Por las heridas mismas,
24 Igual que un río, escapando;
25 Un triste río cuyo fluir se lleva
26 Las antiguas caricias,
27 El antiguo candor, la fe puesta en un cuerpo.

En la última división halla la idea del poema su desarrollo. El olvido, el amor que pasa es la causa de la muerte, y éste es el fin de todas las cosas que viven:

28 No creas nunca, no creas sino en la muerte de todo;
29 Contempla bien ese tronco que muere,
30 Hecho el muerto más muerto,
31 Como tus ojos, como tus deseos, como tu amor;
32 Ruina y miseria que un día se anegan en inmenso [olvido,
33 Dejando, burla suprema, una fecha vacía,
34 Huella inútil que la luz deserta.

El recurso estilístico empleado es la reiteración, como es característico en esta época de Cernuda. La división segunda está construida con la expresión: «La mentira no mata, / Aunque...» y esta fórmula se repite en el amor y el placer En las líneas 14, 15 y 16 hay una enumeración de los elementos empleados antes, que imprime al poema un ritmo acelerado para terminar con otro más pausado y lento.

«LOS FANTASMAS DEL DESEO»

A) Significación del poema.

En la tierra está la verdad; el deseo es la fuerza que impulsa constantemente a la vida, al amor. En la tierra están todas

las cosas transitorias por las que despierta el deseo. En los dos últimos versos la tierra como verdad y el deseo como afán también se hunden en la nada, caen en el torbellino de lo que pasa; como el amor, la mentira, la amistad. «Tierra, tierra y deseo / Una forma perdida».

B) Métrica.

El poema está compuesto de seis divisiones: La 1.ª, de 10 líneas; la 2.ª, de 13; la 3.ª, de 13; la 4.ª, de 7; la 5.ª, de 8 y la 6.ª, de 2. Las líneas oscilan entre las de 7 sílabas y las de 21.

C) Notas estilísticas.

El descubrimiento de la tierra y el saber que el afán que el poeta siente proviene de ella es como el punto de partida de una mayor identificación:

1 Yo no te conocía, tierra;
2 Con los ojos inertes, la mano aleteante,
3 Lloré todo ciego bajo tu verde sonrisa,
4 Aunque, alentar juvenil, sintiera a veces
5 Un tumulto sediento de postrarse,
6 Como huracán henchido aquí en el pecho;
7 Ignorándote, tierra mía,
8 Ignorando tu alentar, huracán o tumulto,
9 Idénticos en esta melancólica burbuja que yo soy
10 A quien tu voz de acero inspirara un menudo vivir.

El poeta se da cuenta que la tierra es el origen de todas las cosas, integrándose en ella participa de todos sus bienes e infortunios:

11 Bien sé ahora que tú eres
12 Quien me dicta esta forma y este ansia;
13 Sé al fin que el mar esbelto,
14 La enamorada luz, los niños sonrientes,
15 No son sino tú misma;
16 Que los vivos, los muertos,
17 El placer y la pena,
18 La soledad, la amistad,
19 La miseria, el poderoso estúpido,
20 El hombre enamorado, el canalla,

21 Son tan dignos de mí como de ellos yo lo soy;
22 Mis brazos, tierra, son ya más anchos, ágiles,
23 Para llevar tu afán que nada satisface.

Ya no es en el amor donde se encuentra la única verdad, sino en la tierra. Este no es más que una de sus cualidades:

24 El amor no tiene esta o aquella forma,
25 No puede detenerse en criatura alguna;
26 Todas son por igual viles y soñadoras.
27 Placer que nunca muere,
28 Beso que nunca muere,
29 Sólo en ti misma encuentro, tierra mía.
30 Nimbos de juventud, cabellos rubios o sombríos,
31 Rizosos o lánguidos como una primavera,
32 Sobre cuerpos cobrizos, sobre radiantes cuerpos
33 Que tanto he amado inútilmente,
34 No es en vosotros donde la vida está, sino en la [tierra,
35 En la tierra que aguarda, aguarda siempre
36 Con sus labios tendidos, con sus brazos abiertos.

Al comprender y descubrir la tierra el poeta entra en la posesión de todo lo creado:

37 Dejadme, dejadme abarcar, ver unos instantes
38 Este mundo divino que ahora es mío,
39 Mío como lo soy yo mismo,
40 Como lo fueron otros cuerpos que estrecharon mis [brazos,
41 Como la arena, que al besarla los labios
42 Finge otros labios, dúctiles al deseo,
43 Hasta que el viento lleva sus mentirosos átomos.

Todo lo que no sea la tierra y el deseo, esa fuerza o afán que hacía ella le conduce, es falso. Esa fuerza que no es privativa del poeta sino que pertenece también a todos los seres vivos:

44 Como la arena, tierra,
45 Como la arena misma,
46 La caricia es mentira, el amor es mentira, la amis- [tad es mentira.
47 Tú sola quedas con el deseo,

48 Con este deseo que aparenta ser mío y ni siquiera
[es mío,
49 Sino el deseo de todos,
50 Malvados, inocentes,
51 Enamorados o canallas.

En las dos últimas líneas, casi inesperadamente, está contenido el sentido trágico del poema. La tierra como verdad y el deseo como impulso vivificador también son pasajeros, es decir, también pueden perderse:

52 Tierra, tierra y deseo.
53 Una forma perdida.

La reduplicación es el recurso estilístico más empleado. Así las anáforas de las líneas 40-41, 44-45 construidas con el comparativo *como*. La repetición en la línea 46 de la palabra *mentira* tiene como función el intensificar aún más la veracidad de la tierra. En la segunda división hallamos dos enumeraciones: la primera, contenida en las líneas 13-15, expresa que las cosas amadas por el poeta: el mar, el niño, la luz, son la misma tierra; y la segunda (líneas 16-21) indica que todas las cosas del mundo, juntamente con el autor, están integradas en la tierra que es la auténtica verdad.

CAPÍTULO SEXTO

CONCLUSIONES

El desarrollo de los capítulos precedentes nos lleva a la formulación de estas conclusiones. La época surrealista de Luis Cernuda es el tema que me ha servido de eje en este trabajo, y para llegar a él he analizado las huellas que de esta tendencia hay en nuestra lírica contemporánea, principalmente en la generación del 27, así como la postura que tiene Cernuda ante dicha tendencia en su obra crítica, para pasar luego a comentar minuciosamente los tres libros de poemas que constituyen su adhesión al surrealismo. Por su obra crítica y las cartas nos damos cuenta que Cernuda no permaneció indiferente ante el movimiento surrealista, y vemos cómo también esto se refleja en su obra poética. C. B. Morris, en un artículo publicado en la revista «Insula», dice: «Sin embargo, lo que no ofrece ningún misterio son los conocimientos que tenía Luis Cernuda de la literatura surrealista, de los que hizo alarde con ese candor suyo, que, rayando muchas veces en reto, equivalía para él a una postura moral: la de ser siempre fiel a sí mismo» [1]; y de esta postura moral, transitoria como sabemos, pero que fue la idónea para responder a los sentimientos de una época, encontramos huellas en los tres libros analizados, es decir, *Un río, un amor, Los placeers prohibidos* y *Donde habite el olvido,* más en los dos primeros, porque ya en el último sólo hallamos un débil eco. En los dos primeros libros citados aparecen imágenes como «Jinete sin cabeza», «Ojos vacíos» y «Mano de yeso cortada», de los poemas «Canción del oeste» de *Un rio, un amor* y «Pasión por pasión», «Había en el fondo del mar» de *Los placeres prohibidos,* símbolos muy corrientes entre los artistas surrealistas, así como el «insomnio maquinal» del ahogado en «Cuerpo

---

1. C. B. Morris, *Un poema de Luis Cernuda y la literatura surrealista,* en «Insula», núm. 299, 1971, pág. 3. Me sirvo de este artículo para ciertos aspectos de estas *Conclusiones.*

de pena» de *Un río un amor* nos recuerda a «les mouvements machinaux de l'insomnie» del poema de Eluard, «Armure de proie le parfum rayonne» del libro *L'Amour la poésie*[2]. La fuga liberadora del ahogado en el mismo poema de Cernuda se asemeja al poema de Eluard: «En pleine mer dans des bras délicats / Aux beaux jours les vagues à toutes» (voles, pág. 257). En el poema «En medio de la multitud» de *Los placeres prohibidos* Cernuda toma como personaje a un fantasma errante, figura muy también del gusto surrealista. Este vagar sin rumbo fijo recuerda al protagonista de la novela *En joue!* (1925) de Soupault o a Pierre protagonista de la novela *La mort difficile* (1926) de Crevel, y este tema de la incomunicación, de la soledad, lo vemos repetido muchas veces en varios poemas de Cernuda como: «Remordimiento en traje de noche», «Cuerpo en pena», «Destierro», «Como el viento», «Habitación de al lado», «Linterna roja» de *Un río un amor,* y «En medio de la multitud», «No decía palabras», «Pasión por pasión» de *Los placeres prohibidos.* El escenario para este sentimiento es casi siempre una calle solitaria y vacía como la «calle de niebla» de «Remordimiento en traje de noche» o la «calle de ceniza» de «Pasión por pasión», por donde pasea este personaje errante y sin contenido vital. El mismo tema lo encontramos en otro poema de Cernuda titulado «En medio de la multitud» en donde dice: «Vacío, anduve sin rumbo por la ciudad», postura que nos recuerda al protagonista de Aragon, Anicet, el cual deseaba: «ne plus avoir de but dans la vie» y a Julien en *En joue!* de Soupault, que dice: «Julien no savait vraimente où diriger ses pas. Il cherchait un but devant lui»[3]. Cuando Cernuda insiste en el mismo poema: «Anduve más y más», vemos un caminar sin fin como el de Pierre en *La mort difficile,* de quien dice Crevel: «Seul, il ne saurait où fuir... il marchait... il marchait...»[4]. En el poema que hemos tomado como ejemplo para demostrar la influencia del surrealismo en Cernuda, aún podemos seguir encontrando más influjos. La conclusión del poema es así: «estaba muerto y andaba entre los muertos», y recuerda a la declaración de Soupault en *Carte postale* (1926): «mon che-

---

2. Paul ELUART, *Oeuvres complètes,* Vol. I, Paris, 1968, pág. 257.
3. Louis ARAGON, *Anicet ou le panorama,* Paris, 1951, pág. 96; Philippe SOUPAULT, *En Joue!,* París, 1925, pág. 278.
4. René CREVEL, *Le mort difficile,* Paris, 1926, pág. 78.

min, ma piste est semée de cadavres»[5]. La visión de la vida como la muerte entre la muerte, con soledad e incomunicación, se acentúa aún más cuando nuestro poeta dice: «Gentes extrañas pasaban a mi lado sin verme»; igual postura la hallamos en la novela de Crevel *La mort difficile*, págs. 78-79: «Aucum regard ne retenait le sien».

El estudio crítico de los tres libros y los ejemplos entresacados del poema «En medio de la multitud» de *Los placeres prohibidos* han bastado para darnos cuenta del conocimiento que de la literatura surrealista tenía Cernuda, con lo cual se alcanza uno de los objetivos principales de este trabajo. Una vez visto el influjo del surrealismo en nuestro autor, hago unas concluciones de orden general sobre los libros comentados, que constituyen su período surrealista.

Un río, un amor (1929).

Si en *Primeras poesías, Égloga, Elegía y Oda* el sentimiento de Cernuda está refrenado por el ascetismo cubista y el clacismo, respectivamente, en *Un río, un amor* nos hallamos ante una mayor libertad de expresión. Esta apertura expresiva es consecuencia de su adhesión al surrealismo, y la vemos desde la adopción del verso libre, hasta en los mismos sentimientos. A partir de este libro Cernuda escoge el verso libre, pero siempre conservará cierta regularidad métrica. En los comentarios métricos de los poemas se observa que hay un predominio del verso tradicional sobre la línea poética, y que entre los más usados están el heptasílabo, el endecasílabo y alejandrino. Como consecuencia de la adopción del verso libre rechaza también la rima, y el ritmo se mantiene apoyado en elementos acentuales, en los que colabora el recurso estilístico más usado en estos poemas, es decir, la reiteración. Un uso abundante de anáforas y anástrofes mantienen un ritmo reiterativo y angustioso, que consigue la atmósfera torturada de la que están envueltos todos los poemas (véase el apartado C de los comentarios). Un empleo en mucho menor grado lo hace del encabalgamiento. Los poemas de este libro hablan de un amor maltrecho, de un amor ausente. El amor cuando pasa deja soledad y vacío; el hombre sin este

---

5. H. J. DDPY, *Philippe Soupault*, Paris, 1957, pág. 142.

impulso vital queda como un fantasma sin rumbo que pasea su muerte ante la indiferencia del mundo. El amor ya no es un vago deseo como en los libros anteriores, aquí se cristaliza como algo punzante y doloroso, y a la vez deseado. Muchos de los poemas muestran un mundo angustioso de incomunicación y esterilidad. Las imágenes visionarias son abundantes; ante nuestros ojos desfilan cuerpos deshabitados, calles de nieblas, de cenizas o simplemente solitarias, desiertos vacíos o mares delirantes por donde vaga con insomnio maquinal ese fantasma solitario y en pena que es el protagonista de muchas de las composiciones del libro. La visión onírica hace que todo esté envuelto por una niebla imprecisa que confunde los límites. La reali dad se confunde con el sueño, el presente con el pasado. Sin em bargo, como ya hemos dicho anteriormente, hay siempre una cierta coherencia que permite un entendimiento del poema. Esta coherencia no se manifiesta en las imágenes consideradas indi vidualmente, sino en el propio contexto. Esta particularidad no es privativa de Cernuda, sino del surrealismo español, como tam bién he señalado antes.

El mar aparece como símbolo de fuerza cósmica primaria. An tes de este libro, Cernuda ha usado del agua pero en sus repre sentaciones menores :el río, el arroyo, la fuente, etc. Es aqu donde el mar hace su aparición en su obra con toda la grande za. El mar representa el cambio, el hacerse y deshacerse, per siempre hacia la incomunicación. Simboliza también el amor es téril que no termina de realizarse. En otras ocasiones, el ma es el dolor que se desborda de sus costas para inundar al mun do. En definitiva se nos muestra un mundo asfixiante y angus tioso donde impera el hastío, la impotencia y la incomunica ción y como fondo de ese mar turbulento, el deseo del amor del amor perdido, cuya ausencia deja al mundo disecado y muer to. La desesperación se refuerza sin llegar a la rebeldía, per en un poema de los últimos del libro, concretamente en «¿So todos felices?», aparece este sentimiento como un anticipo de libro siguiente.

Los placeres prohibidos (1931).

En cuanto al aspecto métrico se mantiene en un caráct similar a la de la anterior colección, es decir, ausencia de rim y el uso del verso libre y entre los más usados también vem

un predominio del heptasílabo, endecasílabo y alejandrino. El recurso estilístico más usado es la reiteración, principalmente en las modalidades de anáforas y anástrofes. El uso del encabalgamiento llega a ser en este libro más frecuente que en el anterior.

En esta serie de poemas el tema es más concreto. Impera el sentimiento de ser distinto. El poeta se enfrenta al mundo proclamando la soledad altiva del que escoge el amor prohibido. Hay una lucha tenaz con la sórdida realidad que la sociedad impone, sus leyes y sus preceptos.

El primer poema, «Diré cómo nacisteis», sintetiza el sentido del libro. El uso de la primera persona indica el tono confesional; el de la segunda persona, en sigular y plural, tiene la misma función, pero expresa diálogo interior o desdoblamiento.

Los poemas en prosa que se intercalan tienen valor alegórico, y la alternancia de verso y prosa poética proporciona al libro, además de un ritmo original, un mayor acercamiento al surrealismo, pues sabemos que el poema en prosa fue muy empleado por los surrealistas; tal es el caso de Eluard, Crevel, Desnos, etc., y de Vicente Aleixandre en España.

Los placeres, aunque prohibidos por la sociedad, son en esencia puros, y es por lo que en cierto sentido no existe en Cernuda sentimiento de culpabilidad. En algunos poemas hay una valoración moral. Así en «Si el hombre pudiera decir»:

> Si el hombre pudiera decir lo que ama,
> Si el hombre pudiera levantar su amor por el cielo
> Como una nube en la luz;
> Si como muros que se derrumban,
> Para saludar la verdad erguida en medio,
> Pudiera derrumbar su cuerpo, dejando sólo la verdad de
> [su amor,
> la verdad de sí mismo,
> Que no se llama gloria, fortuna o ambición,
> Sino amor o deseo,

Complementan a la violencia expresiva la ironía y el humor amargos, características éstas que nada más principiar el libro se hacen notar. Sobre todo la primera, ya que constituye el rasgo esencial.

Se defiende y se exalta en el libro el amor, «su amor» que

se le niega y repulsa, por esta causa hay un sentimiento de deseo frustrado, de impotencia de comunicación que contrasta con el deseo ferviente del amor, pero que irremediablemente choca contra un muro de imposibilidad. El entregarse puro, por entero al amor es ya una meta moral de Cernuda, pero la espera de este amor, el alcanzarlo, es inútil; de ahí la compenetración del deseo y la muerte, la esterilidad y la exaltación.

El sentido de libertad se encarna en muchas ocasiones en el mar y sus hombres que se contraponen a la sociedad y sus normas; así acontece en «Adónde fueron despeñadas» y «Los marineros son las alas del amor». Por el amor el poeta busca la unidad, un integrarse con el cosmos; el poema «El mirlo, la gaviota» expresa este deseo que se afirma con una visión vital y panteísta, en un confundirse con la naturaleza.

Donde habite el olvido (1932-1933).

Si en los dos libros anteriores encontramos un surrealismo patente porque era el medio adecuado para expresar el vacío, la soledad, la impotencia, la rebeldía contra la sociedad y sus preceptos, en *Donde habite el olvido* la huella de dicha tendencia es casi imperceptible. Es el libro que pone fin a este período. Es difícil hallar aquí la atmósfera onírica que envolvía a los poemas de los dos libros anteriores y que moldeaba a los sentimientos en ellos expresados. El mismo autor nos habla del abandono del surrealismo: «El período de descanso entre *Los placeres prohibidos* y *Donde habite el olvido* (...) representó tambien el abandono de adhesión al surrealismo. Éste había deparado ya su beneficio, sacando a la luz lo que yacía en mi subconciencia, lo que hasta su advenimiento permaneció dentro de mí en ceguedad y silencio. Ya no tenía necesidad del superrealismo (...). La lectura de Bécquer o, mejor la relectura del mismo (el título de la colección es un verso de la rima LXVI), me orientó hacia una nueva visión y expresión poéticas, aunque todavía apareciesen en ellas, aquí o allá, algunos relámpagos o vislumbres de la manera superrealista» [6]. El aspecto métrico no cambia, sigue manteniéndose un predominio del verso tradicional

---

6. Luis CERNUDA, *Poesía y Literatura I*, obra citada, págs. 250-251. Véase la Carta núm. XXV del *Epistolario* que publico en este trabajo.

sobre la línea poética, y como en los anteriores libros, los tipos de versos más usados son el heptasílabo, endecasílabo y alejandrino, aunque en esta última colección se aprecia un mayor uso del hexasílabo. La reiteración es el recurso estilístico más empleado, principalmente las anáforas y anástrofes.

El libro tiene una profunda marca personal. Una experiencia amorosa que le hirió hondo es el motivo de sus poemas; así lo afirma el autor en el párrafo que cita ahora: «En *Ocnos, Aprendiendo olvido,* me he referido a la anécdota personal que está tras los versos de *Donde habite el olvido.* La historia era sórdida, y así lo vi después de haberla sobrepasado; en ella mi reacción había sido demasiado cándida (mi desarrollo espiritual fue lento, en experiencia amorosa también) y demasiado cobarde» [7].

El amor es un sentimiento doloroso, y cuando la pasión desaparece sólo queda el recuerdo de un olvido. Tal es el tema central del libro. Se podría decir que hay un continuo «afán» de amor, un deseo de perderse en él sabiendo que en el fondo está la destrucción. Dos fuerzas contrarias chocan de continuo: deseo y temor, goce y aniquilamiento. El ángel terrible o el ángel desterrado (Poemas I-X, respectivamente) simbolizan estos dos sentimientos extremos y contrarios. El ángel terrible del amor-dolor y el ángel desterrado del edén nativo, donde es posible el amor ideal, soñado por el poeta. El mar, como en los dos libros anteriores, es también un símbolo en la colección que ahora nos ocupa. En el poema II el mar representa ese deseo ascensional *que va desde los oscuros abismos* hasta alturas indefinidas. En el VI el poeta halla en el mar su amante, la respuesta al deseo y el mismo olvido. El amor es la fuerza que impulsa a la libertad y a la integración en el cosmos, pero también arrastra al vacío, a la muerte y, aún más allá, al olvido. El olvido es pues ese extremo límite, esa región oscura e insondable donde el amor lleva:

> No, no quisiera volver,
> Sino morir aún más,
> Arrancar una sombra,
> Olvidar un olvido.

---

7. Idem, pág. 251.

El poema XV es el que mejor refleja el tema de la soledad e incomunicación. Los muros de la prisión representan no sólo el aislamiento del hombre con sus semejantes, sino que se convierten en cárcel de ese afán que impulsa hacia el amor.

«Los fantasmas del deseo» es el último poema del libro. El autor encuentra consuelo en la tierra; en ella no hay engaño o apariencia y es el origen de la vida. Parece como si el amor no fuera ya la sola fuerza ascensiona, sino que, juntamente con otros elementos esenciales de la naturaleza, el poeta hallase al fin el cántico integrador. Falta en este libro la rebeldía de los dos anteriores. El tormento y la angustia se refrenan en leves quejas que nacen de un hondo y oscuro sentimiento, y éste es el origen de los esporádicos destellos surrealistas a los que se refiere el mismo autor, que se entrelazan con un mundo de bruma y nostalgia propio de Bécquer.

Al principio de estas consideraciones hemos visto cómo Cernuda conoce la literatura surrealista, y este conocimiento se trocó, asimilado ya, en sus tres libros estudiados. El influjo de los poetas franceses le fue fundamental, no sólo para conocer y sentir según una época de la lírica contemporánea, sino para producir una obra de creación que siendo europea por su origen, se hace partícipe de los aspectos particulares del surrealismo en España, es decir, una mayor coherencia en el conjunto del poema.

Del conocimiento que tenía Cernuda de la literatura surrealista, cuyo influjo es fácil notar en imágenes, metáforas o simplemente en el aspecto argumental de muchas de sus composiciones, podemos sacar otra consecuencia fundamental. En el capítulo I de este trabajo, al estudiar el surrealismo en España, hemos visto que era opinión de algunos críticos la de creer que en nuestro país no se conocía nada del surrealismo francés, y que si éste se incorporó en nuestra lírica fue porque era algo que estaba en el ambiente, como una moda que casi inconscientemente se va infiltrando. El ejemplo de Cernuda demuestra lo contrario. Cernuda pudo escribir sus tres libros surrealistas, no como causa de un aire que se respira o por un impulso gratuito, sino por un conocimiento de sus fuentes.

APÉNDICES

UN POEMA INÉDITO DE LUIS CERNUDA

A) El texto.

El texto del poema inédito de Luis Cernuda que se conserva en mi biblioteca es el siguiente:

1 Por qué los pájaros pequeños no tocan la mandolina.
2 La luz lleva detrás a tantas nubes,
3 Tantas manos de hastío
4 Mirando los colores,
5 Colores encantados
6 De la bella bandera anochecida,
7 Que algún río se va
8 Algún desierto huye de cielo en cielo.

9 Todo ello, decidme, no justifica nada
10 Ni siquiera el amor
11 De estar enamorado,
12 Hoy por eso los labios
13 Se hielan lentamente
14 Tan solos como el mundo
15 Solo, solo entre nadie.

16 Mirad bien a los ojos para no cantar luego
17 La canción de aquel viento que no vuelve.

B) Significación del poema.

El amor pasa y el hombre consume su vida en el vano intento de poseerlo. La única realidad es el vacío y la frialdad que deja a su paso inalcanzable.

C) **Métrica.**

El poema está compuesto de tres divisiones: 1.ª, 8 líneas; 2.ª, 7 líneas, y 3.ª, 2 líneas de las siguientes medidas:

1.ª División.

1) 17 (9 (eneasílabo polirrítmico) + 8 (octosílabo mixto a)
2) 11 (endecasílabo heroico).
3) 7 (heptasílabo dactílico).
4) 7 (heptasílabo trocaico).
5) 7 (heptasílabo trocaico).
6) 11 (endecasílabo melódico).
7) 7 (heptasílabo dactílico).
8) 12 (7 (heptasílabo trocaico) + 5 (pentasílabo trocaico).

2.ª División.

9) 14 (4 (tetrasílabo trocaico) + 3 (trisílabo dactílico) + 7 (heptasílabo mixto).
10) 7 (heptasílabo dactílico).
11) 8 (octosílabo trocaico).
12) 7 (heptasílabo dactílico).
13) 7 (heptasílabo trocaico).
14) 7 (heptasílabo trocaico).
15) 7 (2 (bisílabo trocaico) + 5 (pentasílabo dactílico).

3.ª División.

16) 14 (7 (heptasílabo trocaico) + 7 (heptasílabo dactílico).
17) 11 (endecasílabo melódico).

Haciendo el recuento vemos que en el poema hay: 9 heptasílabos; 1 octosílabo; 3 endecasílabos; 1 dodecasílabo; 2 alejandrinos y una línea de 17 sílabas compuesta por un eneasílabo y un octosílabo. Como puede observarse hay un predominio de los versos tradicionales sobre las líneas, predominio que, como hemos visto, se da en los poemas de los libros estudiados. El verso que más abunda es el heptasílabo, muy usado por Cernuda en esta época que nos ocupa. El empleo del encabalgamiento es abundante, produciendo así un ritmo ondulado. (Ver las líneas: 3-4, 5-6, 7-8, 9-10-11, 12-13-14-15 y 16-17.)

D) **Notas estilísticas.**

El poema comienza con una pregunta que coincide con la primera línea: «Por qué los pájaros pequeños no tocan la mandolina», y esta pregunta parece como el resorte que pone en marcha todo el significado de la composición. Si los pájaros cantasen harían posible «el acorde», el amor sería permanente en el mundo. Pero no siendo así, el hombre está condenado a perseguir en vano esa luz que escapa y que se identifica con la capacidad insaciable de amor. Esa potencia luminosa lleva tras de sí la vana empresa de conquistarla, representada en el poema por las nubes y las manos de hastío:

2 La luz lleva detrás a tantas nubes,
3 Tantas manos de hastío
4 Mirando los colores,
5 Colores encantados
6 De la bella bandera anochecida,
7 Que algún río se va
8 Algún desierto huye de cielo en cielo.

Es a partir de la siguiente división cuando el poeta interviene dirigiéndose al hombre en general con el *decidme* de la línea 9, y quiere convencerse, convencernos de que no vale la pena esa estéril persecución en pos del amor, es inútil incluso el esfuerzo de amar:

9 Todo ello, decidme, no justifica nada
10 Ni siquiera el amor
11 De estar enamorado.

Como consecuencia de esta postura sólo es posible el silencio, la soledad y la incomprensión:

12 Hoy por eso los labios
13 Se hielan lentamente
14 Tan solos como el mundo
15 Solo, solo entre nadie.

Las dos últimas líneas vienen a constituir una norma de conducta deducida del poema:

16 Mirad bien a los ojos para no cantar luego
17 La canción de aquel viento que no vuelve.

«Mirad bien a los ojos», es decir, a la parte del cuerpo donde parece reflejarse mejor los sentimientos, para no engañarse,

para no ser presa de ese viento que no vuelve, que es el amor. El autor exhorta a no dejarse engañar por esa música que una vez oída atormenta para siempre.

En el poema podemos distinguir tres partes que coinciden con las respectivas divisiones. En la primera hay un afán de que se produzca «el acorde» del amor; de ahí el deseo de que los pájaros pequeños hagan posible la música, aun sabiendo que ésta es inalcanzable. La segunda, que se desarrolla en la siguiente división, es la de desertar en el intento de poseer el amor, y la tercera, expresada en la última división, es como un consejo para él mismo y la humanidad de no dejarse llevar por esa melodía que no retorna. Así pues, en el poema hay un desarrollo que va desde el deseo de la pasión amorosa hasta un rechazo de ésta, pasando por una razonada convicción de su inutilidad. El amor, tanto en el momento de deseo como en el de desprecio, se representa como música: líneas 1 y 17. El acorde de los pájaros y la canción del viento.

El poema que comento es inédito; lo encontré entre las cartas de Cernuda a mi padre. Está manuscrito por Cernuda y se halla en dos pliegos numerados que contienen los siguientes poemas por este orden: «Oscuridad completa», «Estoy cansado», el poema que nos ocupa y «Nevada». Como puede verse todos pertenecen al libro *Un río, un amor*. La pregunta que nos formulamos es si el poema iba a ser incluido en el libro al que me he referido antes. Podemos hacer una primera observación, y es que todos los poemas de *Un río, un amor* llevan título y este que comentamos no. Sin embargo, los tres poemas citados que se encuentran en los dos pliegos pertenecen al libro, y ésta es una razón para considerarlo en principio integrado a él, aunque después el autor lo suprimiese. Pero hay otras razones de orden temático y estilístico que apoyan esta idea.

El tema es semejante al de los poemas del libro. El amor como algo inalcanzable, el desengaño de éste y la destrucción que produce en el hombre, dejándolo vacío e inerte en un mundo de sombras en el que es imposible la comunicación, es el tema central de *Un río, un amor* (ver el capítulo en el que comento dicho libro). Por otra parte, las *nubes* como representación del hastío y lo inútil aparece en poemas como «Oscuridad completa» (líneas 9 y 10), «Desdicha» (líneas 1, 2, 3 y 4), «Drama a puerta cerrada» (línea 1). El silencio, como símbolo de la ausencia del amor, es otro tema frecuente, así como también el del

frío con el mismo significado. Ver los poemas «Destierro» (líneas 8 y 9), «Oscuridad completa» (líneas 6, 7 y 8), «Desdicha» (líneas 9, 10, 11 y 12), «Razón de las lágrimas» (línea 15), y tantos otros que se pueden citar.

En cuanto a los recursos estilísticos hay también una gran semejanza. Sabido es que la reiteración es muy frecuente en la composición de los poemas del primer libro surrealista de Cernuda, recurso que se extiende también a los dos restantes. Pues bien, en el poema que comentamos se puede observar el uso de dicho procedimiento. La palabra *tantas* se repite en las líneas 2 y 3. En las líneas 4 y 5 hay una anástrofe con *colores; algún,* se repite en las líneas 7 y 8. La similitud de sonidos entre *amor* y *enamorado* se da en las líneas 10 y 11, y la palabra *solo,* en plural y singular, se repite por tres veces en las líneas 14 y 15. El *decidme* de la línea 9, como una participación o un querer extender el sentimiento del poeta a los demás, aparece en poemas como «Remordimiento en traje de noche» (línea 9), «Daytona» (línea 19) o en títulos como «Decidme anoche». El que la última división, formada casi siempre por una o dos líneas, haga la función de conclusión o norma del poema es corriente en el libro. Así los poemas: «Nevada», «Habitación de al lado», «Mares escarlatas», «Carne de mar», etc. También vemos que en el poema que comentamos las dos últimas líneas tienen ese carácter.

Por último, el poema está dentro de la estética surrealista. Imágenes como las contenidas en la línea 1 (pájaros que tocan un instrumento musical), la mano de hastío, imagen tan usada por los artistas de esta tendencia (línea 3), el desierto que huye de cielo en cielo (línea 7), los labios que se petrifican por el frío como símbolo del silencio (líneas 12 y 13), la incomunicación de los hombres por causa de la ausencia del amor (líneas 14 y 15), hacen que el poema se integre a este movimiento como lo son todas las composiciones de *Un río, un amor.*

EPISTOLARIO DE CERNUDA A HIGINIO CAPOTE *

(1928 - 1932)

(*) Transcribo las cartas según el texto original.

I

Sevilla, 25-II-1928 [1].

Mi querido amigo:

acabo de recibir una tarjeta ilegible. Sólo acierto a adivinar, más que a leer, en ella tu nombre y tu novísima dirección. ¿Se trata de una broma carnavalesca, o de una de tus intemperancias?

Te suplico y te exijo a vuelta de correo una verdadera carta; una confesión atenuada si es necesario, de tus andanzas madrileñistas. ¿Bailas ya chotis? En vano pedí noticias tuyas al descomunal Salinas —descomunal sólo materialmente, porque espiritualmente es bastante petit chose—; el pobre hombre de esto, como de tantas otras cosas, no supo decirme nada. No obstante, y desde labios menos doctorales, corren rumores, se vierten especies...

Yo mantengo con menos brío el reto a las Secretarías Municipales [2]. Por las mañanas prosigo acariciando con mis manos uno de esos celestes volúmenes de Reus. Pero creo que no estudio. ¿Dirán lo mismo los respetables miembros del tribunal?... Es posible.

Procuraré, pues, evitarle tal satisfacción.

Montes [3] se divierte: luego existe. Yo me desespero contra mis cuatro paredes. Tengo nuevos amigos —empleo esta palabra

---

1. Aún Cernuda no se ha marchado de Sevilla definitivamente, lo hace a comienzo de septiembre de este año.

2. En una carta a Higinio Capote, con fecha Sevilla 2-XII-1926, y publicada en mi libro *El período sevillano de Luis Cernuda*, obra citada, pág. 31, habla del intento de preparar oposiciones a Secretario de Ayuntamiento. Como puede verse desiste de este puesto.

3. José Montes González, amigo y compañero de estudios.

en su sentido usual: persona que no interesa—. Supondrás, por tanto, que esos nuevos amigos no significan para mí nada. ¿Has visto «Ben-Hur», «Amanecer»?

Un abrazo. Tuyo, Luis Cernuda.

II

Málaga, 6-IX-1928 [1].

Mi querido Higinio:

No he tardado en contestar tu carta tanto como parece. Hace varios días te escribí; pero después de escrita mi carta surgió una excursión a Huelva. Y no quise enviarte desde allí lo escrito en Sevilla, en circunstancias muy distintas. Los últimos días en Sevilla estuvieron maravillosos. Yo alegre como nunca lo estuve. Pero ahora... Vuelve otra vez la tristeza. Verdaderamente no puedo vivir sin tener al lado algo o alguien por quien sentir afecto. Y estoy solo. Aunque Prados, Altolaguirre, Hinojosa me acompañan siempre, su compañía no me basta. Sé que esto, decir esto, está mal: es ser ingrato para quienes tanto afecto me demuestran. Pero no estoy en mi sitio; lo siento física y espiritualmente. Lo mismo me ocurrirá en Madrid. Pero ¡qué le vas a hacer! «La vida es así» como dice un tango que oímos la otra noche en Eritaña. Ya no puedo volver a atrás. Esto no se lo diría a Salinas, ya sé lo que pensaría: «¡falta de vitalidad!» No lo creo así. Sé lo que me falta; pero, mejor sería que no lo supiera.

Veo que sólo te hablo de mí. ¿Cómo van tus asuntos? ¿Irás pronto a Madrid? ¿Qué piensas hacer?

Escríbeme pronto. Perdona mi retraso en contestar tu carta. Necesito aunque sea de lejos, sentir en torno de mí un eco de las personas, o las cosas que conocen mi vida perdida. Por-

---

1. En los primeros días de septiembre de 1928, Cernuda deja Sevilla definitivamente. Pero antes, decide pasar unos días en Málaga. Así nos lo dice en «Historial de un libro» *Poesía y Literatura I*, obra citada, págs. 242-243: «En julio de 1928 murió mi madre (mi padre había muerto en 1920) y a comienzos de septiembre dejé Sevilla». Más adelante, agrega: «Tras de unos días en Málaga, adonde el mar, que no vi hasta tarde en mi vida, me atraía, además de la ocasión de charlar con Altolaguirre, Prados y José María Hinojosa, otro poeta malagueño cuya muerte terrible no se ha mencionado entre nosotros, me fui a Madrid». La carta refleja precisamente este momento.

que ahora comienzo otra bien distinta. Mejor o peor, no lo sé. Mas un poco triste.

Te abraza, Luis.

Hotel Europa. Acera de la Marina. Málaga.

Olvido algo importantet: Indícame pronto algún sitio donde parar en Madrid. Me urge. Algún sitio no caro y un poco íntimo. No puedo ir a Madrid sin llevar alguna indicación sobre esto. Y sólo quisiera estar en Málaga dos días más.

III

Madrid, 19-IX-1928.

Mi querido Capote:

Llegué hace dos días. Estoy en la misma casa que Tirado[1]; o sea Narváez, 19, 1.º No sé cuanto tiempo estaré en ella. Quisiera que aquel Rosario L que tú lamentas haberme dado a conocer estuviera, no en Sevilla, sino en Madrid. Pasé allí una de las temporadas más agradables y descuidadas. ¿Te extrañas de ello?

Yo ahora no me hallo bien aquí en Madrid. Tal vez sean los primeros días más tristes casi siempre. Pero de todos modos no sé qué hacer. Me falta todo. Quisiera traer aquí a mi hermana; vivir con ella. Pero hace falta para ello que yo ganara algún dinero. Y es difícil. No sé. Hay proyectos literarios que me interesan; una antología de la poesía española actual, que haremos quizá Altolaguirre, Prados, Hinojosa y yo; Imprimir en edición de lujo mi Oda... Esta temporada que he pasado en Málaga no estuvo mal. Los últimos días fuimos a Campillos y Ronda en auto. Lo pasé bastante bien. Sólo el cansancio me molestó. Pero veo que mi carta sólo te dirá cosas sin importancia; y mal dichas además. ¿Tú qué piensas hacer? Dime cómo marcha tu asunto. Los míos ya ves... Voy buscando un sitio. Siento que no está tampoco aquí[2].

Te abraza, Luis.

---

1. Amigo y compañero de estudios.

2. Como puede verse, la carta refleja el momento de inseguridad tanto espiritual como material. Y sobre todo esa melancólica indolencia de no sentirse arraigado en ningún sitio.

IV

Madrid, 23.X.1928

Mi querido Higinio:

te agradezco tus informes para el asunto del pasaporte; Fernando Villalón lo está arreglando ya, y evitará, en lo posible, dificultades [1]. Esto, claro está, no es obstáculo para que yo agradezca tu interés como merece. Mi marcha a Toulouse aún no está resuelta aunque parece casi segura; mi trabajo allá puede ser divertido: temas de historia literaria y temas acerca de la vida española actual en sus diversos aspectos. Claro que si no varían el programa, porque tengo bastante recelo hacia los posibles temas de Fonética y Lengua— que ahora estudio un poco—.

Madrid maravilloso. Yo me siento platónicamente mundano. El exterior procuro que no desentone con esta inclinación espiritual: trinchera, sombrero, guantes, traje —la mayoría de procedencia inglesa—. Sobre todo unas exquisitas camisas que me han costado ¡ay! una suma verdaderamente fabulosa... Pero ¡qué delicia!

Cines —Callao, Palacio de la Música, a veces cines distantes como Goya o Royalty—. Salones de té, bares —Bakanik o Sakuska— me ven a menudo. Mi interlocutora de francés resulta demasiado intelectual. El cok-tail se le sube a la cabeza y la hace un poco menos pesada. Pero ¡qué edificante resulta a pesar de todo! [2].

De Sevilla ¿qué?... Supongo tu respuesta: De Sevilla nada[3].

Un abrazo muy fuerte, Luis.

---

1. Como siempre, Cernuda se siente incapaz para todo lo burocrático. Fernando Villalón se ocupa del pasaporte para el posible viaje a Toulouse para desempeñar el puesto de lector.

2. En las cartas publicadas en mi libro *El período sevillano de Luis Cernuda*, puede observarse esta afición por lo mundano y el dandysmo, notas muy propias de Cernuda.

3. El resentimiento por Sevilla será más intenso a medida que pasa el tiempo y crece la melancolía por la ciudad natal.

V

Madrid, 2.XI.1928.

Mi querido Higinio:

ni tú ni Montes me escribís; quiero, necesito carta vuestra antes de marchar a Toulouse. Porque me marcho, sí a mediados de la semana próxima. Toulouse existe ya para mí; según una guía «es una ciudad alegre, con grandes bulevares, teatros —ópera, ballet— *e innumerables cinemas»*. Además tiene salones de té. ¿Qué más?

El Centro me da para el viaje 500 pesetas. Y mi sueldo es de 500 frs. No tengo que pagar gastos de alimentación aunque sí el alojamiento. Pienso estudiar bastante; haré la carrera de Letras. Y después no sé [1]. Madariaga me escribió dándome amplias promesas; me indicó que estudiara inglés. Salinas —a quien le debo lo de Toulouse— me indica la carrera de Letras. Antes de marcharme seré presentado a Menéndez Pidal.

Y vamos al objeto de esta carta: envíame pronto esto: unas fotos hechas con West-Pocket, si es posible, de la Giralda desde calle Placentines, estanque de entrada a los jardines del Alcázar y del pórtico aquel cubierto de ramas que existe en los mismos jardines a la entrada de una alameda de palmeras; deseo que lo fotografíes por la parte que da a esa alameda. Este último lugar no sé si lo identificarás; te daré otro detalle: en medio de esa alameda de palmeras bajas hay un estanque con una gruta, y dentro de ella un busto con dos caras. ¿Está ya bien detallado...? Pues ahora lo más esencial: una foto tuya y otra de Montes con dedicaciones. También de West-Pocket. Perdóname esta impertinencia, pero compré un pequeño albun y en él deseo tener la imagen de personas y cosas queridas [2].

Un fuerte abrazo, Luis.

---

1. El Centro de Estudios Históricos, por medio de la recomendación de Salinas, le concede el puesto de lector de español en la Universidad de Toulouse. Véase el interés por los cines y vida elegante de la ciudad francesa.

2. El rencor y la nostalgia de Sevilla serán dos sentimientos que se apreciarán alternativamente a lo largo de este *Epistolario*.

VI

Madrid, 10.XI.1928.

Mi querido Higinio:

acabo de hacer las maletas. Esta noche salgo para Hendaya: esta noche: o sea ahora, dentro de dos horas. ¡Qué triste el cuarto vacío...! Tan vacío como yo me encuentro; tan sin sentido.

Adiós, adiós. Luis.

VII

Toulouse, 12.XI.1928.

Mi querido Higinio:

crepúsculo, niebla, sherry y jazz[1]. ¿No es todo un programa? Y mi tristeza un poco byroniana.

Desengañado, desengañado...

Te escribiré y te abraza, Luis.

VIII

Toulouse, 13.X-1928.

Mi querido Higinio:

he conocido aquí M. Delmas que va a Sevilla, a la Escuela Francesa. Yo desearía que le acompañaras un poco. Y te lo agradecería también. Cualquier indicación de

1. Por las palabras de Cernuda se desprende hasta qué punto el jazz era importante para su visión poética: «Quería yo hallar en poesía el «equivalente correlativo» para lo que experimentaba, por ejemplo, al ver a una criatura hermosa (la hermosura física juvenil ha sido siempre para mí cualidad decisiva, capital en mi estimación como resorte primero del mundo, cuyo poder y encanto a todo lo antepongo) o al oír un aire de jazz. Ambas experiencias, de la vista y del oído, se clavaban en mí dolorosamente a fuerza de intensidad»... y más adelante añade: «Al lector que estime inadecuado a mi experiencia su resultado emotivo, y frívolo éste además, al tratarse sólo, al menos en una de las instancias que mencioné, de una experiencia consistente en oír un aire de jazz, le recordaré aquellas palabras de Rimbaud, cuyo sentido creo posible comparar al de mi experiencia: «Un título de vaudeville erguía espantos ante mí». Ver *Poesía y Literatura I*, obra citada, pág. 242.

casa de huéspedes que le des sería para él muy útil. Como tengo prisa no te doy noticias. Acompaña, pues, a M. Delmas y espera noticias mías.

Te abraza, Luis.

IX

Toulouse, 17.XI.1928

Mi querido Higinio:

estoy instalado, al fin, en un barrio distante; barrio rodeado de jardines, de parques silenciosos. Hace frío; hay niebla y lluvia. ¿Quieres imaginar este cuarto desde el cual te escribo?... Es bajo de techo, tapizado, con dos ventanas, chimeneas, alfombras y cojines. Íntimo, pues. Hay en él varios libros o fotografías; jardines de Sevilla, Greco, Velázquez, Zurbarán... O sea: que resurge interiormente el español. ¡Qué penetrante melancolía resulta ahora para mí al hojear un libro castellano!... Por gusto y por necesidad tengo algunos conmigo: Romanceros, Garcilaso, acabo de leerlos un poco.

Toulouse no está mal; menos provincia de lo que yo suponía. Cines detestables; películas francesas. Librerías magníficas; aunque yo no quiero comprar libros, de una parte por no aumentar más mi equipaje, de otro por no gastar dinero. Quiero vivir sólo de mi sueldo.

No he comenzado todavía las clases en la Universidad; únicamente tengo ahora las clases en la Normal. Allí como; el lector de español —es decir: yo— preside. ¿Me adivinas en el comedor grande y frío, delante de las mesas largas llenas de alumnos?

Pero esta gente va tan mal vestida... Siento una como advertencia misteriosa, relativa a mi verdadera posición; nada de salones de té, bares, camiserías y sastrerías diariamente. Me encuentro aquí demasiado bien vestido. ¿Necesitaré decirte que no creía lo mismo en Madrid?... Aquí se emplea mucho la bicicleta como medio de locomoción; sobre ella se ven a señoras de edad, muchachas y hasta creo recordar algún cura. También se usa mucho el perro como complemento de un atavío masculino o femenino. Mas yo no pienso emplear ni la una ni el otro.

Tal vez vaya a París estas vacaciones; seguro no sé nada.

Escríbeme pronto, pronto. Da mi dirección a Montes; no sé nada de él.

Un fuerte abrazo, Luis.

T,C. 37, Rue Benjamin Constant.

P.D. Las fotos que te pedí eran pequeñas; grandes tengo.

X

Toulouse 19.I.1929.

Mi querido Higinio:

¡qué alegría al recibir tu carta! No dudes nunca de mí; yo no puedo olvidar un amigo como tú. Y ahora, de noche, te escribo, para responder pronto a tus cariñosas páginas. Porque no hago nada, pero tampoco tengo tiempo para nada. ¿Lo creerás?

Clases, clases y clases; es desesperante. Y luego estos franceses son groseros de espíritu —¡quién lo creyera!— y ridículos en indumentaria [1]. Ellas no: son deliciosas, amables, comprensivas. Tengo algunas amigas, pero no amigos. Después de todo creo que mi época sincera ha terminado: será muy difícil que consiga otros amigos como los que ya conseguí. Queda ciertamente otro terreno un tanto diferente... ¡Mas es tan accidentado! No hablemos de eso.

Sí; tengo un mikiphone; lo compré porque siendo pequeño lo llevaría fácilmente de una parte a otra; mas es malo: estropea los discos. Y amaba tanto algunos... He comprado algo además: un sombrero americano, gris, exactamente igual al que lleva Gilbert Roland en «Margarita Gautier». Estas compras, un reloj de pulsera que se llevó ¡ay! mil francos de mis gastos de viaje y otras cosas, me arruinan; y todo para que estos cursis me llamen snob y me acusen de frívolo y ligero. ¿No te ríes? En fin, para llevarles la corriente dejo mi bigote, desconocido aquí, haces a la manera de Don Alvarado o Nils Asther. ¡El cine siempre! Y cock-tail además. No me gusta el alcohol; mas si el cock-tail es fuente o se bebe en cantidad ¡qué maravilloso

---

1. Poco tiempo ha bastado para que el cansancio y el aburrimiento, tan típicos en Cernuda, hagan desapacible su estancia en Toulouse.

mundo fantasmagórico... Estás entre las ruedas de un auto o delante de un escaparate es igual. Todo lo que se desea sin conseguirlo, se olvida o se posee, no sé, entonces [2].

Adiós. Escríbeme pronto. Te abraza fuertemente, Luis.

P.D. Perdóname la letra insegura; mas escribo sobre las rodillas, en el suelo, delante de la chimenea. ¡Hace tanto frío!

XI

París, 23.III.1929.

¿Cuándo te decides a escribirme? Hazlo a Toulouse. Volveré allí dentro de dos semanas [1].

Abrazos. Luis.

XII

Toulouse, 7 Mayo 1929.

Mi querido Higinio: tu carta me alegra y me apena; lo primero porque como siempre deseo noticias tuyas; mas para ver que una persona, como tú, con tanto derecho a realizar sus deseos, no pueda ahora hacerlo me entristece también.

¿Cambiados? Yo no sé; mas siempre te reconoceré. Pienso volver a Madrid mediando Junio; Toulouse aburrido y aburrido.

Recibirías mi tarjeta desde París; la temporada que he pasado allí me ha sentado tan espiritualmente bien... Mas estas clases de aquí me desagradan lo indecible.

Escribo, vuelvo a escribir hace unas semanas; nunca he sen-

---

2. Como puede observarse, el cine siempre le interesa, no sólo como motivo de inspiración poética, sino también para imitar el atuendo de los actores. Esta inclinación por el dandysmo le valió no pocas críticas.

1. Para más información de este viaje a París, véase *Poesía y Literatura I*, obra citada, pág. 245.

tido tantos deseos de escribir como ahora; que peno un libro de poesías, «Cielo sin dueño», del cual te envío unas cosas [1].

Por lo demás mi situación material sigue tan inestable como siempre. Y mi horror a la oposición continúa también. ¿Cómo conciliar ambas cosas? [2].

Unas líneas por lo menos espero que me escribas. Unas líneas si no te fuera posible una carta. No creo que sigas el ejemplo de Montes que no ha vuelto a escribirme.

Perdona que hoy no te cuente más ni más despacio. Pero ahora la prisa me empuja de una cosa agradable hacia otras que no lo son.

Los franceses insoportables; las francesas no esperan sino declaraciones amorosas; por lo demás las españolas también... ¡Uf!

Un fuerte abrazo de Luis.

Escribe, escribe, escribe, escribe, escribe... etc.

XIII

Barcelona, 16 de junio 1929.

Mi querido Higinio:

esta noche saldré para Madrid.

Barcelona me deja estupefacto; yo no la creía tan maravillosamente bien.

Un abrazo,

Luis.

Dirección: Fuencarral, 141, 5.º

---

1. En un principio Cernuda proyectó titular su libro *Un río, un amor* con el de *Cielo sin dueño*. Bajo este último título aparecieron en la revista «Litoral», núm. 8, mayo, 1929, págs. 5-6, los poemas: «Quisiera estar solo en el sur», «Remordimiento en traje de noche» y «Sombras blancas». Como sabemos desistió del título *Cielo sin dueño* y *Un río, un amor* aparece publicado íntegramente en la primera edición de *La Realidad y el Deseo*, Madrid, 1936.

2. La inseguridad económica continúa, y más aún a su vuelta a España donde no tiene nada fijo.

XIV

Madrid, 17 de Julio 1929.

Mi querido Higinio: necesito algo ahí en Sevilla. ¿Querrías tú hcaerme ese favor? Ha llegado el tiempo de las cédulas, mas no sé si Montes sigue en la Diputación —además como no ha vuelto a escribirme...—, de todos modos allí creo que habrá alguien conocido, Vázquez Hermoso, por ejemplo. Lo que necesito es mi cédula, pero en calidad de transeúnte en Sevilla, con domicilio en Madrid, Fuencarral, 141. Claro que tal vez aquí pudiera obtenerla, pero temo demasiadas complicaciones en esa cuestión de profesión y como resultado en el precio.

Estoy en un período de inusitada actividad literaria, acabo una nota sobre Salinas que aparecerá en la R. de O.[1]; para la misma revista tengo en preparación una nota sobre Gide, pretexto, *Si le grain ne meurt.* Además Guillén me ha conseguido una colaboración semanal en «El Norte de Castilla»; comprenderás que es un periódico provinciano, pero habiendo dinero en cambio nada quiero objetar. Olvidaba que la nota sobre Salinas —por determinadas circunstancias— caerá como imprevista bomba. ¿Motivo? Una introducción donde afirmo la supremacía del espíritu castellano sobre las otras espiritualidades españolas, o sea Castilla hizo a España. Claro que estableciendo la diferencia con aquel castellanismo del 98 y, de paso mostrando con algún representante del mismo mi total disconformidad.

Ahora me tienes gran parte del día en la Residencia; allí hay americanas verdaderamente epatantes. Por cierto que una portorriqueña muy simpática me dijo una cosa que me han dicho también varias veces, o sea que no parezco español, que me creía americano del Sur. ¿Absurdo? Posibilidades aunque problemáticas de ir a los E.U.A. Vago temor por parte mía. De todos modos creo que estaré el invierno en Madrid.

Adiós. Te abraza, Luis.

---

1. El trabajo *Pedro Salinas y su poesía,* fue publicado en la «Revista de Occidente», núm. LXXIV, 1929. Cito algunos párrafos para hacer notar la arbitrariedad del trato de Cernuda para con Salinas, ya que en estas cartas y otros escritos contemporáneos a este artículo, los comentarios no fueron siempre justos: «He hablado de esta poesía. No quiero callar la generosidad de su autor. Entre nosotros, pocos escritores jóvenes habrá que no deban a esta generosidad, tan poco frecuente en el ambiente literario, algún favor importante o decisivo para un espíritu joven que busca su camino. Quien acude a él halla siempre, por lo menos, una palabra cordial, un gesto de estímulo.»

XV

Madrid 25 Julio, 1929.

Mi querido Higinio:

no pensaría en sacar mi cédula si no soñara vagamente la posibilidad de un pasaporte para cualquier parte. Por esto quería señalar el domicilio en Madrid. Mas en fin, la dirección de mi hermana es Escoberos, 1, 5.º Dirección que doy con algún temor pues no sé cómo llevará mi hermana esa intromisión titular en su casa. En definitiva, tú da esa dirección para obtener tan sagrado documento. Profesión pongamos abogado. Edad 25 —¿Alguna sonrisita irónica?

Escríbeme de tus cosas. ¿Cómo encuentras las poesías que te envié? Otra posibilidad de ganar dinero se me ofrece —escribo otra de una manera estúpida pues no sé cuál será la anterior—, esta posibilidad sería por medio de Juan Guerrero [1], nombrado ahora secretario de «campsa» con un sueldo verdaderamente mítico. Si se afirma, como creo, se cambiará en un personaje madrileño. Todo el mundo adquiere posiciones, y yo mientras devoro o satisfago poco a poco, muy poco a poco, mis deseos.

Ah, por las noches, no todas, voy a «Pidoux» o sitios parecidos. Me divierte allí ver los gestos de las *poules*. ¿Dónde están las francesas de antaño? Cada vez me convenzo más de que lo mejor y más elegante de España son los hombres y no las mujeres.

Como supongo muy reducido el precio de mi cédula no encuentro otro medio de pago que el pago en sellos. ¿Tienes inconveniente? Claro que sólo en el caso de que valga 2 pts. o poco más.

Te abraza fuertemente. Luis.

P.D. Si Campsa viene a mí o promete venir a mí es muy posible que haga una visita por Andalucía y por tanto a Sevilla.

---

1. Juan Guerrero Ruiz (1893-1955). Nace en Murcia. En 1920 actúa como secretario de la revista «Índice», fundada por Juan Ramón Jiménez. En 1922 dirige el Suplemento Literario del diario murciano «La Verdad». Tradujo a James Joyce. En Murcia fundó también la revista «Verso y Prosa» en colaboración con Guillén, y de ella se publicaron doce números (1927-1928).

XVI

Madrid 3 Agosto 1929.

Mi querido Higinio: Tú eres para mí siempre ese amigo que no cambia, ese amigo que cerca o lejos tiene su afecto pronto y fiel en cualquier ocasión. Esto, simplemente, para agradecerte la solución a ese asunto de la cédula.

Ayer llegaron mis hermanas con dirección al norte; no sé aún cuántos días estarán aquí. Para mí resulta un tanto de esfuerzo, esfuerzo por aparentar cierta seguridad económica, esfuerzo por aparentar igual *posición familiar* que antes y bien puedes figurarte mi dificultad actual en esa cuestión.

Total, días molestos; atribúyelos si quieres a mi egoísmo.

Aquello que te hablé de Guerrero no es aún seguro ni inmediato; hay otras cosas de las cuales nada te diré hasta que se consoliden, si así ocurre.

Lo que sí trabajo es por reanudar mis relaciones con la R. de O. Ya te hablaré.

¡Cuántos deseos tengo de verte, de charlar contigo! Pero aquí, en Madrid, no en esa... Sevilla (¿Cabe peor insulto que llamar Sevilla a algo, a alguien?)

Advertencia importante. Las poesías que di en *Litoral* son muy diferentes de las cosas mías recientes. Respecto al título de la primera es el título de un fox-trot. Nada tiene que ver pues ese sur con Andalucía; es el sur americano, es decir de E.U.A.[1].

Perdona este papel tan mal y esta letra apresurada.

Adiós. Un fuerte abrazo de Luis.

¿Qué le ocurre a Montes conmigo?

---

1. El poema a que se refiere en la carta es «Quisiera estar solo en el sur». Nunca quiso Cernuda que ese sur se confundiese con Andalucía, pero siempre se puede pensar que no es más que una reacción contra su tierra nativa. En *Poesia y Literatura I*, obra citada. pág. 25, vuelve a insistir sobre esto: «Dado mi gusto por los aires de jazz, recorría catálogos de discos y, a veces, un título me sugería posibilidades poéticas, como éste de *I want to be alone in the South*, del cual salió el poemita segundo de la colección susodicha (se refiere al libro *Un rio, un amor*) y que algunos, erróneamente, interpretaron como expresión nostálgica de Andalucía». Ver la nota 1 de la Carta XII, Toulouse, 7-V-1929.

XVII

Madrid 31 de Agosto de 1929.

Mi querido Higinio:

al decirte que esa nota sobre Salinas saldría en el próximo número de la R. de O. me refería a este próximo, ya que el anterior, que tú has visto, estaba hecho. Por lo demás dicha nota y dicha revista no me interesan gran cosa. Si no temiese tu tácito reproche luego, caso de no cumplirse mi noticia, te diría también que en ese o en otro número debe aparecer otra nota que me interesa más.

En cuanto a la foto de la Residencia ¿qué iba a hacer yo allí? Ya sabes que no soy extranjero (*), profesor ni residente.

Dejo a un lado ciertas líneas un tanto insidiosas acerca de la belleza posible de las extranjeras del curso, cosa que debes comprender no me importa —si me importara nadie sabría nada.

Mi libro de versos casi acabado, sólo le faltan las poesías que pueda escribir aún, hasta fines de septiembre, fecha en la cual me ocuparé de su publicación [1].

Comenzado con gran parte de notas y proyectos un libro en prosa, «El Indolente»; lo hecho hasta ahora no me desagrada mucho [2].

Las camiserías, maravillosas... El dinero, en las nubes.

Escribe. Un fuerte abrazo de Luis.

(*) en mi patria, claro.

---

1. Se refiere a *Un río, un amor.* Ver la nota 1 de la carta XII, Toulouse, 7-V-1929.

2. *El Indolente,* terminado en 1929, forma parte da su libro *Tres narraciones,* y que no fue publicado hasta 1948 en la Editorial Imán, de Buenos Aires. Hay que tener en cuenta que por la fecha en que Cernuda escribe *El Indolente,* coincide con su período surrealista. Es curioso confrontar los libros inspirados esta tendencia y la citada narración, que por su estilo y asunto, dista mucho de las intenciones literarias del autor en esa época.

Recientemente *Tres narraciones,* se han publicado en Barcelona, Seix Barral. 1974.

XVIII

Madrid, 24 Septiembre 1929.

Mi querido Higinio: estoy sin noticias tuyas hace algún tiempo. Y veo que retrasas tu viaje. ¿Es que no vendrás por ahora?

Sentiría esto por ti; y además por mí mismo. Como sin duda estaré aquí la season (quiero decir mientras hay espectáculos infectos y calles llenas de estúpidos), como estaré aquí, digo, otro año de darme yo mismo compañía, ello resultaría un tanto aburrido.

Nada nuevo a contar. Comprendo que estar en Madrid es preferible a estar en Seviya [*sic*], pero a la larga resulta igualmente monótono.

Y tú ¿qué haces? ¿Estudias? ¿Bostezas? Deseo pedirte un favor. Si no vienes pronto, quisiera que me enviases a mi dirección acostumbrada los dos volúmenes de *El Retrato de Dorian Grey*. Para lo cual te adjunto 0'75 en sellos. Eso creo que será el importe de certificado sin derecho. Muchas gracias.

Y espero me pongas unas líneas aunque sean tan incoloras como éstas —por esto te pido disculpa pero estoy terriblemente gris. Cosa rara ¿verdad?

Un fuerte abrazo, Luis.

XIX

Madrid 3 de Octubre 1929.

Mi querido Higinio: me figuro lo que te ocurre: la realidad, lo que llaman *realidad* haciendo de las suyas. Pero ello no debe quitarte ánimos. Tú debes saber bien que la oposición, el puesto oficial, es lo único que asegura, más o menos, económicamente. Yo también lo sé, pero no tengo ánimos, es decir, me conduzco como si no supiera aquella verdad.

La publicación de «Cielo sin dueño» está ya concertada con la C.I.A.P. (¿Sabes qué es eso?): aparecerá en la colección de «nueva literatura» inmediatamente después del libro próximo

de Bergamín[1]. Llevará un prólogo de Salinas, prólogo que Pedro Sainz Rodríguez pidió como necesario[2].

Verás mi nota anterior en la R. de O. Ahora saldrá otra, y más adelante, inseguro aún, quizás algunas poesías de mi libro.

La ofensiva literaria como ves, no va mal. Pero quiero dinero, dinero. Con mis dichosas aficiones a la indumentaria no sé adónde voy a parar. Se me felicita por mis corbatas y trajes y yo como es natural lo agradezco profundamente.

Quisiera pasar unos días ahí. Desde luego no porque desee ver a esa putrefacta odalisca que llaman Sevilla sino por verte, por veros a los dos o tres amigos que ahí tengo.

Escríbeme pronto. Dime cómo van tus estudios. ¿Vendrás a Madrid?

Un fuerte abrazo de Luis.

XX

Madrid 22 Noviembre 1929.

Mi querido Higinio:

no te extrañes de lo rápido en contestar a tu carta. Hace unas semanas que necesitaba escribirte para ¿cómo no? un favor. Pero veo que has leído la R. de O. donde aparece esa nota de Vaché con cortes inesperados, quiero escribirte sobre ello.

Entre otras supresiones en la última página hay una importante. Dice: «el cine que no había sido descubierto entonces». Y mi original continúa: «entonces por esos escritorzuelos imbéciles que hablan, como si eso tuviese algún contacto con el cine, de Charlot o Buster Keaton». Como ves ese corte, hecho sin mi

---

1. Ver la nota 1 de la Carta XII, Toulouse, 7-V-1929. El libro de Bergamín al que se refiere Cernuda es seguramente *Cabeza a pájaros.*

2. Pedro Saínz Rodríguez (1897). Catedrático de la Universidad de Oviedo y Madrid. Ha publicado estudios sobre las obras de Antonio Agustín Forner y «Clarín», además de numerosos artículos en revistas. Entre sus libros merecen citarse: *Gallardo y la crítica de su tiempo* y *La Mística española.*

conocimiento, desfigura bastante la frase [1]. Además publican la nota en el último sitio. Qué le vamos a hacer. Eso me dará más pesetas. Si digo algo no publicarían en otro número una cosa en verso escogido por ellos entre otras más, mal escogida, claro está. Esos versos no me interesan, por cierto, aunque van en «Cielo sin Dueño» pero allí tienen, pueden tener, interés de conjunto [2].

Te enviaré las últimas poesías de ese libro. Escritas hace tiempo ya, están aún en mí. Me agradan algo por lo tanto.

Ahora acabo una cosa teatral «Teodoro o Excesos de Juventud». Contento, muy aproximadamente contento [3].

El favor que quería pedirte es éste. No sé dónde pasar aquí la revista militar. Unos dicen que en la luna, otros, en el cuartel de la montaña, otros que en Sevilla. ¿Quieres hacerme el favor de decirme si podría pasarla ahí? En ese caso te enviaría mi Cartilla. Perdona mis frecuentes peticiones.

Escríbeme pronto. Te abraza fuertemente. Luis.

XXI

Madrid 4 Diciembre 1929.

Mi querido Higinio:

comprendo que te interese decirme lo ocurrido con los libros, que tú eres ajeno a los desperfectos ocurridos. ¿Crees acaso que esos libros volverán pronto a una casa

---

1. La nota sobre Jacques Vaché fue publicada en la «Revista de Occidente», Núm. LXXVI, 1929. Copio el párrafo al que le fue suprimida la frase que se refiere Cernuda en la carta, señalándola en cursiva: «Quedaba aún a Vaché, como él dice, «esa querida atmósfera de tango hacia las tres, madrugada, con industrias maravillosas, delante de algún monstruoso cock-tail»; quedaban sus sueños avivados por el cine, el cine aún no descubierto entonces *por esos escritorzuelos imbéciles que hablan, como si eso tuviese algún contacto con el cine, de Charlot o Buster Keaton.* «Saldré de la guerra chocheando dulcemente, o acaso a la manera de esos espléndidos idiotas de aldea (lo deseo)... o acaso... acaso... ¡qué film representaré! Con automóviles locos, ya sabes, puentes que ceden y manos mayúsculas trepando por la pantalla hacia algún documento. ¡Inútil e inapreciable!» No puedo, no quiero citar más; imposible leer esta carta sin lágrimas; su lectura puede cambiar un espíritu.

(2) Ver la nota 1 de la Carta XII, Toulouse, 7-V-1929.

3. No tengo noticias de la publicación de esta obra.

mía?[1]. Yo lo dudo. Además, de esos libros sólo me interesan ahora unos cuantos. Los otros si fuera fácil me libraría de ellos. Azorín, Valle-Inclán, Baroja ¿qué es eso? ¿qué me importa toda esa estúpida, inhumana, podrida literatura española?[2]

Me dices que estás más aburrido que yo. No sé si te he hablado de mi aburrimiento alguna vez. Pero te aseguro que es mi aburrimiento imposible de superar. Sólo espero una cosa aunque nada me asegura que la tenga algún día. Antes oscuramente, hoy al fin con la luz veo que si escribo es por buscar aún más esa cosa misma.

No sé si el curso próximo podré irme como te escribí. Estoy convencido de que España no es posible para mí. Nada tengo aquí. No he hecho un solo amigo. Gentes feas, miserables.

Voy a dejar esta carta ahí. Comprendo que este tono, el único posible para mí sinceramente, no es para oírlo ni decirlo.

Adiós. Te abraza tu buen amigo. Luis.

Los libros que quisiera son «Les pas perdus», de André Breton. «Las Aventures de Telémaque», «Le Libertinage» y «Le Paysan de Paris», de Louis Aragon[3]. Si los encuentras veremos el medio de que lleguen a mí sin gasto alguno para ti. En cuanto a las llaves quédatelas. Buenos huéspedes te envío. Perdóname, chico.

XXII

Madrid 17 Diciembre 1929.

Mi querido Higinio:

No sé si habrás recibido la cartilla ni si, en caso de haberla recibido, el asunto de la revista está resuelto. Como puedes suponer sólo me interesa saberlo ya que el plazo para pasar la tal revista termina en el mes. De no pasarla o perder la cartilla la ley protectora, la defensora, la tu-

---

1. Cernuda nunca tuvo casa propia y de vez en cuando se le transparenta cierta añoranza por este motivo. En *Poesía y Literatura I*, pág. 244, dice: «Recibido le nombramiento de lector, al despedirme de Salinas un atardecer, con el frío invernal ya cercano, la estufa y la luz encendidas en su casa, me atacó insidiosamente la sensación de algo que yo no tenía, un hogar, hacia el cual y hacia lo que representa, siempre he experimentado menos atracción que repulsión».

2. Su adhesión al surrealismo tiene como consecuencia el desprecio hacia la generación del 98.

3. Como puede observarse, las lecturas que le interesan son obras de poetas franceses surrealistas.

telar madre del hombre civilizado, de ese hombre siempre soñando progreso, ahelando [*sic*] sacrificios en el sagrado nombre de la humanidad, la susodicha ley, una tal por cual dicho sea de paso, me amenaza con las consiguientes sanciones económicas. El motivo del interés en saber la resolución del asunto cartilla y revista militares no es, no puede ser más legítimo.

Supongo por tanto que no querrás dejarme sumido por más tiempo en esta negra incertidumbre.

Habrás visto sin duda a Tirado rumbo a sus vacaciones. Yo estoy más aburrido que yo mismo. Dame noticias tuyas, dime además qué efecto te han hecho las poesías que te envié. Para no acabar mi carta con un nuevo proyecto editorial te anunciaré mi deseo de imprimir en Málaga las páginas que llevo escritas de El Indolente, esa divina inspiración melancólica en forma de palabras. Sería el tomo primero. Sin compromiso de dar otro segundo, tercero, etc.[1] Pero si ello depende de mí, el dinero de la edición depende del Nuncio.

Adiós. Un fuerte abrazo de

Luis.

XXIII

Madrid 23 Diciembre 1929.

Mi querido amigo:

Villalón pone casa en Madrid. Aunque no le importa traer aquí a su nueva casa mis libros, yo preferiría, para no pagar el transporte de esos libros, dejarlos ahí en Sevilla. No tengo donde dejarlos, ya que la habitación donde están los muebles de mi casa es húmeda y vieja; allí habrían de estropearse mis *antiguos* libros. En cierta ocasión me hablaste de que tu familia iba a poner casa en Sevilla. ¿Sueñas tú con quedarte con esos libros? Dime lo que sea sinceramente. Ya sabes que Villalón quiere traerlos aquí, que para mí no hay pues problema, sino una cuestión de preferencia. Desde luego es cosa ra-

---

1. Insisto en el contraste entre la prosa blanda y melancólica de *El Indolente* y el tono rebelde de los poemas de inspiración surealista. Ver la nota 2 a la Carta XVII, Madrid, 31-VIII-1929.

podísima. Los libros están ya en cajones. Para primeros de Enero la casa de Villalón queda vacía.

Espero tu respuesta lo más pronto posible.

Adiós. Te abraza, Luis.

Recibido tu telefonema. La carta, no.

XXIV

Madrid 28 Diciembre 1929.

Mi querido Higinio:

ante todo: recibida ya la cartilla. Muchas gracias. En cuanto a los libros escribo a mi hermana para que envíe a recogerlos a casa de Villalón y los lleven a la tuya, es decir a la de tu tío. Cuando vengas decidiremos lo más fácil, sea llevarlos a Arcos o a Escacena. Si ves a Tirado dale las gracias de mi parte por su ofrecimiento.

Los libros supongo irán en cajones pues iban a traerlos aquí. Desde luego vayan como vayan están como es natural a tu orden. Ya te pediré que me envíes, o mejor, que me *envíen* algunos que quiera tener conmigo. Esto es molesto extremadamente: tengo conmigo muchos libros nuevos, algunos antiguos, y si me voy de Madrid no sé qué haré con ellos. Lo de irme de Madrid te diré reservadamente que si ciertas gestiones tienen éxito es posible que el curso próximo me vaya como lector a Suecia, a Gotemburgo. Pero es nada más que un proyecto. Nada digas [1].

¿Estudias inglés? Yo también. Me voy formando un repertorio de palabras que algún día espero me permitirá leer y hablar inglés como leo y hablo francés, es decir, bien. (Mis abuelos desaparecieron hace ya mucho tiempo) [2]. Los libros creo que te los llevarán antes del día primero de Enero. Te agradezco mucho esa hospitalidad que les concedes.

Adiós. Te abraza. Luis.

---

1. El puesto de lector de español en Gotemburgo, no lo llegó a desempeñar.
2. Posiblemente se refiera a su abuelo por línea materna, Ulises Bidón natural de Bhediol (Francia).

XXV

Madrid 21 Enero 1930.

Mi querido Higinio: no quiero que te molestes enviándome aquellos libros que indiqué. Gracias por el ya enviado. Pero deja los otros hasta que venga Tirado, si viene, o hasta que yo lo arregle sin molestias para ti.

Si cada una de tus cartas te ocasiona a vuelta de correos, como así es, estas elucubraciones más te verás obligado a desistir definitivamente de tan persistente correspondencia. Claro es que hay de mi parte motivos para ello hasta ahora. Por ejemplo actual esos angelicales libros que por mi culpa supongo encontrarás ya en sueños.

Una vez recorrida la lista que me envías vuelven a mi memoria naturalmente títulos ausentes. Creo desde luego no extraviado ningún libro de los más estúpidos. Faltan otros que por diversas razones no quisiera perdidos. Faltan muchos, algunos como *Las Moradas, Canciones del Marqués de Santillana, Víspera del Gozo, Orillas de la Luz* y *La Flor de California*, de Hinojosa..., etc. Tal vez habrás dejado pasar unos al hacer catálogo como me ocurrió siempre que intenté hacer lo que tan denodadamente has realizado.

No te extrañe esa indicación de los libros de José María Hinojosa; se trata de un amigo con el cual estoy unido en lo posible. Hasta hace unos días hemos tramado una revista surrealista con títulos de este tono: «Poesía y Destrucción», «El Agua en la Boca», «El Libertinaje». Pero estoy aburrido por una parte del mismo artificio literario y por otras de vacas, piojos y curas o sea españa [*sic*] y allá va todo el espléndido carajo, única realidad entre tantas sombras [1].

Tal título «El Libertinaje» parecerá en mí paradójico, en mí llamado sin duda honnête garçon. Y bien eso es nada. No sé si pedir o no la ocasión (hablo en broma porque ¿cómo no desear la *ocasión?*) pero si llega alguna vez ya sabrán quién es el honnête garçon. Un fuerte abrazo de Luis.

No dejes de decirme si aparecen esos libros de Hinojosa. Y

---

1. En 1931, escribe Cernuda *Los placeres prohibidos*, libro que está dentro de su época surrealista; sin embargo, desde el año anterior comienza un cierto cansancio por esta tendencia como puede apreciase en la carta.

el de Salinas también, seamos condescendientes. En cuanto a cierta caja de papel de cartas con borradores de cosas que tú conoces la darás a Tirado si viene para yo romperla. ¿O podría delegar en ti mismo la ruptura de tales papeles?

XXVI

Madrid 27 Enero 1930.

Mi querido Higinio: recibidos ya efectivamente los otros libros.

Muchas gracias. Eres un amigo como ningún otro para mí. Libros franceses no creo que falta ninguno (*); los que citas están aquí conmigo, excepto algunos que sin gran interés en llevarlos dejé a Salinas en el otoño de 1928 (**). Me agradaría recogerlos y enviarlos con otros más ahí a Sebilla [*sic*].

Así pues faltan sólo libros españoles, principalmente de los relacionados con la ex-joven literatura. Trato de ver a ese camello gitano que se llama en el mundo Villalón para averiguar en lo posible qué ha sido de tales libros. Pérdida no creo.

En cuanto a los dos libros de Hinojosa los presté al irme de Fepilla [*sic*], la ciudad de la grrrasia [*sic*], la que tiene el virgo sin coño de la propia virgo santísima, los dejé digo a Adriano del Valle, perdona tan ridículo nombre aquí; pero es indispensable— que como es natural no los ha devuelto. ¿Conocerías tú alguien en Huelva a quien se le pudiera confiar la extracción violenta de esos dos libros? Yo conozco allí a Corte pero no tengo confianza alguna en que lo hiciera.

No hace falta que le dejes a Montes aquella caja con papeles si tú me dices decidirte a romperlos todos. Espero que Montes avise su llegada o por lo menos me llame una vez llegado al teléfono 30932.

Un fuerte abrazo de Luis.

Estoy aburrido, sin esperanzas o con esperanzas insensatas, es lo mismo, y como único proyecto el de no hacer oposiciones en mi vida.

(*) Villalón no lee dos palabras de francés.

(**) Dices creo Balzac. No he tenido nunca nada suyo.

XXVII

Madrid 13 Febrero 1930.

Mi querido Higinio:

he cambiado de casa; es decir han cambiado las gentes con quienes vivo (qué expresiones) y con ellas yo también. Mi nueva dirección es Glorieta de Bilbao, 1 (segundo izquierda). Te lo agradeceré se lo indiques a Montes y Tirado.

Tuyo, Luis.

XXVIII

Madrid 16 Junio 1930.

Mi querido Higinio: muchas gracias por tu carta ella me evita dando por supuestas ciertas cosas hablar de las mismas, cosas desagradables.

Si no te molesta me gusta en efecto que te lleves los libros a Arcos; claro que entre ellos van cosas que no te interesan, supongo, y que yo no quisiera conservar; en general todo lo de literatura española desde 98 aquí. En fin, mándalo todo que si alguna vez puedo llevarlos conmigo ya arreglaríamos eso [1].

Hace unos meses que estoy en casa de León Sánchez. Son nueve horas y poco dinero. Pero estoy convencido de lo que me escribía un chico: votre place n'est marquée nulle part; et vous souhaiterez toujours entourage différent [2].

Lo cual no quiere decir que me deje en lo de León Sánchez. No lo resistiría.

Me alegra mucho que vengas pronto a Madrid, no es Sevilla y eso es gran ventaja. Supongo que vienes por cuestión de oposiciones; háblame de ello, te lo ruego. Yo por mi parte voy a poner punto aquí, nada agradable nuevo que contarte.

Un abrazo de tu buen amigo Luis.

Dime lo que importa el traslado de los libros para pagarlos debidamente.

---

1. Al marcharse Cernuda de Sevilla dejó parte de su biblioteca a Higinio Capote, el cual le mandaba los libros según los iba necesitando.

2. Cernuda encuentra trabajo en la Librería de León Sánchez Cuesta, entonces en la calle Mayor, número 4. Con este empleo, afianza algo su precaria situación económica. La frase de su amigo francés: «Votre place n'est marquée nulle part; et vous souhaiterez toujours entourage différent», muestra la incapacidad de Cernuda de arraigarse en un lugar determinado.

XXIX

Madrid 27 Julio 1930.

Mi querido Higinio: ¿qué hay? Realmente me olvidas, a mí, que estoy alegre al pensar verte por aquí. No sé cuándo será eso y espero que lo escribas. Aunque el dinero sea cosa tan distante de mí, no me atrevo a decir nosotros, creo que lo pasaríamos tal vez aceptablemente. Madrid debe tener ciertas realidades interesantes pero yo no las he descubierto aún a pesar de llevar aquí más de un año. ¿Las descubriremos juntos? Pienso que sería maravilloso ver en poder de un Diablo Cojuelo (no me refiero al libro que, por lo demás, no me interesa; ya sé las *realidades* que me enseñaría). Unas condescendencias de tal personaje le permitieran a uno ver cosas que de otro modo no conocería nunca.

Después de todo quizás sea el español tan estúpido en su fondo íntimo como lo es al exterior. J'ou ai assez de honte les gens-lá. Las españolas sería demasiado benevolencia llamarlas mujeres ya que por forma y espíritu no son otra cosa sino tristes mufles. Sin duda el trato de semejantes cosas puede influir perjudicialmente; de otro modo no es comprensible cómo el boy español naturalmente se convierta pasados los veinte años, frontera variable pero que nunca traspasa los treinta, se convierta, digo, en digna pareja del mencionado mufle.

Como hace tanto tiempo que no sabemos gran cosa el uno del otro temo que las consideraciones de orden general sobre características de los sexos en España, a que acabo de entregarme líneas más arriba, te parezcan extravíos en días de asueto. Esto último es verdad (como domingo estoy libre de mi principal, ese dear Mr. Sánchez). Ahora, extravíos no son. Es una verdad demoledora.

Espero que tantas palabras no serán vanas; quiero decir que me valdrán una respuesta tuya lo más pronto posible.

¿Qué ha sido de Juan Tirado? Se marchó a mediados de diciembre y nada he vuelto a saber.

En cuanto a mi biblioteca, que sin faltar a la verdad puedo llamar circulante, espero que se hallará ahora en Arcos. Lo que no sé es cuanto le ha costado el viaje. Como manager actual de esa simpática persona espero que sabrás el precio del billete, y

que además me lo comunicarás ya que soy el padre ante la ley. Escrito ese nombre venerando debo dejar mi carta aquí porque las náuseas y tal vez su inmediata consecuencia, me lo impiden.

Un abrazo, Luis.

XXX

Madrid 21 agosto 1930.

Mi querido Higinio: creí que venías exclusivamente a terminar alguna oposición pero ese proyecto de París me desconcierta. La vida en París es efectivamente más cara que aquí. Aunque podría vivirse con poco dinero, contando con el alza del franco, ese poco dinero es demasiado para nosotros. Total no sé qué decirte. Lo sensato, según la gente, y al fin tienes razón puesto que el mundo es de ellos, sería que vinieras aquí y que estudiaras aquí sin pensar en extravíos que sólo conducen a nuestra pérdida.

¿Qué tal la moralidad? Expresada con *brillante estilo* es digna de cualquier clásico español.

Sigo con la librería. Tiene la ventaja de hacerme ir de un sitio a otro durante el día y así no me devoro a mí mismo una y otra vez a lo largo de las horas. Con alguna vaga esperanza en perspectiva la felicidad es mía.

No sé qué haré en otoño. Ya veremos. Me encuentro con un amenazador montón de libros que he ido trasegando estos meses. Lo cual representa dinero gastado y dificultad para movilizarlo.

Por encima de todo planea majestuosamente mi propia estupidez. Soy estúpido y lo sé; los otros lo son también mas no lo saben. De ahí mi enorme superioridad sobre ellos.

Un fuerte abrazo. Luis.

Seriamente te ruego me digas lo que habrá costado transportar los libros.

XXXI

Madrid 11 Octubre 1931.

Querido amigo: te he escrito varias cartas, bastante afectuosas; no he obtenido respuesta a ninguna de ellas. Está bien; tú allá si aún guardas rencor contra mí. Pero en ellas, al mismo tiempo, te decía que necesitaba algunos libros de los que yo te dejé. El no recibirlos a tiempo me ha perjudicado algo. Ahora, que voy a tener casa particular quisiera tenerlos todos conmigo. Yo vuelvo a rogarte que lo coloques en una caja y me digas cuánto importa el transporte a Madrid. Puedes suponer los deseos que tengo de volver a ver mis antiguos libros.

Espero tu respuesta y te ruego me contestes pronto, porque una vez arreglada mi casa tengo que marcharme por unas semanas.

Un abrazo de Luis.

Nada más te digo respecto a nuestra amistad. Creo que es demasiado injusto el guardarme aún rencor. Pero a pesar de todo yo sigo teniéndote el mismo afecto.

XXXII

Madrid 9 Mayo 1932.

Mi querido Higinio: recibí tu telefonema pero no la carta que anunciabas; supongo pues que tu disgusto continúa. He hecho por mi parte todo para que desapareciese entre nosotros tal enfado, y si a pesar de ello aún subsiste, creo que no tienes razón para mantenerlo todavía. Bien lo siento.

Como he estado fuera de Madrid el mes pasado no te he dicho nada acerca de los libros. No es tan urgente como creí al escribirte; no obstante, como quisiera traer aquí algunos, te ruego veas si hay algún cosario que se encargase del transporte desde Arcos a Madrid. Después de pensarlo creo que eso sería lo menos molesto para ti. Te ruego me lo digas. Con esta carta va una lista de algunas cosas que quisiera de momento; mejor dicho: de momento sólo deseo aquellas que van señaladas con una raya; son cuatro en total. ¿Podrías enviarlas por correo en cuanto te sea posible? Yo te devolvería los sellos del certificado,

impresos (No te rías por el detalle). Tengo bastante interés en recibirlos

Veo que no quieres tener noticias mías. Sin embargo me agrada decirte que estuve la semana pasada en Málaga; hacía cinco años que no volvía por Andalucía. El efecto ha sido fuerte, tanto que quisiera estar allí y no aquí. Cuántas cosas tendría que decirte acerca de todo ello. Pero son mejor para habladas que para escritas. Y sobre todo me cohibe tu complacencia en la antipatía. ¿Qué podría añadir para que olvides el disgusto?

Un abrazo de Luis.

¿Quieres ver qué cartas y retratos son esos que, según tu nota, están ahí con los libros?

XXXIII

Madrid 28 de Noviembre de 1932.

Mi querido Higinio: necesitaría algunos libros de mi antigua biblioteca sevillana. ¿Los tendrás a tu alcance? No sé si estás en Sevilla o en Arcos; Carlos García Fernández te entregará esta carta [1].

Pienso que puesto que mi hermana Amparo tiene casa en Sevilla, sería más cómodo que ella reuniese los libros; así cuando necesitase algunos, como ahora, no tendría que ir molestando a los amigos. Pero antes tendría que avisarle a ella.

De momento, para éstos que necesito, si tú puedes buscarlos, pediría a un cosario aquí que los recogiese donde tú me dijeras; ya te enviaré la lista una vez que me digas si puedo hacerlo.

No tengo noticias tuyas directas; me han dicho que te has casado. Sean cuales sean los motivos de tu alejamiento de mí, es un poco triste esto de cesar todo contacto en una amistad que ha sido una época de nuestra vida y que ni tú ni yo podemos apartar como si no hubiera existido.

Escríbeme Higinio.

Te abraza, Luis.

---

1. Carlos García Fernández, amigo y compañero de estudios. Actualmente pertenece a la Real Academia Sevillana de Buenas Letras.

BIBLIOGRAFÍA

ADELL, Alberto: *Inquisición del surrealismo español,* en «Ínsula». Núms. 284-285, 1970, págs. 20-21.

ALAZRAKI, Jaime: *El surrealismo de tentativa del hombre infinito de Pablo Neruda,* en «Hispanic Review». Núm. 1, volumen 40, 1972, págs. 31-39.

ALBERÉS, R. M.: *Panorama de las literaturas europeas (1900-1970),* Madrid, 1972.

ALBERTI, Rafael: *La arboleda perdida,* Buenos Aires, 1959. *Poesías completas,* Buenos Aires, 1961. *Prosas encontradas,* (1924-1942), Madrid, 1970.

ALEIXANDRE, Vicente: *Luis Cernuda en la ciudad,* en «La caña gris», 1962, Núms. 6-7-8. Homenaje a Luis Cernuda, págs. 11-12. *Poesía superrealista,* Barcelona, 1970.

ALFAYA, Javier: *Escritos olvidados de Luis Cernuda,* en «Cuadernos para el diálogo». Núm. 88, 1971, pág. 38.

ALONSO, Amado: *Clásicos, románticos y superrealistas,* en «La Nación», Buenos Aires, 16 junio 1940.

ALONSO, Dámaso: *Poetas españoles contemporáneos,* Madrid, 1969.

ALQUIE, Ferdinand: *Filosofía del surrealismo,* Barcelona, 1972.

ANCET, Jacques: *Luis Cernuda,* Paris, 1972.

ANTOLOGÍA DEL SURREALISMO ESPAÑOL, en «Verbo». Núms. 23-24-25, Alicante, 1954, al cuidado de José Albi y Joan Fuster.

ARAGON, Louis: *Fou de joie,* Paris, 1920. *Les aventures de Telémaque,* Paris, 1922. *Traité du style,* Paris, 1928. *Anicet ou le panorama,* Paris, 1951.

ARCONADA, M.: *Hacia un superrealismo musical*, en «Alfar». Núm. 50, febrero 1925.

ARMIÑO, Mauro: *Antología de la poesía surrealista*, Madrid, 1971, *La aventura surrealista*, en «La Estafeta Literaria». Núm. 485, 1972, págs. 4-8.

ARTAUD, Antonin: *Tric-trac du ciel*, Paris, 1924. *A la grande nuit ou le Gluff surréaliste*, Paris, 1927.

AUB, Max: *Poesía española contemporánea*, México, 1969.

AZORÍN: *Obras completas*, Vols. IV y IX, Madrid, 1948, 1954.

BAEHR, Rudolf: *Manual de versificación española*, Madrid, 1970.

BALAKIAN, Anna: *Surrealism: the road to the Absolute*, New York, 1959. *Literary origins of surrealism*. New York; N.Y. University Press, 1966.

BEGUIN, Albert: *El alma romántica y el sueño*, México, 1954.

BODINI, Vittorio: *I poeti surrealisti spagnoli*, Torino, 1963.

BOUSOÑO, Carlos: «*La correlación en el verso libre: Luis Cernuda*», en *Seis calas en la expresión literaria española*, Madrid, 1951, págs. 270-289. *La poesía de Vicente Aleixandre*, Madrid, 1968.

BRETON, André: *Lettre a Roland de Réneville*, en «Nouvelle Revue Française», 1932. *Les pas perdus*, Paris, 1969. *Manifiestos del surrealismo*, Madrid, 1969. *El surrealismo, puntos de vista y manifestaciones*, Barcelona, 1970. *Antología del humor negro*, Barcelona, 1972. *Documentos políticos del surrealismo*, Madrid, 1973.

BRINES, Francisco: *Ante unas poesías completas*, en «La caña gris», 1962, Núms. 6-7-8. Homenaje a Luis Cernuda, págs. 117-153.

CANO, José Luis: *Bécquer y Cernuda*, en «Asomante», núm. 2, 1954, págs. 28-34. *La poesía de la generación del 27*, Madrid, 1970.

CANO BALLESTA, Juan: *La poesía española entre pureza y revolución (1930-1936)*, Madrid, 1972.

CAPOTE, José María: *El período sevillano de Luis Cernuda*, Madrid, 1971.

CAWS, Mary Ann: *The poetry of Dada and Surrealism: Aragon-Breton - Tzara - Eluard - Desnos*, Princenton University Press, Princenton, New Jersey, 1970.

CERNUDA, Luis: *La realidad y el deseo*, Madrid, 1936. *La realidad y el deseo*, México, 1964. *Estudios sobre poesía española contemporánea*, Madrid, 1957. *Poesía y literatura I y II*, Barcelona, 1960 - 1964. *Crítica, ensayos y evocaciones*, Barcelona, 1970.

CORBALÁN, Pablo: *Poesía Surrealista en España*, Madrid, 1974.

CREVEL, René: *De tours*, Paris, 1924. *Mon corps et moi*, Paris, 1925. *La mort difficile*, Paris, 1926. *L'Esprit contre la raison*, Marsella, 1927. *Babylone*, Paris, 1972.

DELGADO, Agustín: *Cernuda y los estudios literarios*, en «Cuadernos Hispanoamericanos», Núm. 270, abril 1968.

DESNOS, Robert: *La liberté ou l'Amour*, Paris, 1927.

DIEGO, Gerardo: *Poesía española*, Antología (1915-1931), Madrid, 1933.

DUPLESSIS, Yvonne: *El surrealismo*, Barcelona, 1972.

DUPY, J. H.: *Philippe Soupault*, Paris, 1957.

DURÁN GILI, Manuel: *El surrealismo en la poesía española contemporánea*, México, 1950.

ELUARD, Paul: *Les malheurs des inmortels*, Paris 1922. *L'Amour, la poésie*, Paris, 1929. *Oeuvres completes*, vol. I, Paris, 1963.

FERNÁNDEZ BAÑULS, Juan Alberto: *Bécquer y la creación poética del 27: el caso de Luis Cernuda*, en «Archivo Hispalense», Núm. 165, tomo LIV, Sevilla, 1971, págs. 39-76.

FRENTZEL BEYME, Susana: *La función del cuerpo en la cosmovisión poética de Luis Cernuda*, en «Cuadernos del Sur», Núm. 10, 1968-69, págs. 93-100.

GARCÍA LORCA, Federico: *Obras completas*, Madrid, 1960.

GÓMEZ DE LA SERNA, Ramón: *Ismos*, Madrid, 1931.

GULLÓN, Ricardo: *La poesía de Luis Cernuda*, en «Cántico». Núms. 9-10, 1955, págs. 21-28.

HARRIS, Derek: *Ejemplo de fidelidad poética: El superrealismo de Luis Cernuda,* en «La caña gris», 1962, Núms. 6-7-8. Homenaje a Luis Cernuda, págs. 102-108.

HAUSER, Arnold: *Literatura y manierismo,* Madrid, 1969.

ILIE, Paul: *The surrealist mode in spanish literature,* Ann Arbor, the University of Michigan Press, 1968. *Documents of the Spanish Vanguard,* University of North Carolina Press, 1969.

JIMÉNEZ, José Olivio: *Cinco poetas del tiempo (Aleixandre, Cernuda, Hierro, Bousoño y Brines),* Madrid, 1972.

LAMÍQUIZ, Vidal: *Morfosintaxis estructural del verbo español.* Publicaciones de la Universidad de Sevilla. 1972.

LARREA, Juan: *Versión Celeste,* Barcelona, 1971. *Del surrealismo a Machupichu,* México, 1967.

LAUTRÈAMONT: *Los cantos de Lautrèamont,* traducción de Ricardo Baeza, en «Prometeo» II, Núm. 9, Madrid, 1909.

LÓPEZ ESTRADA, Francisco: *Estudios y cartas de Cernuda,* en «Ínsula», Núm. 207, 1964, págs. 13-17. *Métrica española del siglo XX,* Madrid, 1969.

LOZANO VRANICH, Elena: *Una carta de Luis Cernuda,* en «Archivo Hispalense», Núm. 131, 1965.

MARCO, Joaquín: *Nueva literatura en España y América,* Barcelona, 1972. *Muerte o resurrección del surrealismo español,* en «Ínsula», Núms. 316-317, 1973, págs. 1-10, 3-14 respectivamente.

MATTHEW, Josephson: *Mi vida entre los surrealistas,* México 1963.

MOLINA, Ricardo: *La conciencia del tiempo, clave esencial de la poesía de Cernuda,* en «Cántico», Núms. 9-10, 1955, págs. 37-41.

MONTANYA, Luis: *El surrealismo francés,* en «Gaceta Literaria», 15-II, 1928.

MORRIS, C. B.: *Un poema de Luis Cernuda y la literatura surrealista,* en «Ínsula», Núm. 299, 1971, pág. 3. *Surrealism and Spain,* Cambridge University Press, 1972.

MÜLLER, Elisabeth: *Die dichtung Luis Cernudas.* Kölner Romanistiche Arbeiten, 1962.

MUÑOZ, Jacobo: *Poesía y pensamiento poético en Luis Cernuda,* en «La caña gris», 1962, Núms. 6-7-8, Homenaje a Luis Cernuda, págs. 154-166.

NADEAU, Maurice: *Documents surréalistes,* Paris, 1948. *Histoire du surréalisme,* Paris, 1954.

NAVARRO TOMÁS, Tomás: *Métrica española,* New York, 1966.

OTERO, C. P.: *Letras, I,* Támesis Books Limited, London, 1966.

PASSERON, René: *Histoire de la peinture surréaliste,* Le livre de Poche, Paris, 1968.

PAZ, Octavio: *La palabra edificante,* en «Papeles de Son Armadans», Núm. XIII, 1964, págs. 41-82.

PELLEGRINI, Aldo: *Antología de la poesía surrealista,* Buenos Aires, 1961.

PÉRET, Benjamin: *Inmortel maladie,* Paris, 1924. *Dormir, dormir dans les pierres,* Paris, 1927.

PICON, Pierre: *La revolución superrealista,* en «Alfar», Núm. 52, 1925.

PROLL, Eric: *The surrealistic element en Rafael Alberti,* en «Bulletin of Spanish Studies», XXI, 1944, pág. 91.

RAYMOND, Marcel: *De Baudelaire al surrealismo,* México, 1960.

REVERDY, Pierre: *Le gant de crin,* Paris, 1926

RIMBAUD, A.: *Poesías de Rimbaud,* traducción de Díez Canedo en «Cosmópolis», Junio 1919. *Iluminaciones,* Madrid, 1972.

RÍO, Ángel del: *Estudios sobre literatura española contemporánea,* Madrid, 1966.

RODRÍGUEZ ALCAIDE, Leopoldo: *Vida y sentido de la poesía actual,* Madrid, 1956.

SALINAS, Pedro: *Ensayos de literatura hispánica,* Madrid, 1958. *Literatura española. Siglo XX,* Madrid, 1970.

SALINAS DE MARICHAL, Solita: *El mundo poético de Rafael Alberti,* Madrid, 1968.

SARTRE Paul: *Le surréalisme en 1947*, Paris, 1947.

SILVER, Philip: *Et in Arcadia ego. A study of the poetry of Luis Cernuda*, Tamesis Books Limited, London, 1965. Traducción española: *Luis Cernuda: el poeta en su leyenda*, Barcelona, 1972.

SOBEJANO, Gonzalo: *El epíteto en la lírica española*, Madrid, 1970.

SOUPAULT, Philippe: *En Joue!*, Paris, 1925.

SPITZER, Leo: *Lingüística e historia literaria*, Madrid, 1968.

STER VIRKEL, Ana: *El simbolismo de las aguas en la poesía de Luis Cernuda*, en «Cuadernos del Sur», Núm. 10, 1968-1969, págs. 79-92.

TORRE, Guillermo de: *El movimiento ultraísta español*, en «Cosmópolis», Núm. 21, 1920. *Literaturas europeas de vanguardia*, Madrid, 1925. *El suicidio y el superrealismo*, en «Revista de Occidente», Núm. CXLV, 1935, pág. 117. *Historia de las literaturas de vanguardia*, Madrid, 1965. *Problemática de la literatura*, Buenos Aires, 1966.

TZARA, Tristán: *Siete manifiestos Dadá*, Barcelona, 1972.

UMBRAL, Francisco: *Lorca, poeta maldito*, Madrid, 1968.

VELA, Fernando: *El superrealismo*, en «Revista de Occidente», Núm. XIII, 1924.

VIDELA, Gloria: *El ultraísmo*, Madrid, 1963.

VIVANCO, Luis Felipe: *Introducción a la poesía española contemporánea* I-II, Madrid, 1971.

WALDBERG, Patrick: *Chemins du surréalisme*, Bruxelles, 1965.

ZARDOYA, Concha: *Poesía española contemporánea*, Madrid, 1961.

ZULETA, Emilia de: *Cinco poetas españoles (Salinas, Guillén, Lorca, Alberti, Cernuda)*, Madrid, 1971.

INDICE

Págs.

KU-017-285